硝子のハンマー

貴志祐介

角川文庫 14855

JN266393

硝子のハンマー　目次

I　見えない殺人者

1　犯行当日　10
2　防犯コンサルタント　67
3　介護ザル　122
4　介護ロボット　172
5　弾道　215
6　実験　254
7　見えないサンタクロース　298
8　社長室にて　340

II　死のコンビネーション

1　ハイエナ　364
2　ダイヤモンド　404
3　計　画　449
4　殺　害　502
5　デッド・コンボ　536
終　章　569
貴志祐介インタビュー　by法月綸太郎　591

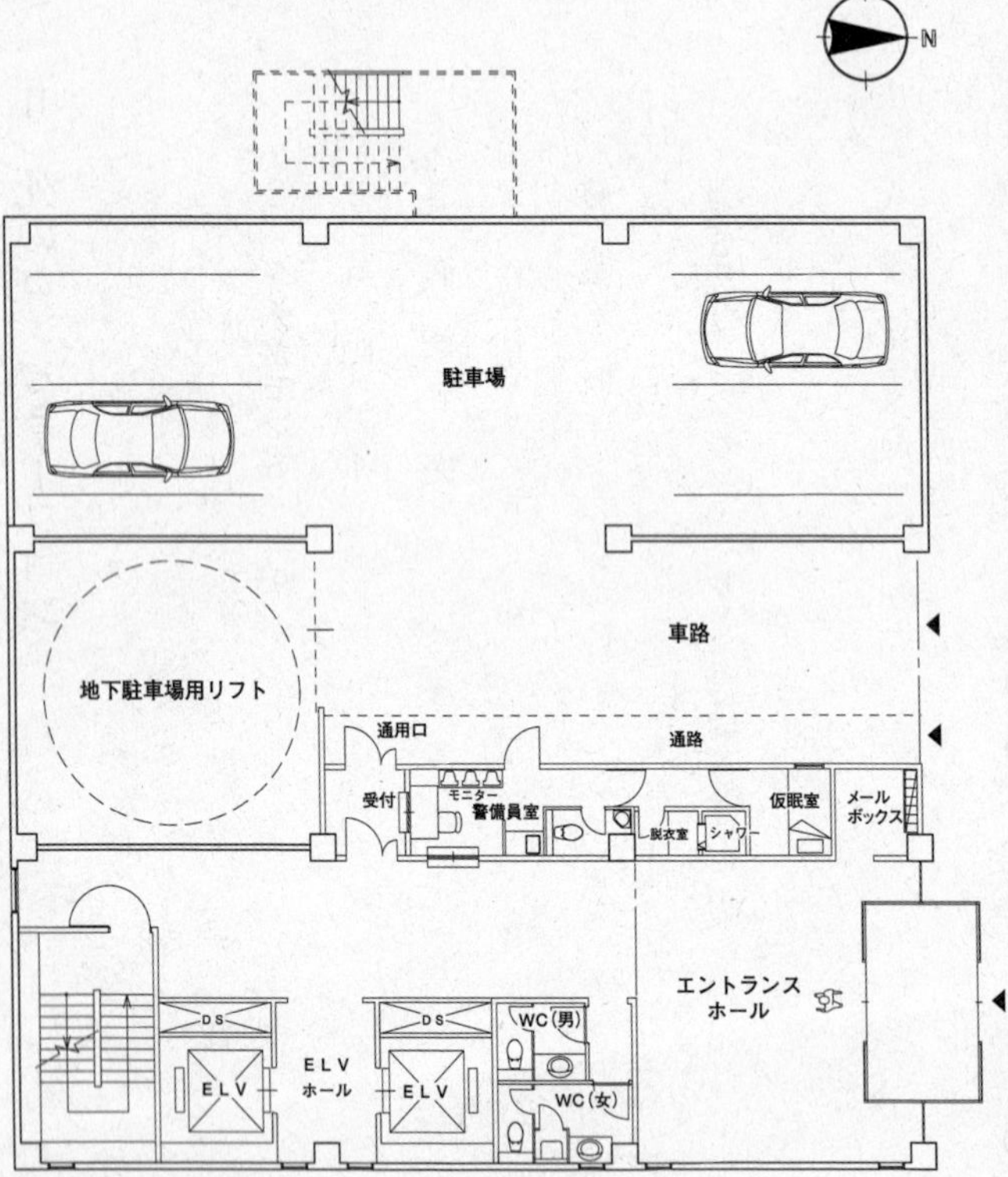
N
駐車場
車路
地下駐車場用リフト
通用口
通路
受付
モニター
警備員室
脱衣室
シャワ
仮眠室
メール
ボックス
エントランス
ホール
DS
DS
WC(男)
WC(女)
ELV
ELV
ホール
ELV

1 F

◀六本木センタービル▶

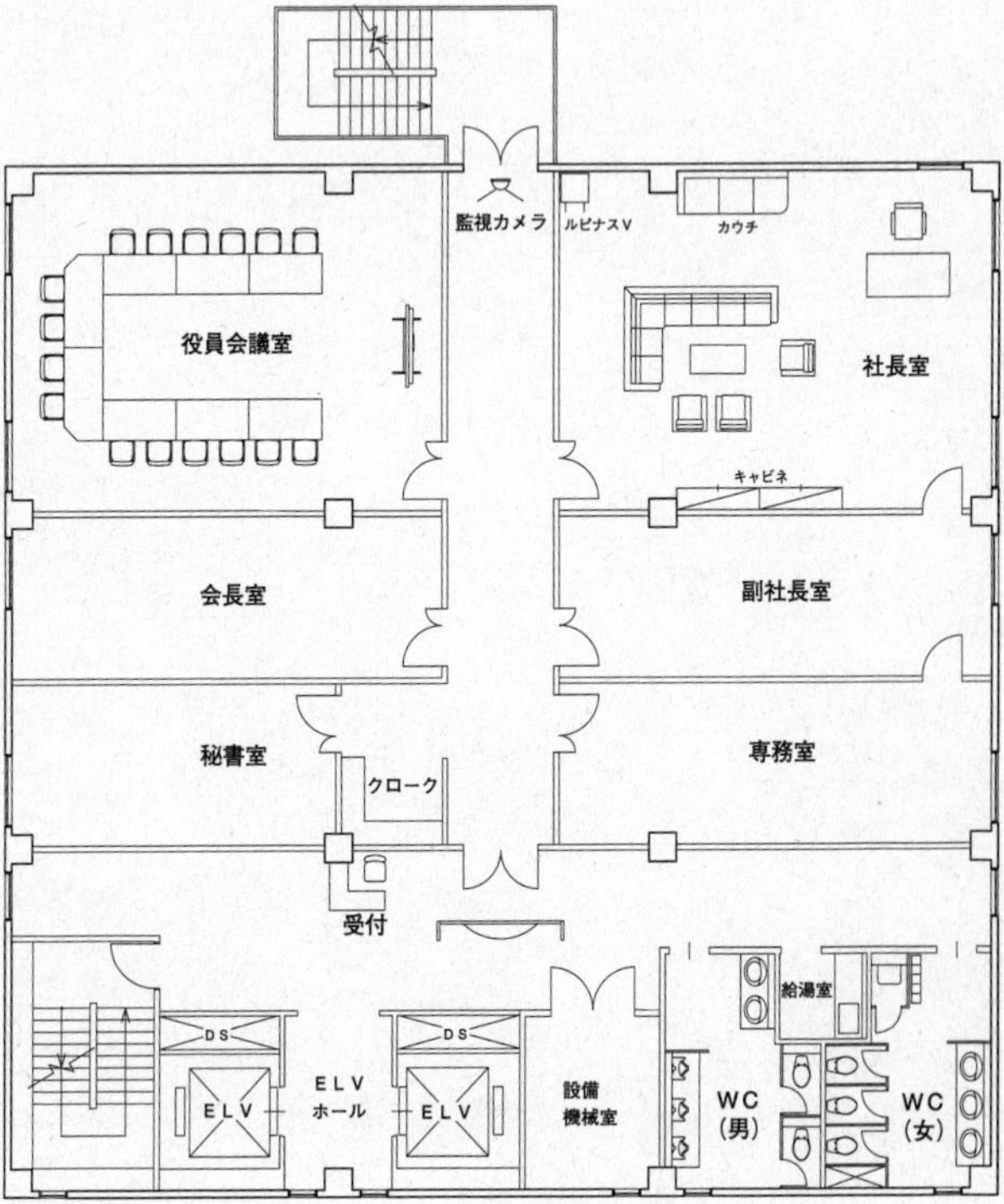

12F

Ⅰ　見えない殺人者

1　犯行当日

午前8時30分

地下鉄の階段を上がると、眩《まぶ》しい朝の光に包まれた。

沢田《さわだ》正憲《まさのり》は、大きく口を開けて、あくびをした。急に冷たい外気に触れたために、涙で視界がぼやける。

昨日の晩は、久々に素面《しらふ》のまま眠りに就こうと思っていたのだが、ふとテレビをつけると、水着のグラビアアイドルが大勢、プールでゲームをしているのが目についた。年末恒例の特番の余興らしい。

ブラジャーが取れるのではないかと期待して、画面に見入りながら、ほんの一杯のつもりで泡盛のオンザロックをちびちびと飲《や》り始めたのが間違いだった。いつしか、一杯が二杯、二杯が三杯になり、気がついたら、一リットル入りのペットボトルを一本空けてしまっていた。

沢田にとって、今や、酒が唯一のストレス解消法といっていい。だが、結局、残るのは、慢性的な疲労と倦怠感《けんたい》だけである。最近、顔や手足がおかしな具合にむくんできたし、白目には黄疸《おうだん》が出始めている。永年の酷使がたたり、ついに、肝臓がクラッシュしかかっているようだ。

今も、代謝されずに血中に残っているアルコールの影響で、頭に靄《もや》がかかったような感じである。

ざらざらした無精髭《ぶしようひげ》と脂っぽい皮膚の感触をたしかめるように、顎《あご》を撫《な》でた。

今朝は、目覚まし時計が鳴っても、容易に起きられず、ぎりぎりの時間になって、はっと気がつき、顔も洗わずにアパートを飛び出したのだ。吐息は、さぞかし、ひどい口臭を放っていることだろう。

ここまでやって来ても、頭の一部では、未練がましく寝床のことを考えていた。六畳間に敷いた、暖かい万年床。出しっぱなしの電気炬燵《ごたつ》。今からでも、もう一度あそこに潜り込んで、ぐっすり眠ることができたら、どんなにいいだろう……。

沢田は、よれよれになった上着の胸ポケットから、湿気《しけ》たタバコを一本取り出して、口にくわえた。サイドのポケットを両手で探り、ガスの切れかかった百円ライターを見つける。

歩きながら、長々と紫煙を吐き出すと、少しだけ気分がましになった。

ここが、歩きタバコの罰金まで取られるような無粋な区でなくて、幸いだった。

沢田は、まだ焦点の定まらない目を細めた。

左手には、くすんだ色の中層ビルが建ち並び、車道側には上下二段になった首都高速三号線がそびえ立っている。見慣れた光景とはいえ、うんざりするような圧迫感だった。

それでも、日曜日とあって、閑散としているのが救いだった。スーツ姿のサラリーマンもほとんど見当たらないし、車の量も平日よりはずっと少ない。

それもそのはずだ。年末も押し詰まった最後の日曜日。こんな日に働いているのは、自分くらいなものではないか。

ビルと高架の間から覗《のぞ》く、漂白されたような東京の青空を見上げる。すると、まるで蜃《しん》気楼《きろう》のように、緑のターフが浮かび上がった。

今年の掉尾《とうび》を飾るGIレース。

有馬記念。

腹の底から、身震いが沸き上がる。

特に、今年の陣容は見事だった。GI馬七頭を含む最強のメンバーが集結してきたのだ。瞼《まぶた》を閉じると、陽光を浴びてつややかに光るサラブレッドの一団が甦《よみがえ》った。最終コーナーを曲がり、一団となって直線に入ってくる。地鳴りのような喚声が場内を包み込む。いや増す興奮に立ち上がり、声を限りに馬の名前を叫ぶ。

……おウマさん、ぱかぱか。

沢田は、鼻から、煙の混じった溜《た》め息《いき》を吐き出した。

本当のぱか、あんたよ。

もう、懲り懲りのはずだろう。これまでの人生、そっくりJRAに貢いでしまったようなものではないか。ケチな横領がばれ、高校卒業以来、真面目に勤め上げてきた不動産会社をクビになったのも、マイホーム預金の残高がゼロになっているのを知って妻が家を出たのも、すべてあの、血液が沸騰するような興奮を忘れられなかったためだ。

だが、もう、終わりだ。ギャンブル依存症は克服した。今年に入って、馬券は一枚も買っていない。GIレースが近づくと、どうしようもなく血が騒ぐものの、スポーツ紙に印を付けて予想するだけで我慢している。競馬場にもウインズにも、一歩も足を踏み入れていなかった。もちろん、ノミ屋とは真っ先に縁を切った。

買わなければ、すらない。

そんな単純な真理に気づくのに、どれだけの授業料を払ってきたことか。考えてみれば、勝つわけがないのだ。いったい、どこのカジノで、胴元が25パーセントもピンハネするだろう。公営ギャンブルは、マフィアよりあくどい商売をしているのだ。

今日が警備のシフトに当たったのも、天の配剤というものに違いない。そうでなければ、天気がいいからと理由をつけて、電車に乗り、ふらふらと中山競馬場まで出かけてしまったかもしれない。

人生、一歩ずつ登っていくのはたいへんだが、転がり落ちるのは、実にたやすい。

今度しくじったら、終わりだ。

この不況下で仕事をクビになったら、本当に後がない。手に何の職もない五十三歳の男にとって、再就職は東大入試並みの狭き門である。

この年になって、若造の現場監督に怒鳴られながらモルタルを捏《こ》ねたり、マンションの郵便受けにピンクチラシを投げ込んだり、飛び込みでインチキなリフォームの注文を取りに回ったりするのは、願い下げだった。

それに比べると、千代田警備保障は業界では名の通った会社で、給与水準もそう悪くはない。まだ三ヶ月しか勤務していないものの、交通整理などに比べれば、オフィスビルの常駐警備というのは、楽な仕事であることはわかっていた。

左前方に、赤い煉瓦《れんが》風のタイルを貼った建物が見えてきた。六本木センタービル、通称、ロクセンビルだった。ご大層な名前とは似つかわしくない、こぢんまりとした十二階建てのビルである。

もともとは、両隣のビルより少し高かったのだが、西側の建物の屋上に、サラ金の巨大な看板ができてからは、日が当たることも少なくなっていた。場所も六本木の中心とはほど遠い場所だった。

休日なので、正面玄関は閉鎖されている。沢田は、タバコをくわえたまま通用口に回った。

警備員室を覗くと、当直の石井亮《いしいりょう》が生白くのっぺりした顔を上げた。細い目は、もともと三白眼気味だが、上目遣いだと、なおさら陰険に見えた。沢田は挨拶《あいさつ》代わりに手を挙げたが、石井は無言、無表情のまま、視線をそらせた。

沢田はむっとした。二十歳そこそこの餓鬼が、父親ほどの年齢の人間に対して、どうしてこんなに横柄な態度がとれるのか、不思議なほどだ。一度がつんと言ってやろうと、何度も思ったものの、向こうの方が15㎝も身長が高いことに加え、何を考えているのかわからない不気味さがあって、ついつい下手に出てしまう。そのことが、よけいに腹立たしかった。

沢田が警備員室に入っても、石井は目も上げなかった。何をやっているのか、一心不乱に携帯用端末の画面に見入っている。こういうのを、オタクというのだろう。前にちらりと履歴書を覗いたことがあったのだが、品川工業大学の学生ということだった。まともに人間とコミュニケーションを取れない分だけ、機械とは相性がいいのかもしれない。

沢田は、タバコを灰皿に置き、小さなロッカーを開けた。タオルとシェーバー、歯磨きセットを持って、警備員室の中にある流しに向かう。

給湯設備が貧弱なため、蛇口から出る水は、指がかじかむくらい冷たかった。洗面台の鏡に泡を飛ばしながら歯を磨き、冷たさを我慢して、手洗い用の緑色の水石鹸《せっけん》で顔を洗う。おかげで、いっぺんに目が醒《さ》めた。ごわごわのタオルで顔を拭《ふ》くと、半白になった無精髭をシェーバーで剃《そ》る。

最後に櫛《くし》を出して、ていねいに髪を整える。誰に会うということもないが、せめて仕事中だけは、身だしなみをきちんとすることにしていた。

「四十分」

すでに、警備員の制服から龍の刺繍《ししゆう》の付いたスカジャンとジーンズに着替えていた石井が、ぶすっとして言った。

「え？」

「八時四十分しょ。交代の時間は」

壁の時計を見ると、たしかに、五分ばかり過ぎている。

「あ……悪いね。髭剃りに、時間かかっちゃって」

石井は、細い目で沢田を一瞥《いちべつ》すると、赤いスポーツバッグを重そうに肩にかけ、大股《おおまた》に部屋を出ていった。

沢田の入りの時間は、たしかに八時四十分だが、石井の勤務時間も九時まであるはずなのだが。

そう思って、警備員室から顔を出すと、すでに石井の姿は消え失《う》せていた。いつも馬鹿でかいバスケット・シューズを履いて、大きな図体に似合わず、音もなく歩き回るのだ。無表情さとも相まって、沢田の大嫌いな猫を思わせ、なおさら癇《かん》に障る。

十数分のことで、わざわざ呼び戻しに行くわけにもいかない。腹立たしいが、石井のことは忘れるしかないだろう。

そろそろ、テナントの社員が出勤してくるかもしれない。休日の入館者が記入するノートを見ると、すでに四人、テナントの社員が来ていることがわかった。

全員、最上階から三フロアを占めるベイリーフという会社の社員だった。部署や役職は書かれていないが、それぞれ、伊藤《いとう》、小倉《おぐら》、安養寺《あんようじ》、岩切《いわきり》と読める。ご苦労なことだ。どれほど会社に尽くしたところで、会社はあんたらのことなど何とも思っていないよと、言ってやりたい。

このビルで日曜まで出勤するのは、ベイリーフの人間くらいなものだった。よほどワーカホリックが揃っているらしく、休日でも必ず誰かが出勤してくる。迷惑な話である。今日も、たぶん、後から他の社員も出てくるのだろう。

沢田は、眉根《まゆね》を寄せて吸いさしのタバコをくわえると、火を点《つ》けなおす。忙しく二口だけ吸ってから、急いで紺の制服に着替えた。

午前9時15分

河村忍《かわむらしのぶ》は、小窓越しに警備員に会釈すると、入館者用のノートに名前を書き込んだ。

休日は、ロクセンビルの正面玄関は閉鎖されているので、駐車場への進入路から、警備員室の脇を通って入らなければならない。最近のビルは、時間外の出入り口にICカード・リーダーを設置しているところが多いが、ここには、そんな洒落《しゃれ》たものはない。不審者の侵入を阻むのは、警備員の目視によるチェックだけだった。

だが、この警備員室の小窓を見るたびに、不安を感じる。あまりにも小さく、視界が限られているのだ。事情を知っている人間なら、誰でも簡単に、警備員の目を盗んでビル内に侵入できるだろう。ちょっと身を屈《かが》めて、小窓の死角を通ればいい。

例の事件のあと、総務部長がビルの管理会社に対して、エレベーター内にも監視カメラを設置するよう要請したらしいが、複数のテナントが入居しているので、プライバシー保護のため無理だという回答だったらしい。

その代わりに導入されたものの一つが、暗証式シークレットコールというシステムだった。

エレベーターに乗って扉が閉まると、忍は、⑫という階数ボタンの後に、四桁《けた》の暗証番号を押した。③、④、②、④。

忍が勤務するベイリーフが入っているのは、このビルの上から三フロアだが、社長室のある最上階だけは、暗証番号を押さないと、エレベーターのかご室が止まらない仕組みにしたのである。

内階段の扉は、もともとオートロックであるため、フロア側からは開閉することができるが、階段室側からは、鍵《かぎ》がないと開けることができない。

エレベーターの扉が開く。休日にはホールの照明を落としてあるので、かなり薄暗い感じだった。来客を迎えるための秘書ブースにも、誰も座っていない。

正面に延びた廊下の右側は、手前から、専務室、副社長室、社長室という並びになっていた。左側には、忍の仕事場である秘書室と会長室、それに、役員会議室がある。

廊下の突き当たりは避難階段で、その上には、火災報知器に似たドーム型のCCDカメラが設置されている。これも、防犯対策の一つとして導入されたものだった。忍は、ちらりとカメラに視線を走らせてから、秘書室に入った。

先に来ていた社長秘書の伊藤寛美《ひろみ》が、顔を上げた。

「早いわね」

「おはようございます」

忍は、ハンガーにコートを掛け、カバンを置いた。

伊藤さんの手元には、新聞五紙の切り抜きを貼り付けた紙束があった。平日と休日とを問わず、社長が出勤する日は毎朝、多少なりとも業務に関係のありそうな記事を切り抜いて台紙に貼り、霊芝茶《れいしちゃ》とビタミン剤、お絞りなどと一緒に、朝一番で社長のデスクに持っていくのである。新聞の裏側にも必要な記事がある場合は、先にコピーを取らなければならないため、けっこうな手間になった。

伊藤さんは、どんな時にも平常心を失わず、単調な仕事を淡々とこなしていく。忍は、あらためて畏敬《いけい》の目で彼女を見た。

「……完成。コピーする？」

「いつもすみません」

忍は礼を言って、分厚い紙束を受け取った。

専務の秘書である忍と、副社長秘書の松本《まつもと》さやかは、同じ新聞を何部も取るのは無駄という社長の鶴の一声のおかげで、ちゃっかり、伊藤さんの用意した切り抜きをコピーさせてもらっていた。

秘書室にあるのは旧式のコピー機なので、一枚一枚原稿をセットしなければならない。手間は同じなので、さやかの分も含めて二部ずつ複写する。

ようやくコピーを取り終える頃になって、エレベーターが上がってくる音がした。

「おはようございまーす」

秘書の中で一番若い松本さやかが、大きなルイ・ヴィトンのバッグを持って入ってきた。

「さやかちゃんも、今日は、ずいぶん早いのね」

さやかの出勤時間は、平日も始業時間ぎりぎりのことが多かった。

「昨日の晩は、興奮したせいか、寝付けなくって。今朝も、早く目が醒めちゃったんです」

「無理もないわよ」

伊藤さんが微笑んだ。

「何といっても、あなたが主役なんだものね」

「いえ。主役はわたしじゃないです」

「でも、大役じゃない」

「それは、まあ……」

さやかは、手先がかじかんでいるように擦《こす》り合わせた。何となく顔色も青白い。物怖《ものお》じしない彼女が、こんなにナーバスになっているのを見るのは、初めてだった。

副社長秘書とはいえ、彼女は、あまり重要な仕事にはタッチしていない。社内の他の部署からは、ルックス重視の採用だと陰口をたたかれることも多かったが、本人は一向に気にした様子もなく、可憐《かれん》な外見に似合わぬ大物ぶりを発揮していたのだが。

　忍は、さやかにコピーの束を手渡した。

「あ。いつも、すみません」

「だいじょうぶ。さやかちゃんなら、絶対できるから」

「何だか、足が竦《すく》むみたいな感じで。できれば、忍さんに代わってもらいたいくらいです」

「何言ってるの」

　忍はにやりと笑って、さやかの背中を叩《たた》いた。

「この日のために、頑張ってきたんでしょう?」

「さやかちゃん。それ、見えないところに置いといた方がいいわね」

　伊藤さんが、ぱんぱんに膨らんでいる、さやかのバッグを指した。

「誰かに見られたら、まずいでしょう?」

「あ。そうですね。すみません」

　さやかは、バッグを机の下に押し込んだ。

　とりあえず、それで、朝やる仕事はなくなってしまった。

　伊藤さんは、書類の整理を始めた。忍は用意してきた文庫本を開く。松本さやかは給湯室に行って三人分のコーヒーを淹《い》れてきたが、今はファッション雑誌を眺めている。

ここ数年、社長は、著しい体調不良の日を除き一日も休まずに会社に出勤していた。そのために、伊藤さんも、ほとんどの休日を犠牲にしてきた。まだ入社間もない頃、忍は伊藤さんを尊敬と同情の入り交じった目で見ていた。自分だったら、とても耐えられないと思いつつ。

社長にしても、毎日出勤しなければならないほど、仕事があるとは思えない。趣味で、会社に入り浸っているようなものだった。

ところが、会社が株式市場に上場するスケジュールが、正式に決定してから、社長だけではなく、副社長と専務まで、頻繁に休日を返上して出勤するようになっていた。そのため、忍とさやかまで、否応《いやおう》なしに付き合わされることになったのである。

さやかの淹れたコーヒーには、ほとんど香りというものがなかった。ケースで買っているオフィス用の挽《ひ》き粉パック詰めでは、それもしかたがないが、社長専用のブルーマウンテン№1とは、完全に別種の飲み物としか思えなかった。まあ、インスタントでないだけ、ましと考えるべきだろう。

このコーヒーとも、もうすぐお別れかと思うと、気の抜けた味も我慢できるような気がした。

午前9時36分

通用口に人の気配がして、沢田は小窓の外を見た。見覚えのある長身の男が、入館者用のノートにサインしているところだった。金張りのボールペンが、蛍光灯の光を受けて、眩《まばゆ》い輝きを放っている。側にあったゼブラには、目もくれていないようだ。

沢田が会釈しても、男は何の反応も見せなかった。黙ってペンをしまうと、エレベーターの方へと消えていった。あまりにも無視が堂に入っているので、腹立ちすら起きない。

沢田は、確認のためにノートに手を伸ばしたが、漢字が難しい上に乱暴な走り書きなので、名前は読めなかった。かろうじてベイリーフという会社名だけは判読できる。あの男は、まだ三十代の半ばだろうが、たしか、そこの副社長だったはずだ。

若造のくせに、いつも、警備員など番犬としか思っていないような横柄な態度だった。いまいましいが、こちらは、腹立ちを態度に表すわけにはいかない。ああいう陰険なタイプは、ちょっとしたことでも強硬な苦情を申し入れる。そうなれば、立場の弱いこちらは、即リストラだ。

考えに没頭していたせいで、外で小さな音がしたとき、跳び上がりそうになった。

「おはようございます」

穏やかな声がする。目を上げると、小柄な老人が立っていた。沢田も「おはようございます」と挨拶《あいさつ》する。老人は、ノートに署名すると、ゆったりとした足取りでエレベーターホールに向かった。

同じ会社の人間でも、こうも態度が違うものかと思う。あれは、たしか専務だったはずだ。

名前を確認しておこうと思い、沢田は小窓から手を伸ばしてノートを取る。こちらも、ベイリーフと書かれているのだけはわかったが、達筆すぎて全然読めなかった。

午前9時37分

エレベーターが、上昇してくる。

そろそろ、トップ達がお出ましになる時間である。三人の秘書は、それぞれの暇つぶしを中断し、お出迎えのために、秘書ブースの横に並んだ。

エレベーターの止まるチャイムと、ドアが開く音がすると、副社長の穎原雅樹《えばらまさき》が現れた。忍の頭の中では、ダース・ベイダーのテーマが流れ始める。副社長は、長いストライドで、エレベーターホールを横切って来た。

「おはようございます」

ちらりと、180cmをかなり超える長身を見上げる。週三回はジムで鍛えて、スポーツ選手のように引き締まった体形を維持しているのには、いつものことながら感心する。白人に合わせて作られた背広は、貧弱な体軀《たいく》の人間が着ると見られたものではないが、胸板の厚さといい、肩幅といい、欧米のエグゼクティブに一歩も引けを取らない。

顔立ちも、ハンサムとは言いがたいものの、彫りが深くて野性味があり、よく響くバリトンに痺《しび》れると公言している女性社員も、社内には数多かった。

だが、忍は、一度として魅力を感じたことはない。たしかに頭はよく、あらゆる意味で力もあるのだろうが、人間的な温かみや包容力が欠けているような気がするのだ。

副社長は、三人の秘書に一瞥《いちべつ》もくれなかった。

「誰も取り次ぐな。茶はいらん」

松本さやかに向かってだけ、そう言うと、副社長室の中に姿を消した。

三人が秘書室に戻り、しばらく時間を潰《つぶ》していると、また、エレベーターの音がした。

「はい。お出迎え、お出迎え」

伊藤さんが先に立ち、三人はぞろぞろと廊下に出た。次に現れたのは、専務の久永篤二《ひさながとくじ》である。

「おはようございます」

「うん。おはよう」

久永専務はうなずいた。丸い老眼鏡のレンズの奥で、人懐っこい目が瞬《まばた》いている。

「社長は、まだ？」

「ええ。副社長は、いらっしゃってますが」

「そう」

専務の微笑が、かすかに強張《こわば》った。若い副社長とは、徹底的にそりが合わないのだ。

「昨日のゴルフは、いかがでしたか？」

忍が尋ねると、久永専務は笑みを浮かべた。

「やっぱり、久しぶりで勘が戻らないね。インで右手に水ぶくれができて、アウトは61の大叩《おおだた》きだ。どう？　今度、君も一緒に行く？」

「いつもそうおっしゃいますが、一度も、連れて行ってくださったことはありません」

「そう？　そうだったかな？　じゃあ、今度行こう。今度ね。お茶くれますか？　うんと熱いのを」

「わかりました」

専務が部屋に入ると、忍は給湯室に行って、専務の湯呑《ゆの》みに、沸騰寸前なくらい熱い玉露を入れた。専務室にお茶を置いて秘書室に戻ると、内線電話が鳴る。

「秘書室です」

「安養寺だけど、社長、もう来られてるかな？」

「いいえ。まだです。副社長と専務はお見えになってますが」

「そう。じゃあ、来られたら、教えてくれる？」

「わかりました」

電話の背後で、小さな猿の鳴き声が聞こえた。安養寺の課で飼育している介護ザルだ。

「房男《ふさお》と麻紀《まき》は、元気ですか？」

「うん。おとなしくしてる」

安養寺課長は、小さく笑って電話を切った。

午前9時45分

通用口に、白髪の老人が現れた。おそらくは八十歳に近い年齢で、体格もけっして大きくないが、血色がよく、仁王のようにいかつい顔であたりを睥睨《へいげい》する様には、かなりの威圧感があった。特に、顔の長さの三分の二はある大きな耳は、異彩を放っている。

沢田が小窓から「おはようございます」と声をかけると、鷹揚《おうよう》にうなずく。だが、入館のノートには目もくれずに行き過ぎた。

しかたなく、沢田は、ノートに『ベイリーフ社社長』と記入しておいた。

午前9時46分

閲兵式のトリは、いつも社長である。忍たちは、秘書ブースの横に並んだ。

日曜日の朝だというのに、自分はいったい何をやっているのだろうと思う。

エレベーターのドアが開き、穎原社長と小倉総務課長の顔が見えた。小倉は片手でうやうやしくドアを(『開』のボタンではなく)押さえる。社長は、厳しい表情のまま軽くうなずき、居並ぶ秘書たちの前を通り過ぎる。

エレベーターの方にちらりと目をやると、小倉が薄くなった頭頂をこちらに向けて、最敬礼していた。噴き出しそうになって、咳払《せきばら》いをしてごまかす。小倉は、毎日、階数ボタンと暗証番号を押し、扉を押さえるだけのために、社長の乗るエレベーターに同乗してくるのだ。

秘書たちは、小倉をエレベーターボーイと呼んでいた。ボーイというには、老けすぎているが。

もう一度エレベーターの方をみると、扉が閉まるところだった。小倉がじろりとこちらを見たので、あわてて視線をそらす。

忍は、秘書室に戻ると、安養寺に内線電話をかけて、社長が出勤したことを伝えた。

午前10時11分

忍は、車椅子に座ったまま、強張った笑みを浮かべた。数メートル離れた場所には、社長、副社長、専務を始め、数人の男たちが自分の姿を凝視している。

「じゃあ、お願いします」

安養寺が言う。なぜ自分がこんなことまでと思うが、しかたがない。

「房男」

忍が呼ぶと、太い止まり木の上にいた二頭の猿のうち片方が飛び降り、駆け寄った。

「ボタン」

命令に応じて、小柄な猿は忍の膝《ひざ》の上に飛び乗った。さほど重量は感じないが、動物に身をゆだねるのは、何とも落ち着かない気分だった。

猿は、忍がブラウスの上に羽織っているパジャマのボタンを、上から順番に留めていった。手先の器用さは、人間に勝るとも劣らない。手が小さいことを勘案すると、はるかに細かい手作業も可能かもしれないと思わせる。

それにしても、膝の上に猿が乗っているという感覚には、なかなか慣れることができなかった。

体長50㎝にも満たない身体だが、頭部に黒い毛が生えていて、角刈りの大工の棟梁《とうりょう》を思わせる面付きのためか、まるで小さな人間であるかのような錯覚さえ抱いてしまう。よく動く長い尾を見ると、あらためて、猿以外の何物でもないことを再認識するのだが。

安養寺の方を見ると、電話の手真似をする。

忍は、「麻紀」と呼ぶ。すると、止まり木の上にいたもう一頭が飛んできた。

「電話」という指示を聞くと、離れた電話台のところまで行って、子機を持って引き返してくる。

「ありがとう。いい子ね」

忍は、二頭の頭を撫《な》でてやった。ここで拍手でも起きてお役ご免となることを、ひそかに願う。

「いやいや、すごいですね。こんな小さな猿に、人間の手助けができるとは」

専務が、感に堪えぬように言った。

「南米原産の、フサオマキザルです。小さいですが、猿用の知能検査をやると、チンパンジー並みの高得点を取ります。新世界の類人猿という呼び名もあるくらいです」

安養寺は、白衣の上で血色のいい童顔を綻《ほころ》ばせて言った。

「じゃあ、次を」

小声で忍に呼びかける。忍は溜《た》め息《いき》を隠して、「房男。メロン」と言った。

房男は、部屋の隅に置かれた、小型冷蔵庫の前に行った。冷蔵庫の扉を開け、中から、皿に載った半分のメロンを取りだし、扉を閉める。

皿を両手で抱えながら、後肢と尻尾《しっぽ》で上手にバランスを取って、戻ってきた。

「スプーンは？」

新しい指示を聞くやいなや、今度は、部屋の反対側の食器棚へと向かった。引き出しを開けると、間違いなくスプーンを取り出し、引き出しを閉める。膝に乗ってスプーンを差し出す姿は、イギリスの古い家に住み着いて台所仕事をするという小妖精《ブラウニー》さながらで、とても可愛らしかった。

「河村さん、どうもありがとう」

安養寺の言葉で、ようやく忍は解放されたが、拍手はない。

「だが、フサオマキザルを介護に活用するには、まだハードルが高いんだろう？」

副社長が尋ねる。

「はい。しかし、アメリカでは、すでに介護ザルの存在は、広く認知されておりまして……」

安養寺が説明しかけるのを、副社長はにべもなく遮った。

「アメリカの話はいい。要は、日本では、フサオマキザルは今も危険動物という扱いになっているという点だ」

「危険動物？　その猿は危険なんですか？」

専務が訊《き》いた。

「たしかに、犬歯がありますから、咬《か》まれることを考えれば、危険がゼロとは言えません。しかし、大型犬などと比べれば、よほどおとなしいですし、適切に訓練さえ受けていれば……」

「そういうことじゃない」

再び、副社長が遮った。

「私が言っているのは、いまだに、日本で介護ザルを普及させる目途が立っていないということだ。ＩＲで今の実演を披露しても、その点を衝《つ》かれると、かえって逆効果になる」

ベイリーフは来年、株式上場を目指していた。ＩＲというのは、新たに発行する株式を引き受けてもらう投資家に対する説明活動のことである。短時間で、いかにこの会社が将来性に富んでいるかをアピールするには、単に、財務諸表の無味乾燥な数字を並べたり、映像をスライドショーで見せたりするだけではなく、より印象に残るプレゼンを行わなくてはならない。

老人や障害者の介護を行う会社として、先進性を訴える素材として残ったのが、介護ザルと、介護ロボットを使った実演だった。

「……そうだな。たしかに、時期尚早かもしれん」

それまで沈黙していた社長が、ぼそりと言った。

「では、次は、ルピナスVのデモをご覧ください。岩切課長、お願いします」

自分ではその場を仕切っているつもりらしく、小倉課長が、しゃしゃり出てきた。安養寺課長は、まだ言いたいことがある様子だったが、黙って頭を下げ、二頭の猿を連れて部屋の隅に下がった。

被介護者の役をしていた忍は、車椅子を押して場所を空ける。代わって登場したのは、ラジコンのコントローラーのようなものを持った岩切課長だった。

「じゃあ、松本さん。そこに寝てください」

岩切が訥々《とつとつ》とした口調でそう言うと、松本さやかが靴を脱いで、部屋の中央にあるソファの上に横になった。

男たちの視線は、さっきまでと比べて、俄然《がぜん》、力を増したようだった。

「ルピナスVは、まだプロトタイプですので、コントローラーには、市販の十チャンネルのプロポを使っています。製品化した場合には、専用のスクランブル付きのコントローラーになる予定です」

岩切の説明は、ソファの方ばかり凝視している男たちの耳に、はたして入っているのだろうか。

岩切がコントローラーを操作すると、部屋の奥にあった機械が、低いモーターの唸《うな》り声を立てた。同時に、ロボットの上部にあるモニターが点灯し、低く柔らかい女性の声が響く。

「わたしは、介護支援ロボット、ルピナスVです。被介護者の移動、車椅子への乗せ替え、入浴介助などの機能があります。現在、充電率は100パーセントです」

ルピナスVの上部にあるモニターに、ガイダンス画面が現れた。これから行わせる作業を、選択できるようになっているようだ。

岩切はガイダンスを無視し、大きな親指の腹でジョイスティックを操った。すると、ルピナスVは、ゆっくりと前進し始めた。小型のフォークリフトのような形だが、六角形の底部には、車輪の代わりに六個のボールが嵌《はま》っている。

「ルピナスVの上部は旋回可能で、下部は、前後左右どちらの方向にも、スムーズに動くことができます。階段は上れませんが、二、三十センチの段差は、苦にしません。また、被介護者を抱き上げたままでも、5㎝までの段差なら、安全に乗り越えられます」

介護ロボットは、ゆっくりと部屋を横切って、ソファに横たわったさやかの前で止まる。

「これから、被介護者を抱き上げる動作に移ります」

岩切が言うと、介護ロボットは、長い二本のアームを持ち上げた。人間の腕とは、関節の曲がり方が逆で、肘《ひじ》が上を向いている。ゆっくりと油圧ピストンが動き、アームの先端が、さやかに近づいた。

「アームの先にある、ガイドに注目してください」

岩切は、太いアームの先端に付いた、曲がったアンテナのような部分を指し示した。

「このガイドは、非常にしなやかな素材で作られとりまして、けっして、被介護者を傷つける心配はありません。内蔵されているセンサーには、人間の指と同等の感覚があり、どこにアームを差し込めばいいか、探り当てることができます」

二本のガイドは、さやかの背中と膝《ひざ》の下に入り込んだ。続いて、太いアームも、滑らかに身体の下に入る。向こう側から突き出たガイドは、折り返され、軽くさやかの身体を挟み込んだ。

「これで、もう、持ち上げられます」

岩切が誇らしげに言って、ジョイスティックを動かすと、介護ロボットは、ゆっくりと、さやかの身体を持ち上げた。アームは平たい形状であるため、背中に密着し、まったく危なげがない。

どよめきが起きた。ほとんどの人間が、すっかり目を奪われている。唯一、社長だけは、得意げに目を細めていた。ルピナスVは、しばらく前から社長室に置いてあり、この程度のパフォーマンスは、幾度となく目にしているのだろう。

「それでは、運んでみます」

介護ロボットは、さやかの身体を捧《ささ》げ持つ形で、そろそろと移動した。

「ルピナスVは、一秒間に二十回、重心の位置を測定します。それが少しでも、決められた範囲から外れれば、直ちに修正します。したがって、絶対にバランスを崩すことはありません。こちらのお嬢さんの体重は、ごく軽いでしょうが、設計上、体重300kgまでの被介護者に対応可能です」

笑いが起きた。まるで公開セクハラショーではないかと思い、忍はむかむかした。

続いて、岩切は入浴介助の模擬演習を行い、ロボットの安全性について説明してショーを終えた。さっきはまったく聞かれなかった、拍手が起きる。

いろいろな意味で、忍は気を悪くした。

安養寺の方を見ると、落胆が表情に表れていた。IRの主役をロボットに譲ったことなどではなく、自分が研究している介護ザルの素晴らしさについて、充分伝えることができなかったことを悔やんでいるのだろう。

このままでは、将来的に、介護ザルの研究を打ち切るということにもなりかねない。

忍は、房男と麻紀が好きになりかけていたので、残念だった。

午前11時57分

仕出し弁当の宅配が来たのは、正午の時報を打つ、わずか二、三分前だった。

「もう。遅くとも十五分前には届けてって、あれほど言ったのに」

忍はぼやいた。

「並べちゃおう。正午ちょうどに準備できてないと、社長のご機嫌が最悪になるからね」

そう言って、伊藤さんは、役員会議室のドアを開けた。

秘書たちは、十人以上が座れるテーブルの上座に、三人分の弁当、急須《きゅうす》と湯呑《ゆの》み、社長用の漢方薬、降圧剤、水差しとコップなどを並べる。

「それ、ちがう。副社長のよ」

伊藤さんは、さやかが社長の席に置こうとした弁当を見咎《みとが》めた。

「え。これって、全部同じじゃないんですか?」

「今に始まったことじゃないでしょう? よく見なさい」

戸惑った表情のさやかに、忍が助け船を出した。

「社長のだけ、微妙にちょっとずつ豪華でしょう? ほら、車エビも大きいし、トコブシも入ってるじゃない」

「ほんとだ」

説明しながら、つくづく馬鹿馬鹿しくなる。こんなことにばかり気を遣わなければならない秘書という仕事は、やはり自分には向いていなかったと思う。よく、二年間も務まったものだ。

「逆に、専務のは、ウニとかが入ってないの。高血圧だから、塩分控えめでね」

「でも、社長は、何食べてもだいじょうぶなんですかね? 頭の手術したのに」

「もう、いいんじゃないの。年も年だし」

「死刑囚の最後のディナーみたいなもんですかね」

伊藤さんが咳払《せきばら》いをし、二人は黙った。

腕時計の針が十二時を指すと同時に、社長と専務が連れ立って姿を現す。

少し遅れて、副社長が入ってきた。

社長は上座の議長席に陣取り、奥側の列に専務、手前側の列に副社長が座る。副社長の方が職位は上だが、年長者に敬意を表して、奥側が専務の席ということになっていた。

ただし、副社長がそんなことに頓着《とんちゃく》する人間とは思えないので、一番入り口に近い席に座るのは、さっさといなくなるのに都合がいいからではないかと、忍は考えていた。

副社長は、何よりも効率を重視する人間で、だらだらと惰性で続く会議が大嫌いだった。本音では、経営に関する意見交換の場として三人で昼食を取るのも、時間の無駄でしかないと思っていることだろう。

岳父である穎原社長が亡くなれば、副社長は翌日から社内の大改革に着手するに違いない。久永専務を始め、楠木《くすのき》会長など、戦力外の高給取りは、即座に解雇されるはずだ。

そうなれば、専務の秘書である自分の首も風前の灯火《ともしび》だろうと思う。

ベイリーフの利益を稼ぎ出しているのは、全国に張り巡らされた介護センターのネットワークで、本来、管理部門は経理など必要最小限でかまわない。社長、副社長、専務に、それぞれ秘書が付いていること自体、分不相応な贅沢《ぜいたく》だという意見が、社内の一部から聞こえてきていた。

すでに、半年以上前から次の就職先を探してはいたのだが、今と同等以上の待遇を用意してくれる会社はなかなか見つからない。

介護ビジネスという仕事にロマンを感じて、キャビンアテンダントを辞めてこの会社に飛び込んだのだが、まさか、こんな日を迎えることになろうとは、夢にも思わなかった。

三人の秘書は、お茶を淹《い》れると、一礼して退出した。

今日は忍の当番だったので、タイミングを見計らって給湯室に行き、食後のコーヒーを淹れる。

美食家をもって任じている社長は、コーヒーにもうるさかった。空腹時に飲むと胃が痛くなるため、朝食を食べずに来る朝は霊芝茶《れいしちゃ》で我慢していたが、昼食の後は、どんなに忙しいときも必ず、極上の一杯を楽しんだ。

渋谷《しぶや》の専門店には、豆の種類だけではなく焙煎《ばいせん》方法まで指定しているほどであり、淹れ方に対するこだわりは、さらに厳密に決められていた。

食事が終わる頃合いを見計らって、忍はコーヒーを淹れた。

低温焙煎したブルーマウンテン№1を、よけいな熱を発生しにくいグラインドミルで中挽《び》きにして、味を濁らせる原因となる、微粉とシルバースキンを丁寧に取り除く。ペーパーフィルターは厳禁で、陶製のドリッパーに、水に浸《つ》けて冷蔵庫に保管してあるネルをセットする。沸騰直前で止めた軟水のミネラルウォーターを、円を描くようにして少しだけ垂らす。二十秒ほど蒸らしてから、もう一度、湯を注いでいく。給湯室内に、かぐわしいアロマが広がった。

この二年で、コーヒー専門店を開けると思うくらい、コーヒーの淹れ方には詳しくなった。だが、ときおり空しくなることがある。コーヒーを淹れることが、本来の秘書業務とはかけ離れているからではない。もしかしたら、社長には味などまったくわかっていないのではないかという疑惑が生じたためだった。

忍がそう思うようになったのは、半年前、社長が頭部の手術を受けてしばらくしてからのことだった。コーヒー当番だったさやかが、うっかり、エスプレッソ用であるイタリアン・ローストの豆を使ってしまったのだ。

極深炒《い》りやフレンチ・ローストよりさらに深く炒られた豆は、見た目も黒に近い褐色で、油を塗ったようにつやつやしており、よほど上の空でないかぎり間違いようがないはずだったのだが。味わいも圧倒的に苦味が強いため、すべてにマイルドな深炒りのブルーマウンテン№1とは、似ても似つかない。

さやかがコーヒーを運んだあとで気がついた忍は、茫然《ぼうぜん》とした。手ひどく叱責《しっせき》されることを心配したのだが、すべては杞憂《きゆう》だった。社長はいつもと同様に、満足げに食後のコーヒーを楽しみ、結局、味に関するコメントすらなかったのだ。

忍は、熱湯で温めたカップに、熱いコーヒーを注いだ。新鮮な牛乳を入れたミルクピッチャーと、一個ずつ包装された三温糖の角砂糖を添えて、ようやく出来上がりである。

湯気の立つ三つのコーヒーカップをトレイに載せ、ノックをしてから役員会議室のドアを開ける。そのとたん、硬い声が耳に飛び込んできた。

「……ちょっと、それは言いすぎじゃないですか？　企業というものは、あくまでも人で成り立ってるんですから」

専務が、忍を見て言葉を切る。いつになく険悪なムードが漂っているのに、忍は驚いた。

「温情主義だけで、無能な人間を抱えておく余裕はない。そんな時代は終わったことを、いいかげん、あなたにも認識してもらいたい」

副社長の舌鋒《ぜっぽう》は、いつになく激しかった。忍が入ってきたのはわかっているはずだったが、完全に無視している。絶対権力者であるはずの社長も、なぜか押し黙っていた。

専務は蒼白《そうはく》な顔で唇を舐《な》めた。口を開きかけるが、忍を見てためらう。すると、副社長がこちらを振り向いた。

「こっちへもらおう」

手を出して、トレイを受け取る。

「あ。すみません」

「もういい」

さっさと行けということらしい。鋭い眼光に忍はたじろいだ。専務がこちらを見て、うなずく。

静かに一揖《いちゆう》して外に出た。ドアを閉める寸前、副社長が社長の前にコーヒーカップを置くところが見えた。

「いったい、どうしたの？」

伊藤さんが、唖然《あぜん》とした様子で尋ねる。

「わかりません」

ドアさえ閉まっていれば、絶対に聞こえるはずはないのだが、つい小声になる。

「副社長と専務が、経営方針を巡って一触即発というか」

「というより、すでに一触しちゃったんじゃないんですか？」

　さやかが、嬉《うれ》しそうに言った。

「わたしの勘だけど、これは、きっと殺し合いに発展するわね」

　伊藤さんが、不吉な声で囁《ささや》いた。

午後12時30分

　沢田は、警備員室の机の上に置いてある小型テレビのチャンネルを、テレビ神奈川に変えた。

　ロクセンビルに派遣されてすぐ、『中央競馬ワイド中継』を見るために、TVKが映るよう設定しておいたのである。さいわい、ロクセンビルにはUHF用のテレビアンテナもあった上、送信塔方向にそれほど高いビルがなかったため、何とか見るに堪える映像で受信することができる。

　有馬記念のような大きなレースはNHKやフジでも放映されるが、その前のレースを、それもこの時間から見ようと思えば、ケーブルテレビか地方局ネットで見るしかない。

　画面はちょうど中山の第五レースが出走時刻を迎えたところだった。三歳上、500万下のレースなので、沢田ですら知らない馬ばかりだったが、有馬記念を前に雰囲気作りにはなる。

午後12時30分

ゲートが開き、各馬が一斉にスタートした。

伊藤さんの予想は外れ、三人の首脳は、生きたまま役員会議室を出た。

社長は眠気を催したらしく、社長室に入った。

伊藤さんが立ち上がった。社長は昼食後、コーヒーを飲むにもかかわらず、しばしばカウチで昼寝をする。そのたびに行って、毛布をかけてやらなければならないのだ。

この日はなぜか、専務まで生あくびを嚙《か》み殺しながら、専務室に引き取った。

「しょうがないな。わたしも、お爺《じい》ちゃんに毛布を掛けに行ってきます」

忍が立ち上がる。

「あの人たち、会社に眠りに来てるんですかね？」

さやかが仏頂面で言った。

「休みの日にそれに付き合わされてる、わたしたちって、いったい何なんでしょうね？」

「うちが何の会社か、忘れた？」

「え？」

「介護ヘルパーよ」

さやかは、うんざりしたように長い舌を出した。

ふいに、副社長が秘書室を覗《のぞ》き込んだ。二人はぎょっとして威儀を正す。

「外出する。一、二時間で戻る」

さやかにそう言い置くと、さっさといなくなってしまった。

やがて、エレベーターが十二階に止まるチャイムの音と、下降していくモーター音が聞こえた。

忍が専務室に行くと、久永専務は椅子に座ったまま、寝息を立てていた。しかたがないので、その上から毛布を掛けてやるが、どうしても滑り落ちてしまう。

久しぶりにキャビンアテンダント時代の裏技を思い出して、毛布の隅を、椅子の背もたれと肘《ひじ》掛《か》けの間に押し込む。これで、少々動いても毛布がずり落ちることはないだろう。

忍は秘書室に戻った。休日だというのに、決裁が必要な書類がいくつかある。三人の秘書は、書類やメモなどを持って秘書室と三つの部屋を往復し、やるべき仕事をこなした。

「お昼ご飯、行ってきてください」

忍は、時計を見て、伊藤さんとさやかを促した。すでに、十二時三十七分になろうとしている。

平日は、秘書のうち一人は、必ず秘書室に残るのが決まりだった。休みの日でも、できるときは、そうすることになっている。

「じゃあ、お先に」

「何か、買ってきましょうか？」

忍は、黙って弁当を出した。

「へえ。珍しいわね」

「今朝、早起きして作ったんです。だから、気にせずに、ゆっくりお食事してきてください」

「そう。じゃあ、お祝いに、六本木ヒルズで何かおごってあげるわ」

伊藤さんはさやかの背中を押し、連れ立って出て行った。

午後12時55分

「まいどー。渋谷ビルメンテナンスです」

沢田は、スポーツ新聞の競馬欄から目を上げた。小窓の外に、白いヘルメットと青いつなぎを着た青年が立っている。シャンプーと呼ばれるモップやスクィージの入ったバケツを持ち、肩には重そうなバッグをかけていた。

冷めたお茶を一口飲んでから、立ち上がる。壁のキーボックスを開けて、屋上の扉と給電ボックス、それに清掃用ゴンドラを動かすための、三本の鍵《かぎ》を取り出す。ふだんは、マスターキー一本で事が足りるため、わざわざ他の鍵を出して使うことはほとんどなかった。

六本木センタービルは、首都高速の真横に位置しているので、車の排ガスや埃《ほこり》をまともに浴びることになる。ディーゼル車の都内への進入が規制され、多少はましになったものの、騒音対策で窓ガラスがすべて嵌《は》め殺しになっていることもあり、普通のビルよりは頻繁に、ほぼ毎月、清掃する必要があった。

沢田は、小窓越しに、窓拭《まどふ》きの青年に三本の鍵を手渡した。

本来なら、警備員は、屋上まで行って、ゴンドラを出すのに立ち会わなければならないことになっていた。この季節、遮るもののないビルの屋上には、身を切るような風が吹く。特にやることもないのに、ただ、じっと佇《たたず》んでいるのは、苦行そのものだった。

だが、休日は一人シフトなので、必要な鍵は、預けてしまえばいい。沢田が屋上へ行ってしまうと、その間、通用口が無人になってしまうという言い訳ができるからである。

「ごくろうさん。あれ？　今日は、一人？」

「ちょっと、今、道具を取りに行ってます。……だいたい、一時間くらいで終わると思いますから」

「そう。年末なのに、たいへんだね」

半分は、自分に対して言った言葉だった。

「はあ。いつも通り、一時間くらいで終わりますんで」

まだ、二十歳そこそこだろうが、なかなかしっかりした感じの青年だった。関西訛《なま》りがあるので、何となく、お笑い芸人のような印象があるが、少なくとも、あの石井などと比べれば、はるかにまともな感じがする。

「じゃ、終わったら鍵返しに来て」

青年の後ろ姿を見送り、小窓を閉めようとして、沢田はおやっと思った。

小窓の外には小さなカウンターがあり、入館者用のノートの横に、『落とし物』と書いたボール紙の箱が置いてある。そこに封筒のようなものが入っているのだ。

朝来たときには、たしか、こんなものはなかった。摘《つま》み上げて、表裏を確認してみる。ありふれたB5判の事務用の茶封筒で、社名などは入っていない。

たぶん、昨日、テナントの社員が落としたものだろう。どこの会社かわかったら、届けてやってもいい。気持ち、点数稼ぎになるかもしれない。

無造作に折り返してある封筒の口を開けて、強く息を吹き込むと、封筒の底の方に、小さな紙束が入っているのが見えた。

沢田はぽかんと口を開けかけたが、すぐに苦笑いに変わった。何を期待している。そんな美味《おい》しい話が、転がっているはずがない。どうせ、すでに終わったレースの外れ馬券だろう。

封筒をひっくり返し、掌《てのひら》の上に馬券の束を振り落とす。

文字を見た瞬間、あっと声を上げそうになった。心臓が大きく飛び跳ねる。すばやく周囲を見回して、警備員室の中に引っ込んだ。ドアをロックし、小窓からは死角になる位置に立つ。

震える手で、戦利品を確認した。

間違いない。これは、今日のレースの馬券だ。ざっと見たところでは、十数枚ある。落とした奴は、今頃、臍《ほぞ》を噛んでいることだろう。

だが、今さら取りに戻ってきたとしても、もう遅い。これを返す馬鹿がいるか。落とし物の箱には、最初から何も入っていなかった。俺は何も見ていない。証拠は何もない。何を聞かれようと、知らぬ存ぜぬで押し通せばいい。

しばらくの間、沢田は、馬券の落とし主との架空の口論を想像して、一人で興奮していた。

だが、テレビの画面が目に入ると、自然に表情が綻《ほころ》んだ。これで、今日の競馬中継は、たっぷりと楽しめる。一発大きいのを当てでもすれば、相当な臨時収入になるかもしれない。これはまさしく、天からの贈り物だ。

さてさて、いったい、どんな買い方をしているのか。

沢田は、新幹線のチケットに似た紙束に目を走らせた。

何だ、これは。思わず、眉《まゆ》をひそめる。投入された金額は、二万円を超えていたのだが、期待した有馬記念の馬券は一枚もなく、なぜか、第六レースの馬券ばかりなのだ。

競馬新聞を見た。十三時十分発走の中山第六レース、ホープフルステークス。二歳馬のオープン戦としては長い、芝の2000mだった。タイトルとは裏腹に幾分地味なレースだが、それでも歴代の優勝馬には、ダービー馬のウイニングチケット、皐月《さつき》賞と菊花賞を制したエアシャカールなどがいる。

沢田としても、けっして興味のないレースではない。だが、これだけ盛り上がっている有馬記念をさしおいて、なぜ、ホープフルステークスなのだろう。

沢田はテレビの画面に注目する。ちょうど、パドックでの馬の紹介がはじまったところだった。

十頭立てのレースだったが、名前を知っている馬は、1600mの新馬戦を四馬身ちぎったディンヒル産駒の一頭のみである。そのランスレットが圧倒的な一番人気だったが、沢田はまったく買わなかった。

腹に実が入った好仕上がりの馬体だが、首が太く、腰回りがやけにどっしりしている。首を鶴のように内に曲げたり、チャカついているのも大幅な減点材料だ。気性の激しいマイラータイプで2000mだと距離がもたないのではないか。

対抗に推されたティンバーカントリー産駒のアイリッシュムースも、ダート1800mの未勝利戦で強い勝ち方をしているが、厩務員《きゅうむいん》に引っ張られるようにしてボーッとしながら歩いているのが気になる。動きが緩慢なうえに、眼光もどんよりとして精彩を欠いている。

小さなテレビの画面ではよくわからないが、黒光りした毛づやが目を引くのは、ローチスターである。とはいえ、これも脚部不安で三ヶ月の休養明けとあっては、期待薄である。あとは、430kgと牝馬《ぼば》にしては小兵だが、前走中山芝の1200mで四コーナー最後方から一気に二着に食い込んでいる、グリーンマンバくらいか。

いずれにせよ、およそ華のない十頭と言わざるを得ない。

もし、二万円の元手があれば、自分なら有馬記念一本で勝負するだろう。GI馬が勢揃いの今年は、例年にもまして白熱の好勝負が期待できる。予想を立てるのは難しいが、逆にいうとどこから買っても高配当が狙えるのだ。

もちろん、朝から競馬場かウインズに詰めていれば、目の前で次々に行われるレースをスルーするに忍びず、五月雨《さみだれ》式に買ってしまうこともある。だが、この馬券は、あらかじめレースと馬を決めて買ったものだ。

有馬記念を外し、あえてホープフルステークスに的を絞ってくるには、何か、はっきりとした狙いがなければならない。それは、怪しげなインサイダー情報であっても、オカルト的な必勝法によるものでもかまわない。ＪＲＡの暗号に関する様々な都市伝説は、競馬ファンの間では、フリーメーソンの陰謀以上に広く流布している。

だが、この馬券の買い方には、どうにも納得がいかなかった。どう見ても、まったく狙いが絞れていないのだ。
一、二番人気のランスレットとアイリッシュムースから、ちまちまと総流ししながら、バラバラな組み合わせの三連複を入れ、極めつけは、押さえの複勝である。
複勝というのは、一頭の馬を選び、それが三着までに入ればいい馬券だ。他の種類の馬券に比べて、当たる確率は格段に大きくなるが、当然、配当は雀の涙になる。沢田から見れば、こんなものは馬券の名に値せず、これまで、一度として買ったことはなかった。

ところが、投入された金額の約三分の一は、この複勝だった。それも、本命から順に五番人気まで。ランスレットなど、かりに当たっても百円返しだろう。わざわざ買う奴は気が狂っているとしか思えない。

とはいえ、もともと棚ぼたの馬券だ。何を買っていようが、文句を言う筋合いはないと思い直す。

発走時刻が迫るにつれ、かつてないほど、どきどきしているのに気がついた。この馬券がなければ、これほど気合いを入れて第六レースを見ることはなかっただろう。

沢田は、椅子を引き寄せて、全神経をテレビの画面に集中した。

午後01時04分

食後のコーヒーを飲みながら、忍は転職雑誌のページを繰っていた。

かすかな鈍い音が、耳に届く。

何だろう。

何かがぶつかったような、硬く重い響き。

顔を上げて、耳を澄ましたが、それっきり何も聞こえてこなかった。

たぶん、ビルの外の音だろう。忍は、再び求人情報の方に注意を戻した。

午後01時10分

ゲートが開く。ランスレットがやや出遅れたものの、十頭の馬がスタートした。

無印のサマーマックレルがハナを切り、正面スタンド前で早くも三馬身のリードを保っていた。続いてサッカーフィンチ、その外をローチスター、一馬身離れてタンブルウィードが追走していた。アイリッシュムースは脚をためているのか、後方で待機だ。

突然、場内に歓声が上がった。本命のランスレットが、しんがりから一気に先行集団へと差を詰めてゆく。かなりかかっているようだ。

三コーナーにさしかかった。快足を飛ばしていたサマーマックレルの脚が急激に鈍り、代わってランスレットが前に押し出されるように先頭に立った。二番手には、サッカーフィンチが内ラチ沿いを突き、そのすぐ後ろをローチスターが続いていた。タンブルウィードは徐々に退いてゆく。

四コーナーの入り口で後方集団が猛然と追い込んできた。ランスレットが、サッカーフィンチとローチスターに並ぶまもなくかわされ、すぐに一団に呑《の》み込まれた。

馬群を割ってカミノフブキがローチスターに襲いかかり、大外からグリーンマンバが長い首を振りたてながら抜群の伸び脚で先頭に迫る。

沢田は、手に汗握って、画面に集中していた。これほど熱狂したことは、GIレースでも記憶になかった。手持ちの馬券が、およそ訳のわからない買い方なので、どの馬に声援を送ったらいいのか、迷う有様だった。

レースは、そのままサッカーフィンチが先頭でゴールした。二着はグリーンマンバ。だとすると三着はカミノフブキか。

沢田は、茫然《ぼうぜん》として馬券を見た。

取った。文句なしの万馬券だ。なぜかはわからないが、この人気薄の三連複を千円も押さえてある。

世にも稀《まれ》な棚ボタ、馬頭観音からの一足早いお年玉だった。

沢田は、さっそく、賞金の使い道について思いを巡らし始めた。しょせんアブク銭だから、ぱっと使ってしまってもいいのだが、耐久消費財の大部分が、そろそろ寿命を迎えつつある。特に冷蔵庫の冷えが悪い。夏場は、缶ビールを製氷室に入れているというのに、きんきんには冷えない。たぶん、コンプレッサーが限界に来ているのだろう。

だが、腕時計も欲しい。今しているのは、昔、香港土産にもらった偽物のロレックスで、すでに、ところどころメッキが剝《は》がれつつある。一日に五分以上も遅れる上、信用第一の職種で偽ブランドの時計をしているのには、問題があった。

そう考えると、十五万円とちょっとの金というのは、それほど使いでがなかった。ここはひとつ、これを種銭にして、もう一勝負すべきだろうか。

いやいや、競馬は、もう止めると誓ったはずだ。

しかし、この馬券は、向こうから懐に飛び込んできたのだ。これは、運命のサインかもしれない。永の年月にわたり、自分の運気の波動は最底辺を這《は》いずり回っていた。それが、ようやく上昇に転じ始めたのではないだろうか。

だが、ちょっと待て。あれは何だ。……審議の青いランプが点灯している。

沢田は、画面に目を凝らした。勝ち馬が確定するまで投票券を捨てないようにとの、アナウンスが流れている。実況によると、カミノフブキが、他の馬の進路を妨害した疑いがあるらしい。

おいおい、勘弁してくれ。沢田は頭を抱えた。

ほどなく、結果が出た。三着入線のカミノフブキは斜行による進路妨害で四着に降着。ようやく確定した着順は、サッカーフィンチ、グリーンマンバ、オルソーランの、馬番⑨—⑥—⑩である。

心底がっかりして、馬券を見た。結局、的中したのは、グリーンマンバの複勝のみだった。

まあ、人の金で、これだけ楽しめたというのは、儲《もう》かったようなものではあるが……。

そのとき、小窓の外を誰かが通ったような気配を感じた。だが、数秒後に窓を開けて見回したときには、すでに誰の姿も見えなかった。

午後01時26分

「おみやげ」

伊藤さんが、ケーキの箱を机に置いた。

「わあ、すみません。でも、もっとゆっくりしてくれればよかったのに」

忍は、コーヒーを淹《い》れるために立ち上がった。

「だめだめ。いろいろ、気になっちゃって。それに、六本木ヒルズなんか、どこも満員で、食べられるとこなんてなかったから」

「そうか。日曜日ですもんね」

「せっかく、並んでブルディガラのケーキを買ってきたんですから、今日はいいコーヒーにしませんか?」

さやかが言う。まさに、悪魔の囁《ささや》きだった。

「そういえば、お昼に淹れた社長用のブルマンNo.1が、まだコーヒーサーバーに残ってるけど」

「捨てるのももったいないわね」

伊藤さんが断を下した。

「どうせ、社長は、もう飲まないしね」

午後01時50分

エレベーターが上がってくる音がした。

さやかが、ルイ・ヴィトンのバッグを閉めようとしたが、あわてていたせいか、途中でファスナーが引っかかってしまう。

副社長が、秘書室の戸口に立った。

「社長は?」

「おやすみになられてます」

伊藤さんが答える。

「まだか？」

副社長は、眉間《みけん》に皺《しわ》を寄せた。

忍は腕時計を見た。たしかに、いつもより昼寝が長い。だが、安眠を破られた社長の機嫌の悪さは、尋常ではないことを知っているので、誰も起こしに行く勇気はなかった。

「電話はなかったか？」

今度は、さやかに訊《き》く。

「ありませんでした」

副社長は、踵《きびす》を返しかけてから振り向いた。

「何だ、それは？」

見ると、さやかのバッグから、カツラの毛がはみ出していた。

まずい。三人の秘書は息を呑んだ。

「すみません」

「何だと訊いてるんだ」

「カツラです」

「なぜ、会社にカツラを持ってくる必要がある？」

「すみません」

忍も伊藤さんも、固唾《かたず》を呑んで成り行きを見守ったが、さいわい、副社長も、それ以上は追及しなかった。こちらが休日出勤をしているということも、あるのだろう。

「社長が起きたら、教えてくれ。それから、コーヒーを頼む」

「わかりました」

副社長が部屋に戻ってから、約二分後に、机の上の電話が鳴った。

午後01時51分

窓拭《まどふ》きの青年は、ゴンドラの操作盤の走行スイッチを押した。

「ひょっとして、体調悪いんじゃないすか？」

屋上から後輩が訊く。

「いや……いける。昨日、ちょっと飲み過ぎただけや」

「やっぱ、酒はほどほどにしといた方がいいと思いますよ」

「ほどほどやて。まず、死なん程度やから」

「命かけて、どうすんですか？　……でも、顔色、悪いっすよ」

「さっきからな、ちょっとだけやけどな、頭痛が痛いんや」

「そりゃ、イタいすね。まあ、でも、かなり遅れてるんで、巻きでお願いします」

後輩は、まったく容赦がなかった。

「おまえなあ。遅刻してきたんは、誰や思とんねん？」

窓拭きの青年は、ぼやいた。

台車がゆっくりと右に移動すると、北面の西から二列目の窓が、目の前にやって来た。

レースのカーテンが閉まっていたが、中央が少し開いている。部屋の中は薄暗かった。首都高に面した北側は、ガラスに付着した粉塵《ふんじん》がひどい。シャンプーを洗剤入りのバケツに浸して、ガラスに泡を塗った。

痛みをこらえつつ、のろのろと泡を掻《か》き集めたが、突然、右手からスクィージが滑り落ちた。

カーテンの隙間から、信じがたい光景が視界に飛び込んでくる。

愕然《がくぜん》として窓に顔を近づけると、部屋の奥の、ドアからすぐそばの位置に、俯《うつぶ》せに倒れている人の姿が見えた。

顔は見えない。ぴくりとも動かず、呼吸している様子もなかった。

生きているのだろうか。

窓の外からでは判断がつかない。少しためらったが、拳《こぶし》でガラスを叩《たた》いてみる。鈍い音がしたが、何の反応もなかった。

しばらく迷ってから、インターフォンに手を伸ばした。

「おーい、いるか？」

緊迫した場面だというのに、何だか、落語に出てくる大家みたいに暢気《のんき》な呼びかけだと思う。

「はい？」

しばらくしてから、後輩が応答した。

「緊急事態や。すぐ、警備員室に連絡してくれ」

「どうしたんすか？」

「人が倒れてる。最上階の、北西の部屋」

「倒れてる？」

「いちいちオウム返ししてんと、早《は》よ走れ！」

窓拭きの青年が一喝すると、後輩は、「わかりました」と叫んだ。足音が響く。インターフォンをそのままに、駆け出したようだ。

窓拭きの青年は、もう一度、動かぬ姿に目をやり、鳥肌が立つような感覚に襲われた。

それは、どこから見ても、死体以外の何物にも見えなかった。

午後01時54分

忍は、受話器を取った。警備員の声が聞こえたが、早口でうわずっており、何を言っているのか、よく聞き取れない。

「はい？　あの……どういうことでしょうか？」

「ちょっと、今すぐ見てもらえますかね？　倒れられてるみたいなんで」

「倒れ、られって？」

「だから、部屋の中でですね」

「あのー。誰のことですか？」

「いや、それは……たぶん、そちらの社長さんだと思うんですが」

「ええ？」

一階にいる警備員に、なぜ、そんなことがわかるのか。

「どうしたの？」

ただならぬ雰囲気に、伊藤さんが尋ねる。忍は首を振った。

「たった今ですね、窓掃除の人間が、見つけたんですわ」

警備員の説明で、ようやく合点がいった。忍は送話口を手で覆い、今聞いた内容を二人に伝える。

三人が秘書室から廊下に出たとき、副社長室のドアが開いた。

書類挟みを持って現れた副社長は、秘書たちのただならぬ様子に、眉《まゆ》をひそめる。

「どうした？」

「社長が、部屋で倒れてるらしいんです」

伊藤さんが答えると、副社長は一切よけいな問いを発せず、社長室の前に行き、ドアをノックした。応答はない。

副社長がドアを開けると、社長が床に倒れているのが見えた。白髪。大きな耳。

さやかの口から、小さな悲鳴が漏れる。

副社長は、部屋に入り、社長の横に屈《かが》み込んだ。

「救急車……早く」

伊藤さんが叫び、さやかが秘書室にとって返そうとした。

「いや。警察だ」

彼女を呼び止めた副社長の声は、ふだん通りの冷静さを保っていた。

「もう亡くなってる」

脈を取っていた手を、静かに床の上に置く。

「そんな……」

顔を上げた忍の目に、窓の外に止まったゴンドラのシルエットが飛び込んできた。窓拭きの青年の目が、レースのカーテンの隙間から、びっくりしたようにこちらを凝視している。

副社長はリモコンのスイッチを押して、ドレープカーテンを閉じてしまった。部屋の中が暗くなったため、伊藤さんが電灯を点《つ》ける。

伊藤さんに続き、忍とさやかも、二、三歩、部屋の中に入ろうとしたが、副社長が押しとどめた。

「だめだ。この部屋は、警察が来るまでは、立ち入り禁止だ」

「え？　どういうことですか？」

忍は尋ねたが、副社長は三人を追い出すと、ものも言わずに内側からドアを閉めてしまった。

三人は、ドアの前で立ちすくんだ。

「あの、どうしたら？」

さやかが、忍の方を向いて、囁《ささや》くように言う。

「警察よ。聞いたでしょう？　早く連絡して」

伊藤さんが、冷静に指示する。さやかは、弾《はじ》かれたように飛び出した。

閉まってから一、二分ほどで、再びドアが開く。

「警察は？」

副社長は、深刻な表情だった。

「今、連絡してます。あの、社長は、どうされたんですか？」

伊藤さんが訊《き》くと、副社長の眉間《みけん》の皺《しわ》が、いっそう深くなった。

「わからん。だが、何者かに殺された疑いがある」

「殺され……？　そんな。だって、この部屋には、誰も入っていませんよ」

唖然《あぜん》としたように、伊藤さんが言った。こちらを向いて「そうでしょう？」と確認を求めるので、忍はうなずいた。

副社長は、黙って右手を突きだした。二人はたじろいだ。人差し指と中指に、乾きかけた血が付着している。

「後頭部に、打撲の痕《あと》があった」

副社長は、ハンカチで血痕《けっこん》を拭《ぬぐ》いながら言った。

「事故としては、不自然だ。状況からは……」

ドアを閉めながら、副社長は、はっとしたように訊いた。

「専務は？」

「お部屋で、お休みになってますけど」

忍が答えた。副社長は専務室の前に行くと、ノックもせずにドアを開けた。

忍は、すぐ後ろに続いた。椅子にもたれて、完全に熟睡しているらしい専務の姿が目に入る。

副社長は、ものも言わずに部屋に入ると、専務の肩を乱暴に揺すった。かけてあった毛布が、床に滑り落ちる。

「久永さん。起きてくれ！」

専務は、寝言のような呻《うめ》き声を漏らす。

「起きろ！」

副社長は、専務の頰を平手で叩いた。

「やめてください！」

伊藤さんが叫んだが、副社長は一顧だにしない。

専務は、ようやく目を開けたが、まだ、意識が朦朧《もうろう》としているようだ。

「あんたは、ずっと、ここにいたのか？」

「な、何を……」

「社長が殺された。あんたは、何か知ってるのか？」

「え？　しゃ、社長が……こ、殺され？」

専務は立ち上がりかけたが、副社長が肩を摑《つか》んで、椅子の上に押さえつけた。

「ここにいてもらおう。警察が来るまでは、勝手に動いてもらっては困る」

「ま、まさか、そんな。社長が……」

専務は喘《あえ》ぎ、ひどく咳《せ》き込んだ。

とても見ていられなくなり、忍は顔をそむけた。

「さっき言ったことに、間違いはないのか？」

副社長は、一転して、鋭い視線を忍に向けた。

「え？」

「社長室には、誰も入っていないということだ」

「あ……はい。い、いいえ」

忍は、口ごもった。

「絶対かどうかは。ずっとドアを見てたわけじゃないですから」

副社長が視線を動かした先は、専務室から副社長室へ通じるドアだった。鍵のないドア。副社長室にも社長室へと通じるドアがあるから、ここからなら、誰にも見られずに社長室へ往復できる。しかし、だからといって……。

「副社長。手を離してください。呼吸が……！」

伊藤さんが、叫んだ。副社長は、専務を押さえつけていた手の力を緩めた。専務の口から、苦しげな喘鳴《ぜんめい》が漏れる。

「いずれ、何もかもはっきりする」

副社長は、ぞっとするほど冷たい目で専務を見下ろした。

「監視カメラの映像を調べれば、わかることだ」

午後03時18分

馬鹿な。信じられん。このビル内で殺人だなんて、いったい、どうなっているんだ。

沢田は、警備員室の椅子の上で、身じろぎした。ビルの駐車場は警察の車で満杯で、大勢の捜査員が出たり入ったりしているため、ひどく落ち着かない。

警察は、いったい、何度同じ話をさせたら気がすむのだろう。まさか、自分を疑っているわけではないだろうが、この分では、いつ帰れるのか、見当もつかなかった。最悪、警察署に連れて行かれて、最初から同じ話を繰り返させられる可能性さえある。

いったい、今日は、どういう日なんだ。こんな、めったにないような出来事が、短い時間のうちに次々と降りかかってくるというのは。

ふと、時計を見ると、三時十九分を回ったところだった。

いかん。沢田は、立ち上がった。

有馬記念の出走時刻だ。

何が起こっていても、これを見逃すわけにはいかない。たとえ馬券は買っていなくても、この勝負の帰趨《きすう》だけは、絶対に。

小型テレビの電源を入れようとしたとき、ドアにノックの音がした。沢田は、絶望的な思いで振り返った。

「ちょっと、いいですかあ。上で、もう一度、お話伺いたいんですが」

若い刑事が入ってきた。この低脳が。沢田は、心の中で罵倒《ばとう》した。おまえは、記憶力がないのか。どうして、何度も、何度も、同じ話を訊きたがる。俺は何も知らない。参考になるような話は、何もない。いくら何でも、俺を疑ってる訳じゃないだろう。嫌がらせか、これは。

「いいですか？」

部屋から動こうとしない沢田を見て、刑事は眉間に縦筋を刻んだ。

「ええと……ちょっとですね」

「ちょっと、何？」

「いや、ちょっと、その、二、三分あとでいいでしょうか？」

「はあ？」

刑事は目を剝《む》いて、沢田の方に向き直った。

「何があるの？」

殺人事件の事情聴取より優先する用事があるのか。あるなら言ってみろという表情だった。

「い、いや。いいです」

沢田は、すごすごと警備員室を後にした。

ふりかえると、秒までかっちり合わせてある時計の針が、三時二十分ちょうどを指すところだった。

遥《はる》か中山競馬場で、ゲートが開く。

各馬、きれいにスタートを切った。すでに、伝説となることが約束されたビッグレースだ。

もたもたしている沢田を、前を行く刑事が苛立《いらだ》たしげに振り返る。

美しいサラブレッドたちの幻影は、跡形もなく消え去った。

沢田は、愛想笑いを浮かべると、少しだけ足を速めた。

2　防犯コンサルタント

朝から、冷たい雨が降り続いている。おそらく、あとほんの少し冷え込めば雪になるのだろうが、東京の気温は、まるで嫌がらせのように、ぎりぎりの位置にとどまっていた。まだ松の内、それも月曜日の午前中とあって、新宿の裏通りには人影もまばらである。

青砥純子《あおとじゅんこ》は、傘の端を持ち上げて、間口四メートルほどしかないペンシルビルを見上げた。壁面のテナント看板を確かめるまでもなかった。二階の窓に、『F&Fセキュリティ・ショップ』という文字が見える。ガラス窓の内側から、青いビニールテープを貼ってあるのだ。

ビルの玄関を入ると、梅雨時のような黴臭《かびくさ》い臭いが漂っていた。純子は傘をすぼめると、雨の滴を払い落としてから、傘立てに差した。

エレベーターは一階に止まっていたが、二階なら、わざわざ乗るまでもない。大人一人がぎりぎり通れるくらいの狭い階段を上がると、踊り場正面のドアに、プラスチック製の看板が出ていた。

『F&F』を図案化したとおぼしきロゴマークの下には、『Forewarned & Forearmed』

という文字が見える。『Forewarned is forearmed』（あらかじめ知るは備えなり）という諺《ことわざ》のもじりらしい。

『警戒し、かつ武装する』というほどの意味だろうか。

純子は、コンパクトで髪の状態を確認すると、ハンカチを出して、スーツの襟に付いた水滴を拭《ぬぐ》った。ふと気がついて、金色に光るバッジを外し、ショルダーバッグの中にしまう。

アルミのドアを開けると、小さくチャイムが鳴った。店内は思ったより広い。十坪ほどはあるだろうか。他に客の姿はなかった。

「いらっしゃい」

右手のカウンターに座っていた男が、控えめに声をかけた。色白で、繊細な感じのする細面だった。アルバイトの学生かもしれない。男は大きな目で純子をちらりと見やると、すぐに視線を落とした。カウンターの上に置いた文庫本を読んでいるらしい。

純子は、とりあえず、店内を観察してみることにした。

カウンターと反対側の壁面には、たくさんの監視カメラが並んでいる。『ダミーカメラ』という表示のものも数多くあったが、赤いＬＥＤライトがちゃんと点灯しており、本物のカメラとまったく見分けはつかない。

手近にあるショーケースには、ドア用の補助錠と、ピッキングに強いとされているシリンダー各種、カバスター、マルチロック、イコン、エヴァ、アルファ、オプナス、ロイヤル・ガーディアン、PRシリンダーなどがずらりと並んでいた。それぞれの下には、几帳《きちょう》面《めん》な手書き文字で、熟練した鍵《かぎ》職人や泥棒が解錠するのに要するであろう時間が表示されている。

サッシ窓の模型のところには、窓用の補助錠や振動センサーに加え、防犯用合わせガラスの見本もあった。さらに、体温を感知するパッシブセンサー、赤外線センサー、超音波センサー、フェンスに設置するケーブル状の圧力センサーなどが、所狭しと展示されている。

日本の治安が急速に悪化しつつあることは、純子も感じていたが、こうした品揃えを見るにつけ、安全に対する需要が切実であることを実感できた。

これら多種多様な防犯グッズは、単なる徒花《あだばな》というより、事態の急変に追いつかず慌てふためいている日本人の悲鳴そのものであるような気がした。かつて、日本人が安全と水はタダと見なしていた時代があったのが、嘘のようだった。

「何か、お探しですか？」

カウンターの男が、再び声をかけた。

純子は、男の声音から、推定年齢を大幅に引き上げた。客がひとわたり商品を見るのを待ってから話しかける態度まで考慮に入れると、自分より年上のような感じさえある。三十代の半ばくらいか。だとすると、最初に思ったようなアルバイトではなく、例の男、本人かもしれない。

「ちょっと、手軽に防犯対策ができないかなと思って。最近、物騒でしょう？」

純子は、来訪の目的を明かす前に、少し話してみることにした。信用できる人間かどうか、前もって感触をつかんでおきたい。

「そうですか。もしよかったら、おかけください。防犯相談は無料ですから」

男は立ち上がって、カウンターの前の椅子を示した。

純子はうなずいて、歩み寄った。一瞬だけ相対したが、男の目の高さはハイヒールを履いた純子とあまり変わらなかった。身長は170㎝を切っているだろう。地味なグレイのシャツにジーンズという恰好《かっこう》だった。

「お住まいは、マンションですか？　一戸建て？」

男は、質問を始めた。口調は丁寧で、非常に落ち着いている。

「賃貸のマンションです。九階建ての最上階なんだけど」

「ワンフロアは、何戸ですか？」

「三戸ね」

「ご近所づきあいは、ありますか？」

「全然。煩わしいし、時間帯も合わないから」

「なるほど。最近は、そういうお家《うち》が多いですね。でも、それは、かなり危険なことなんですよ」

男は、カウンターの上に大判のファイルを出した。マンションの模式図の描かれたページを開き、純子に示す。

「最上階というのは、一、二階に次いで狙われやすいんです。他の階と比べると、人がいないことが多いですし、比較的所得の高い人が住んでいる確率も高いですから。せめて、同じフロアの家同士で目配りし合っていれば、相当安全度が違ってくるんですけどね。管理人は、常駐ですか？」

「いいえ。通いで、ゴミの日だけ。でも、一応、オートロックなんですけど」

「そうですか。まあ、オートロックが無意味とは言いません。飛び込みのセールスなんかは、かなり減りますし、責任能力はないが殺傷能力はあるという人たちが、ふらっと入ってくるのも、防止できますから」

純子は、責任能力という言葉を妙なコンテキストで使ってもらいたくないとは思ったが、何も言わなかった。

「……でも、オートロックの過信は禁物ですよ。古い型だと、紙を一枚挟み、センサーを遮るだけで、開いてしまうのもあります。そうでなくても、日中の侵入は簡単です。住人の出入りに紛れて入って来られますし、どこか適当な部屋をインターフォンで呼んで、宅配便やガスの検針を装って、開けてもらえばいいんですから。オートロックは、暗証番号式ですか？」

「いいえ、鍵ですけど……」

「まだ、そのほうがベターですね。暗証番号は、すでに、泥棒の間で情報がやりとりされているかもしれません。年月がたつと、特定のボタンが汚れてきますから、番号の見当もつけやすくなります。しかし、鍵だとしても、すでに合い鍵が出回っている可能性もありますし、さっきの方法以外にも、早い話が、ピッキングでも開くわけです」

純子は、だんだん不安になってきた。

「いったん、建物の中に侵入を許してしまえば、泥棒はターゲットになる部屋を自由に物色できます。さらに危険なのは、ここから屋上への侵出を許すことです。屋上からロープで降下すれば、ほとんどの部屋のベランダや窓にアクセスできますし、最上階ならロープも要らない場合もあります。ふだん、屋上へは自由に上がれるようになっていますか？」

「いいえ。いつもは鍵がかかってると思います。……だけど、その鍵も、ピッキングなどで開けられますよね？」

「ええ。屋上への鍵は、どこも適当なものしか付いてませんから。まあ、そのあたりは、大家さんと交渉するしかないですね」

男は、ファイルのページをめくった。

「次に危ないのは、やはり、玄関のドアです。最上階の場合は、三軒とも留守であれば、他の階より長い時間をかけて解錠工作ができますからね。お使いの鍵は、どんなタイプですか？」

「どんなというと……」

「鍵穴が、縦か横か。鍵は、端にギザギザが付いたものか、面に窪《くぼ》みが付いたものか、とか」

「ええと、鍵穴は横向きで、鍵は、窪みの付いたのですね」

純子は、記憶を頼りに答える。自宅の鍵を取り出して、初対面の相手に見せる気にはなれなかった。

「ディンプル・キーですね。ディスク・シリンダーなどに比べると、安全度は高いものが多いですが、それでも、ものの二、三十分あれば、解錠できますよ。やはり、ドアの鍵は最低でも二つ必要ですね。ドアを固定するボルトが二つになると、物理的な耐久力も段違いにアップします」

「でも、鍵が二つになると、管理が面倒よね」

厳密に言うと、自宅のドアも共用部分なので、新しい鍵を付けるには大家の許可が必要になる。それに、出入りのたびに、二つのキーを見比べ、どちらの錠前の分かと悩むのは、煩わしかった。

「二つとも同じシリンダーにすれば、一本の鍵で開けられますよ。それでも、ピッキングなどの不正解錠の手間はほとんど変わりません」

「うーん。そうね。……よく、偽の鍵穴というのを売ってますよね？　あれじゃ、だめなの？」

男は首を振った。

「あれは無意味です。市販されている商品は一種類だけなので、プロなら10m先からわかりますよ」

いまさら、付けているとは言い出せなくなってしまった。純子は、DIYショップの店員から聞いた説明を思い出す。

「でも、防犯に関心があるという姿勢を見せれば、泥棒も敬遠するという話だけど」

男は、白い歯を見せた。

「関心がある、ですか。残念ながら、泥棒はそんなに甘くありません。死活的ともいえる玄関ドアの防犯に、わずか数百円しか支出しない家かと、見透かされるだけです」

「じゃあ、やっぱり、鍵は二つ必要ということなのね」

男の大きな茶色い目が輝く。

「ふつうの店なら、ワンドア・ツーロックで充分だと言うと思いますが、当店では、スリーロックをお勧めしています。これなら、まず、ほとんどの泥棒はあきらめます」

「でも、いくら同じ鍵だとはいっても、出入りするたびに、三つも錠を開け閉めするのは、ちょっとねえ……」

「出入りの手間なら、ツーロックと変わらないやり方もありますよ」

男は、先ほどのファイルをめくって、ドアのイラストが描かれたページを開いた。三つの錠前を取り付ける場所が、図示されている。

「一番簡単なのは、三つの鍵のうち上下の二個だけを開け閉めし、真ん中の鍵は開けたままにしておく方法です。ただし、真ん中の錠前だけは、解錠方向が上下とは逆になるよう取り付けます。通常は、右に回せば解錠ですから、左回りですね。泥棒が、ピッキングで三つの鍵《かぎ》を順番に開けていったとしても、真ん中の鍵は泥棒が自分で閉めてくれることになりますから、ドアは開きません」

なるほどと思う。あえてスリーロックに挑んだ泥棒は、さぞかし、がっかりすることだろう。とはいえ、この方法とて、いったん泥棒に知られてしまえば、イタチごっこのような気もするが。

「……ただ、侵入の方法は、ピッキング以外にも、多数存在します。最近では、ドリリングなどの破錠や、カム送り解錠、サムターン回しなどが主流になってきています。今後はバンピングや溶解破錠といった新しい手口の他、ボルトクリッパーで蝶番《ちようつがい》を切断したり、強力なエントリーツールでドアをねじ曲げて、ボルトを抜くような、荒っぽい手口も増えてくるはずです。したがって、これからは、単にピッキングに強い錠前を付けるだけでなく、ドアそのものの強度を上げるようにしなければなりません」

男は、急に真顔になった。

「それに、これまでの話は、すべて、普通の泥棒を想定した場合の話です」

「どういう意味ですか?」

「普通の泥棒は、防備が堅くて手間に引き合わないか、危険と考えれば、あっさりあきらめて、他の獲物を探すでしょう。しかし、動機が怨恨《えんこん》だったり、執念深いストーカーが狙っている場合は、いかなる手を使っても侵入しようとするはずです。そういう場合は、さらに一歩進んだ防犯対策が必要になります」

聞きながら、何となく嫌な感じになってきた。職業柄、逆恨みされることもありうるからだ。

「特に、弁護士さんの場合には、いつ、どんな相手に狙われるかわかりませんし、前もって、充分な対策を取られることをお勧めします。ご予算もおありと思いますが、万一のことを考えると、まあ、年収の3パーセントくらいは見ておかれた方が……」

「ちょ、ちょっと待って」

純子は、ぎょっとして遮った。

「もちろん、3パーセントというのは、一つの目安にすぎません。建物の立地や、守りやすさ、防犯の方法によっても……」

「そうじゃなくて、どうして、わたしが、弁護士だと思ったの？」

男は、考え込むように腕を組んだ。

「何というか、まあ、雰囲気ですかね」

「とぼけないで」

厳しい声で言うと、男は眉《まゆ》を上げた。

「若い女性が着るスーツとしては、ずいぶん地味な色合いですよね。襟のラインもかなり男性的だし、今どき、肩パッドが入っているスーツは、あまり見ません。アフター5には、着て行けそうもない。ほとんど戦闘服です」

よけいなお世話だ。

「そういうスーツを着ている人の職業としては、弁護士さんくらいしか思いつきませんでした」

純子は、男を不信の目で見据えた。どう考えても、そんなあやふやな理由で、弁護士であるとまで特定できるはずがない。

「前に、どこかで会ってるかしら？」

「いいえ。まったくの初対面です」

「じゃあ、本当の理由は？」

男は、困ったように笑った。

「ですから、スーツ……特に、その襟ですよ」

「これくらい、ＯＬだって着てるでしょう？」

「フラワーホールの横に、ごく小さな穴が開いていますね」

男の指摘に、純子はぎくりとした。

「スーツのフラワーホールは、ふつう、社員章などを差す場所です。でも、その穴は、じかにバッジのようなものを刺した跡ですね。一見して高級品とわかるスーツなので、なるべく生地にピンホールなど開けたくないと思うんですが。それも、女性なら特に」

「……だから？」

「それでも、あえて直接襟に刺すとしたら、絶対落としてはいけないバッジなんでしょう。

ピン式のバッジを止めているタイタックより、フラワーホールの方が大きいと、まれに、すっぽ抜けて落ちてしまうこともありますからね」

「だから、弁護士バッジだっていうの？」

「もし、弁護士バッジを落とせば、拾った人間に悪用される危険性は大です。再発行してもらうには、日弁連に、始末書を書かなきゃなりませんしね。男性用のバッジはネジ式ですが、たしか、女性用はピンも選択できたんじゃないかと思いました」

なんで、この男は、そんなことまで知っているのか。

「でも、それだけで、弁護士バッジと断定する根拠にはならないと思うけど？」

「雨の中を来られたのに、スーツには、うっすらとプレスの跡が残ってますね。クリーニングしたてでしょう。にもかかわらず、ピンホールがそれだけはっきり目立つのは、ついさっきまで、バッジを付けていたからです。わざわざ外したということは、ただの社員章の類《たぐい》ではなく、それなりの意味を持つバッジだからでしょう。弁護士バッジでなければ、検察官か、国会議員か、組関係くらいです」

「そうかしら？　単に、会社を関係ない人に知られたくないだけかもしれないわよ」

「そういう人は、最初から、社員章は付けませんよ。弁護士バッジなら、身分証の代わりですから、付けておいた方が何かと便利ですが」

「だからといって……」

「それに、さっき私が『責任能力』という言葉を揶揄《やゆ》するように使ったとき、少し、むっとされていましたね。あのとき、もしかすると、弁護士さんじゃないかと思ったんです」

純子は、男の言い分を反芻《はんすう》してみた。どうも胡散《うさん》臭い推理だと思うし、根拠が薄弱だという感じは否めない。だが、嘘と断じることもできない。

男が、自分を弁護士だと言い当てたのは事実なのだし、これ以上、その理由にこだわってみても、あまり意味はないだろう。

「ご明察です」

純子は、名刺入れから名刺を出して、カウンターの上に置いた。

「青砥純子と申します。おっしゃるとおり、弁護士をしております。あなたが、榎本径《えのもとけい》さんですか？」

ずばりと訊《き》いたのは、お返しのつもりだったのだが、男はまったく驚いた素振りを見せなかった。

「はい、そうです」

「防犯コンサルタントの？」

「ときどき、そんな肩書きを使うこともありますが、ただの防犯ショップの店長ですよ」

「お客のふりなんかして、ごめんなさい。実は、榎本さんにご協力いただきたいことがあって、伺ったんです」

「かまいません。どうせ、暇でしたから」

榎本は、にやりとした。

「それに、さっきも言ったように、防犯相談は無料です」

純子は、湯気の立つ薫り高いコーヒーを、ブラックのまま口に運んだ。

「おいしい」

思わず呟《つぶや》いたのは、お世辞ではなかった。

「自己流のブレンドです」

榎本は、かすかに首を傾げて、コーヒーを味わいながら言う。

「お店の方は、大丈夫ですか？」

無人のままになっているドアの向こうが、気になった。

「お客さんが来れば、わかりますから」

「でも、泥棒が忍び込んだりしないかしら？」

「防犯ショップですよ、ここは」

榎本は、少し、むっとしたようだった。

「ドアを開ければ、チャイムが鳴りますし、他にも、センサー類を設置しています」

「たとえば？」

「それは秘密です。防犯の要諦《ようてい》は、第一に、手の内を明かさないことですから。それより、私に依頼なさりたいという仕事について、伺いましょう」

純子はうなずいて、カップを置いた。

「榎本さんのことは、新城《しんじょう》先生からお聞きしたんです。以前、松戸《まつど》市で起きた殺人事件で、弁護側の証人として出廷し、被告の無罪を証明されたそうですね？」

榎本は、面映《おもは》ゆそうな顔をした。

「別に、私が無罪を証明したわけじゃありません。検察側が、現場は密室で、合い鍵《かぎ》を持っていた被告以外には入れた人間はいないと主張していたので、弁護士さんの依頼で調査し、外部から侵入が可能だったことを示しただけですよ」

「……密室ですか」

「三階建てのマンションの最上階で、玄関はオートロック、エントランスとエレベーターには、監視カメラが設置されていました。当時としては、先進のセキュリティでしょうね。どちらのカメラにも、不審な人物は映っていなかったことから、警察は、同じマンション内に居住する被告を疑ったんです」

「でも、真犯人は、玄関を通らずに侵入した？」

「ええ。ところが、それがなかなか容易ではない。隣の建物とは、間隔がある上に高さが違い、長いハシゴを使っても、乗り移るのは困難でした。マンションの壁面は凹凸のない滑らかなタイル貼りで、排水管や雨樋《あまどい》も見える場所にはなく、攀《よ》じ登るのはまず不可能だったんです」

「ベランダなら、下の階から順繰りに登っていけるんじゃないですか？」

「忍者のように鉤縄《かぎなわ》でも使わない限り、無理です。あのベランダの目隠しは鉄格子ではなく、上から下まで何の掛かりもない、コンクリート製でしたから」

「じゃあ、街路樹か、電信柱に上ったとか……？」

榎本は、にやりとした。

「いい着眼点です。マンションのベランダに面した細い道路には、電柱が立っていました。しかし、マンションは、ちょうど電柱と電柱の中間に位置していて、一番近い電柱でも数メートル離れていたんです。飛び移るのは、不可能な距離です」

「じゃあ、犯人は、いったい、どこから侵入したんですか？」

「電線です」

純子は、驚いた。

「電線？　電信柱の？」

「はい。犯人は電信柱に上ってから、クマネズミのように、電線を伝って来たんです」

背筋が寒くなった。

「感電しないんですか？」

「電柱には、多くの電線が走っていますが、６６００Ｖの高圧線にさえ触れなければ、だいじょうぶです。昔と違って、最近の電線は、きちんと被覆されていますからね」

「だけど、電線なんて、人ひとりの体重を支えられるんですか？」

「電力会社は、電線や引き留め金具には、かなりの耐荷重を持たせています。さすがに電線一本では危険でしょうが、カラビナなどを使い、何本かに体重を分散すれば、充分可能です」

「でも、電線からマンションへは、どうやって？」

「100Vや200Vの低圧線が張られているのは、ちょうど、マンションの三階くらいの高さなんですよ。そしてたまたま、犯行現場の隣の部屋が、ケーブルテレビを見るために分岐線を引き込んでいました。犯人は電線を伝い、その部屋のベランダの前へ来ると、引き込み線の同軸ケーブルを引っ張り、電線からベランダまでの距離を近づけて、乗り移ったんでしょう」

サーカス並みの曲芸に聞こえるが、実際には、それほど難しくはないのかもしれない。

「その後は、簡単です。犯人はベランダ伝いに移動し、目指す部屋へ侵入しました。夏だったので、サッシは開け放されて、網戸だけになっていたんです。被害者は、マンションの安全性を過信していたんでしょうね」

純子は、心底ぞっとした。夏場、冷房を付けっぱなしにしていると頭が痛くなることがあるので、しばしば、ガラス戸を開けて寝ていたからだ。

「これは、普通の泥棒では考えられない侵入経路です。チロリアン渡りなどの、ロープ渡りの技術をマスターしてないといけませんし、不測の事故が起きる可能性もあります。それに、いくら深夜でも、誰かに目撃されたら終わりですからね。その後、真犯人が捕まりましたが、以前に、ある公的機関でレンジャー訓練を受けたことのある人間でした。動機は、強い怨恨《えんこん》だったようです」

「出るときも、また、電線を渡ったんですか？」

榎本は、首を振った。

「脱出は、侵入よりずっと容易なんですよ。犯人は、登山用のロープをベランダの手摺《てす》りにかけて、お得意のレンジャー術で懸垂降下したんです」

純子は、六本木センタービルの外観を思い出してみた。あのビルにも、何か、普通では気づかないような侵入経路があったのだろうか。

「……今、私が担当している事件なんですが、その、松戸のケースに近い状況なんです」

「密室ということですか？」

「ええ」

純子は、うなずいた。

「昨年末の日曜日に、港区にある十二階建てのオフィスビルの最上階で、会社社長が何者かに撲殺されました。犯行現場である社長室前の廊下には監視カメラが設置されていて、犯行時刻の前後には、誰も出入りしていなかったことが確認されているんです」

「その事件については、新聞報道で読んだ記憶があります」

榎本は、記憶をたぐっているように瞑目《めいもく》した。

「型番は、わかりますか？」

「型番？」

「監視カメラの機種です」

純子は、手帳を見た。さすがに、そこまではメモしていない。

「それは、もちろん、調べればわかります」

「あと、カメラで撮影された映像は、どういうふうに処理されていたんですか？」

「一階の警備員室でモニターし、録画していました」

「では、そのビデオデッキの型番も、知りたいですね」

「わかりました」

純子は、少々面食らいながら、メモを書き加えた。機種によって、何か状況が変わるとでもいうのだろうか。まだ、こちらからの依頼内容も聞いていないのに。

「被疑者となっている私の依頼人は、その会社の専務です。専務室は、一部屋を挟んで社長室と通じています。つまり、専務は、唯一、カメラに捉《とら》えられずに社長室へ往復できた人物なんです」

「その人がシロだという、確証があるんですか？」

「本人は、強く犯行を否認しています」

「なるほど」

榎本は、考え込むように、コーヒーカップを口元に運んだ。

「それで、榎本さんにお願いなんですが、ぜひ一度、現場を見ていただきたいんです」

「本当に密室だったのか、他に侵入経路はなかったのかを、確認したいというわけですね」

「そのとおりです」

彼の薄茶色の目には、強く興味を惹《ひ》かれたような光が浮かんでいた。

「私への依頼主は、青砥先生ですか？」

「いいえ。一応、専務さんのご家族ということになりますが、条件のことでしたら、わたしに言ってくだされば」

「日当が二万円。この店のアルバイトを雇うのに、一日一万円。交通費、使用した機材等は実費です。お支払いは三日ごとに現金で。それから別途、調査結果に応じて、五十万円または十万円の報酬を、いただきます」

日当はともかく、アルバイト料はぼられているようだし、何より、最終的な報酬は、短期間であることを考えると、かなり割高である。弁護報酬と比較しても、バランスが取れないような気がするのだが。

「……調査結果に応じてというのは、どういうことですか？」

「松戸の事件と同様に、被疑者以外の人間が現場に侵入できたことを証明できたら、五十万円。逆に、それが不可能だったと示したときには、十万円ということです。ただし、侵入可能という証明には、実際にそういう侵入があったという証拠を示すことまでは含みません」

純子は、うなずいた。

「あくまでも、仮説というか、可能性を提示していただければ結構です。その場合、法廷で証言していただけるんですね？」

「裁判所からの日当、交通費とは別に、出廷して証言一回が二万円です」

純子は、少し躊躇《ちゅうちょ》した。どうも、足元を見られているような気がしてならないし、予算をオーバーすることになる。

だが、別段、自分の懐が痛むわけではないし、ある程度の出費については、依頼人は納得済みだ。今の八方塞《ふさ》がりの状況を打破してくれるのなら、それだけの価値はあるかもしれない。

「わかりました。その条件で、お願いしたいと思います。証言料のことは書けませんが、それ以外の料金については、書面にしておきましょうか？」

「いや、口頭で結構です。それより、今からすぐに現場を見られますか？」

「ええ」

榎本は立ち上がった。どうやら、日当は今日から発生するらしい。アルバイトの手配はいいのかと思ったが、こちらから訊《き》くことでもないので、純子は別の質問をした。

「榎本さんは、視力がいいんですね」

「どうしてですか？」

「わたしの襟のピンホールに、すぐに気づいたじゃないですか」

榎本は、小首を傾げた。

「それは、視力の問題ではないんです」

「は？」

「この店にある監視カメラは、展示用も含めて、すべて生きてるんですよ。『ダミーカメラ』という表示は嘘です」

純子は啞然《あぜん》とした。だが、入店したときからずっと観察されていたと知っても、不思議と腹は立たなかった。

先輩弁護士の噂話から、藁《わら》をもつかむような思いで訪れたのだったが、この男なら、もしかすると、何かを見つけてくれるかもしれない。


「どうも妙ですね」

事件の概略についての説明を受けると、榎本は、ハンドルを握ったまま、首を傾げた。

「妙というと？」

渋滞がひどく、榎本は、白いスズキ・ジムニーのサイドブレーキを引いた。

「……簡単にまとめると、こういうことでいいですか？　現場はビルの最上階で、部外者はフロアに入ることもできない。被害者である会社社長は、正午に同フロアで、副社長、被疑者となった専務とともに昼食を取って、いつもの習慣に従って部屋で昼寝をした。時刻は、十二時半を回ったところ。同時刻に、専務も自室で仮眠を取る。これは、社長と比較すると、やや珍しいことだった」

「そうですね」

「副社長は外出し、三人いる秘書の内二人も昼食に出かけた。フロアには、自室で眠っている社長と専務、昼当番である専務秘書が残された。社長の死亡推定時刻である十二時五十五分から一時十五分までの間、フロアにいたのは、この三人だけだったことになります」

「はい」

「昼食に出ていた二人の秘書が帰ってきたのが、午後一時半前。さらに、一時五十分頃に、副社長も戻ります。ちょうどその頃、窓の清掃をしていた業者が、社長が部屋の中で倒れているのを見つけ、警備室に通報します。警備員が秘書室に電話をかけたのは、副社長が部屋に戻った二分後でした。副社長と三人の秘書は、社長が頭部に傷を負って絶命しているのを発見します。その後、副社長は、社長室の中を調べるために、一、二分の間、一人になります」

純子はうなずいた。一度説明しただけで、細かい時刻まですべて頭に入っているのには、驚くしかない。

「副社長は、社長室から出ると、秘書らとともに専務室へ向かいます。専務は、見たところ、ずっと眠っていたようでした」

「本当に、眠っていたんです」

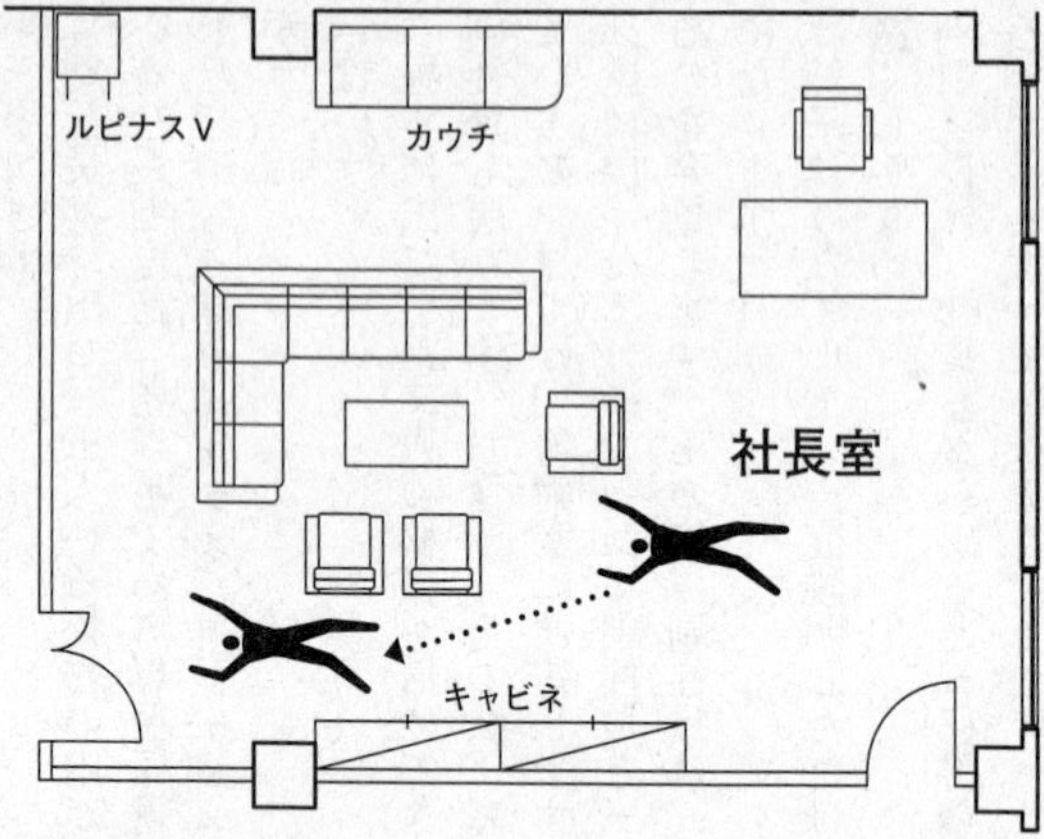

純子は断言する。

「にもかかわらず、副社長が専務を疑ったのは、犯行時刻に第三者がフロアに侵入することは困難だからです。それに、社長室の前の廊下には監視カメラが設置されているため、カメラに捉《とら》えられずに社長室に入ることは不可能という読みもありました。この時点では、まだ、カメラの映像はチェックされていないわけですが」

「ええ」

「青砥先生は、防犯カメラの映像を見られたんですか？」

「いいえ。粘ったんだけど、結局、見せてもらえなかったわ。でも、問題となる時間帯に、社長室に出入りする人間は、誰も映っていなかったということです」

「……通報で駆けつけた警察は、すぐに検視を行いました。その結果、社長の死因は頭部に受けた打撃による脳出血ということでした。打撃はそれほど強くはなく、普通人であれば絶命に至ったかどうか疑わしいレベルだったということですね。だが、社長は、もともと頭部に弱点を抱えていた」

「ええ。昨年、脳動脈瘤《のうどうみゃくりゅう》の手術で、頭蓋骨《ずがいこつ》を開けていますからね」

「つまり、これが謀殺だとすると、犯人はそこまで計算していたわけですね」

「……知識はあったかもしれません。社長が手術を受けたことは、社内の人間の多くが知っていましたから」

ようやく、渋滞していた車が動き出した。榎本はジムニーを発進させたが、車列はすぐに止まってしまう。

「検視によれば、社長の頭部の傷は、フラットな面を持つ鈍器によるものということですね。現場の社長室には凶器らしきものは見当たらなかったが、応接セットのガラステーブルから、微量の血痕《けっこん》が検出された」

「そうですね」

純子は、苦い思いを嚙《か》み締めていた。警察は、捜査の結果をまったく開示しようとはせず、ガラステーブルの一件について聞き出したのも、たいへんな骨折りの末だった。

渋滞のまま信号が変わってしまい、榎本は、苛立《いらだ》たしげにサイドブレーキを引いた。

「ここで、第一の疑問です。警察はなぜ、事故の可能性を捨てたんでしょうか？　それが、最も自然な解釈だという気がするんですが」

「偶然の事故で、社長が後ろ向きに転倒し、後頭部を打ったということですか？」

「ええ。高齢の上、寝惚《ねぼ》けていたのなら、充分ありうることでしょう？」

「当初は、警察も、そう考えていたようです。でも、具体的に事故のあり方を検証してみると、どうしても、辻褄《つじつま》が合わなかったらしいんです」

「というと？」

「頭部にあった傷の位置です。打撃を加えられたのは、後頭部と頭頂の、ちょうど境のあたりでした。ダミー人形を使った実験では、ここをまともに強打するためには、身体がほぼ水平になるか、それより足が上がった状態で落ちなければ、まず無理だったんです」

「なるほど。自然な転倒なら、腰から落ちますから、同じ後頭部でも、もっと下の部位を打つはずですね。……たとえば、一度肩をテーブルにぶつけてから、勢いで頭を打ったとは考えられませんか？」

純子は首を振った。

「その可能性も検討したようですが、やはり、角度的に無理だったみたいです。それに、最初にぶつかった場所にも跡が残るはずですが、頭部以外には、痣《あざ》ひとつ見つからなかったみたい」

「だとすると、ますます妙だ」

榎本は、つぶやいた。

「専務は、社長の身体を持ち上げて、頭からテーブルの上に落としたということですか？

それとも、大外刈りのような柔道の技で宙を舞わせ、叩《たた》きつけたか？」

「わたしはナンセンスだと思うんですが、警察は、凶器は別にあったと考えているようです」

「別の凶器？　何ですか？」

「専務の部屋には、クリスタルガラス製の大きな灰皿がありました。その底部で殴りつければ、同じような傷になると」

「灰皿からは、血痕は出たんですか？」

「いいえ。ついでに言うと、専務のハンカチや衣類、室内にあった紙なども調べたようですが、血痕を拭《ぬぐ》ったり、ガラスの灰皿に被《かぶ》せたりした物体は、いっさい見つかってないんです」

「専務には、それらを始末するチャンスもなかったことになりますね？」

「その通りです」

「しかも、凶器が別にあったのなら、ガラステーブルの血痕は、偽装工作ということになる」

榎本は、考え込んだ。

「灰皿があったということは、専務は喫煙者だったんですね？」

「ええ」

「社長はタバコを吸ったんですか？」

「いいえ。タバコの臭いが大嫌いで、他人が吸うのも我慢ならないタイプでした。専務も、こっそり自室に籠《こ》もって吸っていたようです」

「すると、専務がタバコを吸うために、灰皿持参で社長室にやって来ることは、考えられないですね。自室からわざわざ凶器を持ち込んでいる以上、偶然死なせてしまってから、急遽《きゅうきょ》工作を行ったというシナリオも考えにくい。だが、すべてが計画的だったとすれば、あまりにも馬鹿げている。わざわざ、最も自分が疑われるような状況を作り上げているわけですからね」

「そうですよね！　やっぱり、専務が犯人というのは、無理があるわ」

純子は、榎本の推理に勇気づけられるような気がした。

「だとすると、やはり、何者かが専務に罪をなすりつけたとしか……」

「しかし、そう考えても、やはり、納得がいかない点があるんですよ」

ようやく渋滞から抜けて、榎本は、アクセルを踏み込んだ。

「本気で専務に罪を着せる気なら、私なら、もっと徹底してやります。専務の指紋を付けた灰皿を、専務の部屋ではなく現場に落としておくとか。それに、打撃の力が中途半端だったというのも、ちょっと気になりますね。実際、社長は即死ではなかったんでしょう？」

「ええ。発見されたとき、穎原社長のズボンは、たくし上げられたような状態で、絨毯《じゅうたん》の細かい毛も付着していました。部屋の中央部で頭部に打撲傷を負ってから、入り口近くまで、這《は》っていったようです」

「それこそ、おかしな話ですね」

榎本は、じっと前を見つめながら言った。

「もし、社長が生き延びた場合、犯人は身の破滅になりかねなかったはずです。それなのに、なぜ、とどめを刺さなかったんでしょうか？」


榎本は、ジムニーで六本木センタービルに乗り入れた。一階の駐車場には四台分ほどのスペースがあったが、すべて満杯だった。専用エレベーターで地下駐車場に入れる。

純子は、一足先に降り立った。榎本は、青いウィンドブレイカーを羽織り、ナイロンのショルダーバッグとアルミ製の脚立を持って、車から出てきた。

階段で一階に上がると、エレベーターホールに出た。ここからビルの外に出るには、警備員室の横を通らなければならないことを確認して、外に出る。

榎本は、しばらくビルの正面に佇《たたず》んで、建物を概観し、周囲を観察していた。

「出入り口を通らずに、外から侵入するというのは、難しいでしょうね？」

純子が尋ねると、榎本は、無表情なまま答えた。

「難しいというより、痕跡《こんせき》を残さないでは、ほとんど不可能です。このビルの窓は、全部、嵌《は》め殺しになってますから」

プロには、一目でわかることらしい。だが、ほとんどというのは、どういう意味なのか。

それから正面玄関に回って、ビルの中に入った。榎本は、エレベーター脇の廊下を進み、通用口を内側から調べた。

「日曜日は、警備員が一人だけ、この部屋に詰めていました。でも、通用口から身を屈《かが》めて入れれば、誰にも見られずにビルに入るのは可能だったようです」

榎本は、警備員室の窓を見ながら、何か考え込んでいるようだった。

「……わかりました。それでは、犯行現場を見せてください」

二人はエレベーターに乗り込んだ。榎本は、十二階のボタンを押したが、ランプは点灯しなかった。純子が代わって、十一階のボタンを押す。今度は灯《あか》りが点《つ》き、エレベーターは動き始めた。

「⑫のボタンは、ロックされてるようですね」

「ええ。最上階は役員専用のフロアになっていて、暗証番号を押すか、上から呼んでもらわない限り、かご室が止まらないんです」

暗証番号を入力するためには、通常、別のテンキーを付けることはせず、階数ボタンを代用する。榎本は、操作盤の前で腰を屈め、階数ボタンをしげしげと眺めていた。癖なのか、さかんに、人差し指の爪で親指の爪を弾《はじ》いている。

エレベーターが十一階に止まり、扉が開いた。

すると、前方から、総務課長の小倉が急ぎ足でやって来た。皺《しわ》の少ない顔からすると、おそらく、四十そこそこだろうが、気苦労が多い仕事をしているためか、額はすでに禿《は》げ上がり、頭頂もかなり寂しくなっている。

「先生。どうも、ご苦労様です」

「こんにちは。こちらが、先ほどお電話でお話しした、防犯コンサルタントの榎本さんです。早速ですが、社長室を見せていただけますか？」

榎本は、エレベーターから出ず、扉を開けるボタンを押さえている。小倉は、縁なし眼鏡の奥から、ちらりと彼に視線をやった。

「いや、それがですね……」

酸っぱいものを舐《な》めたような顔で続ける。

「先ほどまで、警察の方が来られてたんです。それで、犯行現場には、まだ重要な証拠が残されている可能性があるので、警察官立ち会いのもと以外では、誰も立ち入らせてはならないという、きついお達しがありまして」

「それで、その警官はどうしたんですか？」

「ついさっきですが、帰られました」

純子は、憤然とした。警察は、悪質な接見妨害を続けるばかりか、弁護士に対しても、一切の証拠も開示しようとはせず、嫌がらせのような調査の邪魔を繰り返す。電話ではオーケーしたふりをして、こうして肩すかしを食らわせるのも、彼らの常套《じようとう》手段だった。

「重要な証拠って、警察は、すでに、あの部屋の鑑識を終えているんでしょう？」

「いや……それはまあ、そうだと思いますが」

小倉は、ハンカチを出して額を拭った。純子は頭に血が上りかけたが、榎本が冷静な声でフォローした。

「わかりました。本日のところは、社長室はけっこうです。とりあえず、最上階のフロアだけ見せていただきましょう」

「でも、それでは……」

純子は、不満だった。肝心の犯行現場を見ないで、警察にもわからなかった侵入方法を見つけられるというのだろうか。

「とりあえず、外堀から埋めましょう。密室を解く鍵《かぎ》は、フロア全体と監視カメラの方にあるのかもしれませんし」

榎本はそう言うと、純子に意味不明の目配せをする。

三人は、エレベーターに乗った。小倉は、操作盤にぴったりとくっついて立ち、左手で『閉』のボタンを押しながら、右手で矢継ぎ早にいくつかの階数ボタンを押した。暗証番号は、客の目には触れさせないらしい。ボタンが発光して、エレベーターは動き始めた。

「暗証番号は……」

ふいに、榎本が声をかける。

「何人くらいの方が、ご存じなんですか?」

小倉は振り返ると、教えるべきかどうか迷っているような表情を見せたが、純子の方に目をやって、不承不承といった感じで答えた。

「何人になりますかね。役員全員、ということは、十人。社長を除けば、九人ですが……。それから、秘書が三名。あとは、総務部長と私。上場準備室長。全部で十五名ですか。もちろん、ビルの管理会社や警備会社の人間も知ってるはずですが」

エレベーターの扉が開いた。

秘書ブースに座っていた女性が、笑顔で一揖《いちゆう》する。たしか、副社長の秘書をしている、松本さやかだ。純子は、名前を思い出した。

純子と小倉は、エレベーターから出たが、榎本一人だけが出遅れた。

小倉が、怪訝《けげん》そうに振り返る。

「できれば、先に、階段の方を見せてください」

榎本は、脚立を肩にかけ直して、ゆっくりとエレベーターを出る。

「通常使っている階段は、そこです」

小倉は、すぐ左手にある鉄の扉を指した。

榎本は、扉の前に行くと、金属製のハンドルを押し下げて開けた。階段室内に、かすかな金属音が反響する。

「オートロックになってますね」

純子にも見えるように、レバーハンドルと鍵穴を指し示す。

「ホテルのドアと同じです。フロア側からはハンドルが動かせるので、自由に扉を開けられますが、階段室の方からは、鍵がないと開かないようです」

「ここの鍵は、どなたがお持ちですか？」

「ええ……亡くなった社長と、副社長、専務、それに、三人の秘書ですね。あとは、総務部にも一本あります。あ……それから、もちろん、警備員室にあるマスターキーでも開けられます」

「全部で、八本ですか」

榎本は腰を屈めると、ショルダーバッグを開けた。中には、工具類がぎっしり詰まっているようだ。その中から、柄のついたハンマーのような形のスコープを取り出し、鍵穴の中を観察した。スコープの先端には小さなライトが付いていて、周囲にわずかに光が漏れ出ている。

「終わりました」

榎本は、立ち上がった。

「何か、わかりました？」

純子が尋ねると、榎本はのんびりとした口調で言った。

「このビルの錠前には、すべて同じ種類のシリンダーが使われています。このシリンダーについて、お聞きになったことはありますか？」

榎本は、メーカー名と型番を言った。

「いいえ」

「日本中で七百万個以上も使われていたディスク・シリンダー錠が、いとも簡単にピッキングされることがわかって、急遽《きゅうきょ》、代替として作られたのが、このシリンダーです。たしかに、ピッキングには、多少時間がかかるようになりましたが、後に、破錠に弱いという、致命的な欠陥があることがわかったんですよ」

「はじょう?」

「鍵を破壊することです。今では、このシリンダーを破壊する専用の工具も売られていますし、ブランク・キーを電動ドリルの先端に付けて、むりやり回転させることも可能です」

純子は、眉《まゆ》をひそめた。

「簡単に、壊れるっていうこと?」

「最も初期のものは、わずか十秒で破壊可能でした。さすがに、その後は改善が施され、多少は頑丈になったんですが、今でも、専用の工具を使えば、たいした音も立てず、一分以内に破錠できます。したがって、もしプロの泥棒がここから侵入したのなら、十中八、九、壊して入ったはずです。でも、この通り」

榎本は、鍵穴を指し示した。

「きれいなものです」

殺人犯と泥棒を同列に考えていいのだろうかと、純子は考える。

「多少時間がかかっても、ピッキングで開けたら、跡は残らないんじゃない?」

「ピッキングで不正解錠すると、表面はともかく、シリンダー内には、細かい傷がたくさん付くはずなんですよ。見たところでは、そうした痕跡《こんせき》はまったくありませんでした。カム送りなどのバイパス解錠であればシリンダーは無傷ですが、この錠前とドアでは、それは不可能です」

「……よくわからないけど、つまり、ここの階段から侵入されたんじゃないということとね？」

榎本は、首を振った。

「そうじゃありません。もし、ここから侵入した人間がいたとすれば、合い鍵を所持していたということです」

合い鍵。純子は考えた。可能性はある。このビルでも、鍵の管理がそれほど厳密であったとは思えない。内部の人間であれば、盗み出して合い鍵を作るチャンスもあったはずだ。だとすると、これで、容疑者の範囲は、一気に広がる……。

いや、何を錯覚しているんだ。純子は気がついて、がっかりした。肝心の密室は、まだ、手つかずのままだ。

「もう一つの階段は、どちらですか？」

「廊下の突き当たりです」

小倉が、先に立って案内する。

「どうして、階段がもう一つあるって、わかったの？」

純子は、小声で榎本に尋ねた。

「建築基準法の施行令で、六階建て以上のビルには、階段が二つ必要なんです」

三人は廊下をまっすぐ歩いて、突き当たりに達した。右手には、三つの部屋のドアが並んでいる。手前から、専務室、副社長室、そして、犯行現場となった社長室だ。

社長室のドアには、黄色いテープがいくつも貼り渡されていた。赤い文字で、『Keep Out 立ち入り禁止』と印刷されている。

物音を聞きつけたらしく、専務室の向かいの部屋から地味なスーツを着た二十代後半の女性が出てきた。専務秘書の河村忍だ。

「あの……？」

「いいんだ。青砥先生は知ってるね。こちらは、ええと……防犯コンサルタントの方だ。現場を見たいとおっしゃるから」

忍は、無言のまま、純子に向かって深く頭を下げる。何とか専務の容疑を晴らしてほしいという、激励が込められているような気がした。

「……こちらの階段からは、侵入は不可能ですね」

避難階段のドアを調べていた榎本が言った。

「絶対に？」

「ええ。こちらは外階段に通じるドアですが、本当の非常時にしか使えません。内側から開けるときには、このプラスチックのカバーを破ってロックを解除するんですが、そうすると、非常ベルが鳴り響くはずです」

「外からは?」

「たぶん、外には鍵穴《かぎ》がないんじゃないですか?」

榎本の問いに、小倉がうなずく。

「そのはずです」

「いずれにしても、このドアを開ければ、必ず痕跡が残ります。ここは除外できますね」

榎本は、忍に向かって言う。

「ちょっと、監視カメラを見させていただきます。もし、モニターを見ている警備の方から問い合わせがあったら、よろしくお願いします」

忍は、うなずいた。

「わかりました。こちらの方で説明いたします」

榎本は、高さ1mほどのアルミの脚立を立てると、天板の上に上った。パトカーの回転灯を逆さまにしたような形のドームに顔を近づける。内蔵されている監視カメラは、目を凝らせば、うっすらと見えた。その横には、防犯ショップでも展示していたような、センサーライトが取り付けられている。

小倉は、今さら何がわかるんだという顔で、榎本のやることを見守っている。眉間《みけん》に皺《しわ》を寄せると、ハンカチを出し、神経質そうに指先を拭《ぬぐ》った。

「河村さん。こっちはいいから、仕事に戻って」

苛立《いらだ》ちをぶつけるような、厳しい声で言う。忍は、もう一度礼をすると、秘書室に入った。

小倉の視線がそれた瞬間、榎本の右手がすばやく動き、監視カメラの表面から何かを摘《つま》み取るような動作をした。

純子は、はっとしたが、小倉がこちらに視線を戻したときには、榎本の右手は、すでにポケットの中にあった。

「ええとですね。まだ、しばらく、かかると思うんですが」

脚立の上から、何喰《く》わぬ顔で小倉に言う。

「はあ、そうですか」

「ご案内、ありがとうございました。あとは、わたしたちだけで結構です。何かあれば、秘書の方にお願いしますから」

榎本の意図を察し、純子も口添えした。

「そうですか。わかりました。それでは、どうぞ、ごゆっくり」

小倉の口調は慇懃《いんぎん》だったが、視線は、無礼なまでに懐疑的だった。

「青砥先生。ちょっと、見てみませんか」

小倉がいなくなると、榎本が言った。

「え？　わたし？」

いったい、自分に何を見せようというのか、純子は訝《いぶか》った。

「ええ。だいじょうぶです。上ってみてください」

榎本が下りたので、こわごわ、段に足をかける。脚立そのものは、たいした高さではないが、高いヒールを履いて上るのは、とんでもなく不安定で怖かった。

だが、好奇心が勝り、純子は両方のヒールを脱ぎ捨てた。ストッキング一枚を通して、アルミ板の冷たさが足裏に伝わってくる。

榎本が、純子を支えるように側に寄り、囁《ささや》いた。

「ドームの中にあるカメラ本体は、見えますよね」

「ええ」

「私が軽く舌打ちしたら、しばらくの間、監視カメラの視界を塞《ふさ》いでいてください」

「え？」

「手で塞いでいると怪しまれますから、顔を近づけて、カメラを見るようなふりをして」

ようやく、榎本の企《たくら》みがわかった。その間に、社長室に侵入しようというのだろう。

警察のやり口には強い憤懣《ふんまん》を抱いていたものの、さすがに、弁護士としては、不法侵入の手助けはためらわれる。それに、警備員室でモニターしている人間からは、きっと、自分の顔は河豚《ふぐ》のように見えるのではないか……。

そのとき、うなじに微風を感じた。

振り返ると、背後のドアが開いていた。副社長の穎原雅樹が立っている。

「あ……ちょっと、見させてもらっています」

まさか、いるとは思っていなかったので、虚を衝《つ》かれた恰好《かっこう》だった。純子は威儀を正そうとしたが、靴を脱いで脚立に上りかけた姿勢では、無理な話である。

「そうですか。何かわかりましたか？」

雅樹は、舞台俳優のような渋いバリトンで訊《き》いた。

「いいえ。まだ何も」

一瞬の間があって、雅樹は微笑を浮かべた。

「お話ししたいことがあります。よろしければ、私の部屋までお越し願えませんか」

慫慂《しょうよう》のような口調ながら、命令に近い強制力を感じる。三十代半ばの若さで、実質的に会社の采配《さいはい》をふるっているのもわかるような気がした。

純子は脚立を下りて、こそこそとヒールを履く。もしかして、さっきの会話を聞かれたのだろうか。社長室に侵入しようとしていたことがバレたとすれば、厄介なことになるかもしれない。

「さあ、どうぞ」

雅樹は、先に部屋の中に引っ込んだ。純子も、悪戯《いたずら》を見つかった小学生のように、おとなしく後に続いた。振り返ると、榎本は脚立を畳んでいるところだった。なぜ、その場に置いておかないのか、訝しく思う。このまま、あっさりと退散するつもりなのか。

副社長室は、広さが二十畳ほどの、落ち着いた部屋だった。パソコンの載ったデスクと本棚、それに、布張りの応接三点セットがある以外は、広々としている。

雅樹はドアを閉めると、左手を指し示した。社長室へと通じるドアだ。さっき廊下で見たドアと同様、黄色いテープが何本も横に貼り渡してある。

「こっちから入れば、カメラには映りませんよ。どうぞ、存分に調べてみてください」

やはり、聞かれていたらしい。純子は赤面するのを抑えようと努力した。

だが、穎原雅樹は、本気なのだろうか。

「よろしいんですか？　警察の方は……」

「彼らは、よくやっているとは思いますが、任せきりにするつもりはありません。もし、久永専務が無実である可能性があるなら、ぜひ、そのことを証明していただきたい」

雅樹の目は、榎本に注がれた。

「こちらは、探偵の方ですか？」

長身の雅樹は、自然に榎本を見下ろしていた。まるで、大人と子供のような体格差だった。

「まあ、そんなものです」

榎本は、脚立を肩にかけたまま飄然《ひょうぜん》と答える。

「それでは、お言葉に甘えて、少し社長室の中を見せていただきます」

榎本は、三本の指でドアノブを回すと、もう片方の手で静かにドアを押す。

警察の貼ったテープである以上、簡単には取れないのではないかと思ったが、ぱりぱりという音とともに、いとも容易に剝《は》がれていった。いまや、完全に開いた戸口を守っているのは、数本の黄色いテープだけである。

「失礼します」

榎本は、脚立を寝かせて床の上を滑らせ、テープの間からショルダーバッグを放り込んだ。ついで同じ場所に片足を突っ込んだかと思うと、次の瞬間には、社長室の中に入っていた。

純子は、榎本の後を追い、戸口に立って、社長室の中を覗《のぞ》き込んだ。

広さはこちらの部屋の倍ぐらいで、四十畳はあるだろうか。磨き込まれたマホガニーのような机や、煉瓦《れんが》色の革張りの応接セットなど、重厚な調度も、明らかにグレードが違う。左手には廊下へ通じるドアがある。その内側の絨毯《じゅうたん》に付けられた人型のマークを除けば、殺人現場であったことを暗示するものはなかった。部屋の中は特に荒らされておらず、血《けっ》痕《こん》が飛び散っているわけでもない。

社長室は、ビルの北西の角部屋に当たり、北側にしか窓のない副社長室とは違い、北と西の二面に窓を持っていた。首都高に面している北側の二つの窓は大きく、机の背後にある西側の窓は小さい。

榎本は、まず、三つの窓を順番に見て回った。それから、廊下に面したドアを熱心に調べる。錠前、ノブ、蝶番《ちょうつがい》まで。

純子は、固唾《かたず》を呑《の》んで、その様子を見守っていた。背後には、ずっと穎原雅樹の気配がある。

大きな机と、六本脚でキャスターの付いた社長椅子には、榎本は、軽く触れただけだった。

最後に、天井を見上げる。そこには、空調の吹き出し口があった。

あっと思った。まさか、こうなることを見越して、脚立を持ってきたのか。

榎本は脚立に上り、天板の上に立った。吹き出し口の蓋《ふた》は、押し上げただけで簡単に取り外せた。ショルダーバッグからペンライトを出して、中を照らす。

すべて調べ終わるのに、十五分ほどしか要しなかった。榎本は、ショルダーバッグと脚立を抱えて、再び、こちらに戻ってきた。

「どうですか？　何か、新発見でも？」

雅樹の問いかけにも、榎本はポーカーフェイスだった。

「まだ、何ともわかりません」

「そうですか。もし、何かわかったら、ぜひ私にも教えてください」

純子が、雅樹の協力に感謝を述べ、二人は副社長の部屋を辞去した。

「どうだった？　本当は、何かわかったの？」

エレベーターホールに戻ると、純子は、堰《せき》を切ったように尋ねた。

「そうですね。可能性は、かなり絞られてきたと思います」

榎本は、エレベーターのボタンを押すと、脚立を下ろした。

「外部の人間が犯人だったと仮定すると、このフロアそのものが一種の密室ですが、侵入することは充分可能です。合い鍵《かぎ》を使って内階段から入るか、エレベーターを使うかですが、どちらも、監視カメラの視界の外にあります。もっとも、合い鍵を外部の人間が入手するのは、少々難しいかもしれません。しかし、エレベーターなら、誰にでも使えます」

「でも、エレベーターで十二階に来るには、暗証番号が必要でしょう？」

「普通なら、それで、容疑者は限定されますね。しかし、悲しいことに、エレベーターの暗証番号というのは、最大で四桁《けた》しかないんです。使える数字は①から⑨までの九つだけですから、9の4乗で、6561通りということになります。ところが、もし、暗証番号を構成する四つの数字がわかれば、可能な順列は、4×3×2の、わずか24通りです」

「でも、どうやって、その四つの数字を特定するの？　エレベーターの階数ボタンは他のフロアの人も使うし、頻度もまちまちだから、暗証番号に使うボタンが、特に汚れているというわけでもないでしょう？」

「方法は、いくらでもあります。現に、このフロアにかご室を呼ぶ暗証番号は、②、③、④の三つの数字の組み合わせであることがわかりました。さきほど、課長さんは、階数ボタンを四度押していましたから、どれか一つの数字を二度使っていることになります。たとえば、②、②、③、④の場合、順列は4×3の12通りです。②、③、③、④や、②、③、④、④の場合も同様で、各12通りですから、合計36通りですね。多少数が多くなりましたが、このくらいなら、全部試してみればいいんです」

純子は、唖然《あぜん》とした。

「どうして、その三つの数字だって、わかったの？」

かご室が到着し、扉が開いた。脚立を持って乗り込みながら、榎本は答える。

「十一階に来るときに、階数ボタンの上に、細かい粉を振りかけておいたんですよ」
①のボタンを押しながら、ポケットから龍角散の銀色の容器を出して、純子に見せる。
「振りかけたって……どうやって？」

純子も、階数ボタンにはずっと注目していたはずだが、まったく気がつかなかった。

「ごく微量を爪で弾《はじ》いて付着させたんです。普通に見ても、触っても、わからない程度に。十二階に行くときに、総務課長さんが暗証番号を押しましたが、出るときにチェックすると、ボタンの表面の粉が乱れていたのは、さっきの三つの番号だけでした」

この男は、どう考えても、防犯コンサルタントというより、手品師か、あるいは……。

「つまり、外部の人間も、そういう方法で暗証番号を推定することは、可能だったというわけね？」

「方法は無数にあります。あらかじめ準備する時間があったなら、ピンホールカメラで階数ボタンを盗撮する方が、簡単でしょう」

「でも、ちょっと待って。犯人がエレベーターに乗ったら、監視カメラに映るでしょう？」

純子は、エレベーターの隅に据え付けられている大きなカメラに視線をやった。

「これは、ダミーです」

「そうなの？」

「ダミーカメラというのは、本物と同じ筐体《きょうたい》を使えば、まずバレないはずなんですが、残念ながら、これは大量に出回った廉価品ですからね。ひと目でわかりますよ」

「なるほど」

「むしろ、犯人が箱の中を盗撮しようと考えたなら、ダミーの中に本物のカメラを仕込んで利用した可能性さえあります」

純子は唸《うな》った。昨今の状況は、油断も隙もないというレベルを超えている。

「……なるほど。じゃあ、外部の人間が十二階まで来ました。その後はどうなるの？」

「事件が起きたのは昼間ですから、社長室の鍵は開けっぱなしだったはずです。そうなると、残った関門は、廊下の突き当たりの監視カメラだけですね」

「でも、その監視カメラが、一番の問題でしょう？　犯人が、カメラに映されずに社長室に入ることなんて、できるんですか？」

「考えられる方法は、いくつかあります」

榎本の言葉に、純子は驚いた。

「本当？　どうやるんですか？」

エレベーターが、一階に到着した。

「まだ、どれも思いつきの域を出ません。これから、一つ一つ、検証していきましょう。最後には、必ず、真相が残るはずです」

二人は、警備員室の前に来た。在室らしく、テレビの音が、かすかに漏れ聞こえてくる。

「殺人事件があった直後だというのに、入り口の警備は、まったく機能していませんね。おそらく、いつでも誰でも、ビル内に侵入するのは容易だったでしょう」

榎本は、辛辣《しんらつ》な口調で言う。

「すみません。いらっしゃいますか?」

純子は、警備員室の窓をノックした。

「はい」

テレビの音がやむ。窓を開けたのは、古くさいブロー型の眼鏡をかけた、冴《さ》えない中年男だった。レンズが曇っていて見にくいのか、上目遣いにこちらを見る。

「先日お伺いした、青砥ですが」

「ああ。弁護士の先生ね。今日は、また何か?」

警備員が口を開くと、ひどい口臭が漂ってくる。顔を歪《ゆが》めないようにするだけで、かなりの努力が必要だった。

「先日の事件に関連して、ビルの警備体制を再チェックしてるんです。それで、ちょっと、警備員室の中を見せていただけませんか?」

「えっ? いや、それは……」

男は、狼狽《ろうばい》したようだった。

「お時間は、取らせませんから。千代田警備保障さんと渋谷ビルメンテナンスさんの方にも、許可はいただいています」

「そうですか。いや、ちょっと、散らかってるもんで」

そう言いながら、新聞などを片づけているらしい。がさごそという音が響いていた。

「お待たせしました」

ドアが開く。純子と榎本は、警備員室に入った。警備員は、なぜか、おどおどした様子だった。

「それが、録画装置ですね。ちょっと、拝見」

榎本が、棚に置かれたビデオデッキの方へ歩いていくと、警備員は何者だろうという顔をした。

「こちらの方は、防犯の専門家なんです。よろしく、ご協力をお願いします」

「はあ。それは、もう」

警備員の名前は忘れていたが、胸の名札には沢田とあった。揉《も》み手をせんばかりの態度に、純子は違和感を覚えた。

「監視カメラは、全部で五基ですか。それを、三面のモニターでチェックされているわけですね」

「そうです」

榎本は、棚を見るなり言う。

「三つのモニターで、五つのカメラをチェックできるんですか？」

純子は尋ねる。

「フレームスイッチャーを使ってますから、画面を定期的に切り替えることも、四分割して表示することも可能ですよ」

榎本が答える。フレームスイッチャーというのは耳慣れない言葉だが、たぶん、映像を切り替える機械のことだろう。

棚の中段には、14インチほどの小型モニターが三台並んでいる。うち二つはモノクロで、右端の一つだけがカラーだった。カラーモニターに映っている映像は、さっきまでいた、十二階の役員室前の廊下である。画面は小さいが、思ったよりも映像はシャープで、色調、階調ともクリアーだった。

「これは、それぞれ、どこの映像なんですか?」

榎本が沢田に尋ねた。

「Aのモニターは、正面玄関の二台のカメラに繋《つな》がってます。Bは地下駐車場の二台のカメラ用で、Cが十二階です。さきほど、お二人が映ってるのを見ましたよ」

愛想笑いを浮かべて言う。ちゃんとモニターを見ていたことを、アピールしているらしい。

「通用口とエレベーターには、カメラはないんですね?」

純子は尋ねた。

「はあ。まあ、通用口は、直接この窓から見えますし。エレベーターは、検討したらしいんですが、プライバシーに配慮し、ダミーで充分じゃないかということになったようです。まあ、これまで、エレベーター内で何かあったということもなかったんで」

エレベーターはともかく、通用口の監視が充分であるとは、とても思えなかった。

「事件のあった日は、全部、稼働してたんですか？」

「……ええと、休日で正面玄関は閉まってるので、Aは止まってました。BとCは動いてましたが」

榎本は、棚の下段にある三台のビデオデッキをチェックしている。

「何かわかりました？」

「特には。ちょっと前の型の、タイムラプス・ビデオですね」

「タイムラプスって？」

またもや、耳慣れない言葉が出てきた。

「間欠録画のことです。監視カメラの映像をそのまま録画していたら、テープが何本あっても足りませんから、通常、コマ落としで録画するんですよ」

榎本が説明し、沢田に顔を向けた。

「録画モードは、ふだん、何時間に設定してあるんですか？」

「ええと、七百二十時間です」

「テープ一本で、一ヶ月という計算ですね。夜間も同じですか？」

「いや、夜は人の出入りがないんで、誰か人が来たときだけ明かりがついて、録画するようになってるんですが」

「アラーム録画モードということですね」

だいたいの意味は見当がついたので、今度は質問しなかった。

それより、棚の下段に、監視カメラ用のモニターと同じくらいのサイズのテレビが載っているのが気になった。さっきまで、沢田は、これを見ていたのだろう。

監視カメラの映像のうち、一つはテレビの空きチャンネルで見られるように設定することもできたはずだが、わざわざ別にした理由は明らかだった。沢田がテレビを見ている間、監視カメラの映像が見られないのでは、監視にならないからだ。

これなら、沢田がテレビを見ているときには、監視カメラのモニターも視野に入るはずだから、不審者がモニターに映れば、気がつくだろう。

榎本は、壁の配線を調べ始めた。壁のコンセント脇から生えているケーブルは、平たい金属の箱に繋がっている。たぶん、これがフレームスイッチャーだろう。そこから分岐している二本のケーブルが、それぞれ、モニターとビデオデッキに接続されている。

「この先は、ビル内の空配管を通してあるんですね？」

榎本は、指先で壁を叩《たた》いた。

「ええ……そうだと思うんですが。もう一人の、石井というのが機械に詳しいんで、そっちに聞いてもらえれば」

「その方は、今、どちらですか？」

純子が尋ねた。

「ちょっと、見回りをしてまして」

沢田は、どうも歯切れが悪い。榎本の方に視線を移すと、今度は、監視カメラのモニターを背にして、逆側の壁を眺めている。さらに、壁に近づくと、脚立に乗って掛け時計などの備品を点検し始めた。もはや、何をやっているのか、見当もつかない。

調べ終わったらしく、脚立から下りると、榎本は沢田に顔を向けた。

「ふだん、鍵《かぎ》はどこに保管してあるんですか？」

「そこの、キーボックスですが」

沢田は、机の前の壁に取り付けられた、薄い金属製の箱を指さした。

「マスターキーは、この中ですか？」

「そうです」

「ちょっと、拝見してもいいですか？」

榎本は、キーボックスを開けて、迷うことなく、一本の鍵を取り出した。端に刻み目のある、ごく普通の鍵だった。細かい傷をチェックするように、ためつすがめつしている。

そのとき、ドアが開いて、警備員の制服を着た男が入ってきた。かなりの大柄で、手にはコンビニのビニール袋を提げている。純子と榎本の姿を見て、ぎょっとしたようだった。

これが、もう一人の警備員の石井だろう。何か質問をするかと思っていたら、榎本は、軽く会釈をしただけだった。

「どうも、お手数をおかけしました」

マスターキーをキーボックスに戻すと、そのまま、出ていってしまう。

後を追いながら、純子は、榎本の表情を探った。

「青砥先生。このビルの設計図があれば、入手してください。特に、空配管と吹き出し口の位置が記載されているものを」

「わかりました。すぐに手配します。あと、カメラとデッキの型番ね？」

「それはもう、わかりました」

純子は、とうとう我慢しきれなくなって訊《き》く。

「何か、つかんだの？」

「まあ、いろいろと」

「もったいぶらずに教えて」

「さっきも言いましたが、現時点では、いくつかの方法が考えられます。本命とおぼしき線も、ほぼ見当がついてますが、その前に、気になる存在が二つあるんで、先に、そちらをチェックしておきたいんですが」

「何なの？」

「まず、車の中でお聞きした、介護用ロボット。それから、介護ザル」

純子は、首を振った。

「どちらも、殺人なんて、とても不可能よ」

「そうかもしれませんが、両方とも私の知識にはないものですから、一応は、自分の目で見てから、判断したいですね」

「わかりました。どちらも、今は、ちょっと離れた場所にあるみたいなんです。わたしは、これから拘置所に行かなきゃならないんで、午後にでも、もう一度、落ち合うということでいいですか？」

「かまいません」

「それでは、電話して、アレンジしておきます。……だけど、その、本命じゃないかっていう方法の、ヒントだけでも教えてもらえない？」

榎本は、ポケットに手を突っ込んだ。

「さっき、十二階の監視カメラに、これが付いているのを見つけました」

純子の目の前に出した榎本の指先は、細長い毛のようなものを摘《つま》んでいた。

「何、それ？」

「リスの毛です」

「リス？」

純子は、呆気《あっけ》にとられた。

「まさか、社長室にリスが侵入して、殺したっていうの？」

榎本は噴き出す。

「リスに殺されたんじゃ、社長も浮かばれないでしょうね」

3　介護ザル

久永篤二の顔つきは、数日の間に一変していた。

「お身体の具合は、どうですか？」

純子が問いかけても、無言のままである。顔は土気色で、目は落ち窪《くぼ》み、光が消え失《う》せていた。その一方で、口元には妙に締まりがない感じがする。

「何か、困ったことはありませんか？　警察は、無理な取り調べをしていませんか？　何でも、言いたいことがあれば、おっしゃってください」

やはり、返答はなかった。

まずい、と思う。早くも、拘禁反応が始まっているのかもしれない。身に覚えのない罪状で逮捕、勾留《こうりゅう》されれば、どんな人間でも、精神が不安定になる。しかも、彼の場合、殺したという嫌疑をかけられているのは、四十数年、身命を擲《なげう》って仕えた、大げさに言えば神にも等しい存在なのである。

「奥様も、久永さんのことを心配なさってました」

体調を崩していることは、今は、伏せた方がいいだろう。

「くれぐれも、お身体をおいといくださるよう、伝えて欲しいとおっしゃってました。真《ま》弓《ゆみ》さんも、久永さんを信じて待っているということでした。翔太《しょうた》君も……」

孫の名前が出たとき、少しだけ、反応があった。瞼《まぶた》が、ぴくりと動いたのである。

「早く、お祖父《じい》ちゃんに会いたいって。それまで、お母さんの言うことをよく聞いて、ちゃんと勉強するから、一日も早く帰ってきてくださいって、言ってました」

久永が、低い声で何か言った。よく、聞き取れない。

「は？　何と、おっしゃったんですか？」

「終わったんでしょうか」

「何がですか？」

「一言、どうしても一言、申し上げなければと、そのことばかり念じていたんですが」

ぶつぶつと呟《つぶや》く声を聞くうちに、嫌な予感が走った。ガンザー症候群。ヒステリー性の心因反応による退行状態だ。しばしば、拘禁状態に起因し、偽痴呆《ちほう》といわれる的はずれな応答をする特徴がある。過去に、実物にお目にかかったことはなかったが、先輩弁護士から、話には聞いていた。彼の心は、すでに蝕《むしば》まれ始めているのだろうか。

だが、久永は純子に視線を向けると、思いがけず、しっかりした口調で話し始めた。

「お葬式ですよ。もう、終わったんでしょうね？」

「ええ」

近親者だけによる密葬は、すでに菩提寺《ぼだいじ》で営まれていた。

「社長の葬儀に、私が出席できないなどという事態は、考えたこともありませんでした。生きている限りは、たとえ死病の床にあろうとも、這《は》いずってでも出るつもりでいたんですが。社長の御遺影に向かい、会社のことは、どうか御心配なきよう。社長の御遺志を継ぎ、必ずや更なる飛躍発展を実現させますと。これまでの長きにわたる社長の御鴻恩《ごこうおん》に報いるには、そうお誓い申し上げることだけが、せめてもの……」

久永は、絶句した。透明な仕切り板越しに、目に光るものが見える。

「まだ、チャンスはあります」

気がついたら、純子は、そう口に出していた。

「どういうことですか？」

「小耳に挟んだんですが、来月にでも、社葬を行う運びのようです」

久永は、目を見開いた。

「社葬……そうか。それは、そうだ。当然です」

「ですから、それまでに嫌疑を晴らして、釈放を勝ち取れば、社長にお別れをおっしゃれますよ」

自分は、いたずらに空しい希望を与えているだけなのかもしれない。それまでに釈放になる可能性は、ほとんどないだろうし、社葬に間に合わなかった場合、絶望はさらに深くなるだろう。

だが、今は、彼に持ちこたえてもらわなければならない。たとえ無実の人間であっても、連日連夜、取調官におまえがやっただろうと責め立てられれば、虚偽の自白をしてしまう可能性が高い。

状況証拠が圧倒的に不利な上に、一度、自白をしてしまえば、もう望みはない。久永篤二の有罪は、確定するだろう。

「久永さん。もう一度、事件のあった日のことを、聞かせていただけますか？」

「それは、何度でもお話ししますが、しかし、私は何も……」

久永は、力なく首を振った。覚えていないと言いたいらしい。

「昼食後、急に眠くなったと、おっしゃってましたよね」

「はい。何かこう、頭の芯《しん》がぼおっとなって、抗しがたいような眠気が襲ってきまして」

「そういうことは、よくあるんですか？」

久永は、考え込んだ。

「いや、あんなにひどいのは初めてでした」

「久永さんは、夜は、寝付きがいい方ですか？　なかなか眠れなかったり、夜中に目が醒《さ》めたりということは？」

「なぜ、そんなことを訊かれるんですか？」

久永は、急に鋭く反問した。

「前の晩、充分な睡眠を取っていないと、翌日の昼間、眠くなることは……」

「あなたも、私が寝惚《ねぼ》けて、社長を殺したことにされたいんですか？」

「え？」

純子は、ひやりとした。ひそかに、最悪の場合、心神喪失の線で弁護することも、やむをえないと考えていたからだ。だが、『あなたも』というのは、どういう意味なのか。

「この前来られた、弁護士さんです。今村《いまむら》さんといったかな。私が絶対にやってないと言うのに耳も貸さず、しつこく、そんなことばかり訊《き》いていきましたよ」

「そうだったんですか」

純子は、ショックを受けていた。今村からは、一言も、そんな話は聞いていなかった。弁護方針は、未定のはずだ。自分だけが、蚊帳《かや》の外に置かれていたのだろうか。

「はっきり言っておきます。私は今まで、夢遊病にかかったことなど、一度もありません。あちらの弁護士さんにも、そのことはきちんと申し上げましたが」

「わかりました」

「もし、どうしても、そういうことにしたいのなら、これ以上は……」

久永は、立ち上がりかける。純子は懸命に制した。

「待ってください。夢遊病云々《うんぬん》というのは、わたしも今、初めて聞きました。今村も、ひとつひとつ、可能性を除外していくために、お聞きしたんだと思います」

「そうでしょうか」

「ただ、あの日の久永さんの状態は、事件を解明する上で、重要な手掛かりになります。ふだんは、規則正しく、睡眠を取られていたんですね？」

久永は、落ち着いた声で答えた。

「私は毎晩、十時には就寝しておりました。床につけば、眠りに落ちるまでに十秒とかかりません。朝は、五時ちょうどには必ず目が醒めます」

「お昼寝は、されますか？」

「そうですね。社長のように毎日ではありませんが、ときたま。昼食後、三十分ほどですか」

「三十分ですか？　でも、あの日は、もっと長く眠っておられましたよね？」

「そうですね。……なぜ、あの日にかぎって、あんなに眠かったのか、どうにもよくわからないんですが」

ぴんと、閃《ひらめ》くものがあった。

「久永さんは、睡眠薬は、使われていますか？」

「いいえ。そんなものを用いる必要はありませんよ。今言いましたように、夜は、何もしなくても、バタンキューなんですから」

「一度でも、のまれたことは？」

「ありません」

返事は、明快だった。

もし、誰かが、久永にこっそり睡眠薬をのませたとしたら、どうだろう。目的は、もちろん、殺人の罪をなすりつけるためだ。社長と久永の両方に、一服盛ったのかもしれない。

「あの日の昼食なんですが、何を召し上がりましたか？」

「仕出し弁当でした。いつもの店のものです」

「味がおかしかったということは、ありませんか？」

「いや。覚えておりませんね」

「その他には？」

また、首を傾げて考える。

「食後に、コーヒーを飲みましたが」

「こちらの味は、どうでしたか？」

「どうでしょうか……」

「それ以外に、口にされたものは？　食事ではなく、ビタミン剤のようなものでも」

「必要がないかぎり、薬はのみません。あの日、会社で、それ以外に口にしたと言えば、お茶だけですね。出社するとすぐ、河村君が淹《い》れてくれるんですが」

朝一番にのんだ睡眠薬が、昼頃になって効いてくるとは、考えられない。もし、久永専務が一服盛られたのだとすれば、それは、仕出し弁当か、食後のコーヒーに混入されていたものだろう。

「時間です」

警察官が、接見室のドアを開けて現れ、声をかけた。

「また、来ます。久永さんは、どうか、気持ちをしっかり持ってください。いいですか。

やってないことは、絶対に、やったと言ってはいけません」

警官が、大きな咳払《せきばら》いをした。

「今、他の人間に犯行が可能でなかったか、専門家を雇って調べています」

「専門家というと、何の？」

「一応、防犯コンサルタントという肩書きがあるんですが、侵入に関するプロです」

「侵入のプロ？」

「まあ、ほとんど、泥棒のようなものと思っていただければ」

雰囲気を和ませようと思って言ったのが、逆効果になった。久永の表情に不安の翳《かげ》りが現れる。

「……その人は」

落ち着かなそうに、視線を宙にさまよわせる。

「社長室の中を調べたんですか？」

「ええ。さきほど、短時間ですが、副社長の許可を得て部屋に入らせてもらいました」

「見つかりましたか？　その……何か、特別なものが」

特別なもの。いったい、何のことだろう。

「いいえ」

「そうですか」

なぜか、ほっとした顔になる。

「時間だ」

警官が、接見の終了を促した。

接見室を出ながら、純子は、この仕事を引き受けてから初めて、依頼人への疑惑が胸中に兆すのを感じていた。


「動機については、とりあえず、棚上げにしましょう」

榎本が言った。

「そちらは、青砥先生のご専門でしょう。私は、物理的に犯行が可能であったかということに絞って、検討したいと思います」

「でも、客観的に見て、どう？　久永専務に動機がないことは、あきらかでしょう？」

純子は、ティプトロニック・トランスミッションのシフトレバーを＋《プラス》のポジションに入れた。アクセルを踏むと、アウディA3は一気に加速する。

『F&Fセキュリティ・サービス』のロゴの入ったジムニーに乗っているときは、周囲の目を気にするだけでストレスが溜《た》まったものだ。今は、心おきなく飛ばすことができる。

「どうでしょうか。会社組織の利害は複雑に入り組んでいますからね。社長が死んで本当は誰が得をするのかは、よくよく調べないとわかりません。それに、ほかの動機、怨恨《えんこん》や痴情が絡んだら、もうお手上げです」

から？」

「榎本さんが、容疑者リストのトップに副社長を持ってこないのは、動機を無視している

Ａ３は風を切って快調に走る。とろとろ走っているときには硬めのサスペンションが気になるが、スピードを上げると、実に爽快《そうかい》だった。

「たしかに、ちょっと見には、一番怪しく見えますね」

榎本は認めた。

「社長が亡くなったら、ベイリーフを手中にできるのは、娘婿である副社長よ」

「そうかもしれません」

「それに、副社長なら、殺人のお膳立《ぜんだ》ても簡単だったはず。どうやって社長に睡眠薬をのませたかという問題も、副社長が犯人だったら、何とでもなるでしょう？」

革張りのステアリングを握りしめながら、考える。

司法解剖で、穎原社長の遺体から検出されたのは、フェノバルビタールという睡眠薬だった。かなり強力な薬で、専門医の処方がなければ、通常は入手できない。社長室の机の一番下の引き出しから、一部が空になった、同じ薬のシートが発見されている。

だが、普通、眠気を催して昼寝をしようというときに、睡眠薬をのむだろうか。

「犯人はまちがいなく、食後のコーヒーに睡眠薬を入れたんだと思うの。そして、それができたのは、一緒に昼食を取った副社長と久永専務、それに、三人の秘書だけでしょう？」

「そう決めつけるのは、早計かもしれませんよ」

「でも、第三者が、あらかじめコーヒーサーバーに睡眠薬を入れておいたとは考えられないでしょう？」

「そうですね」

「第三者が入れたのなら、一緒にコーヒーを飲んだ副社長にも、睡眠薬の作用が現れたはず。でも、副社長はまったく眠気を訴えていない。一方で、もし副社長が犯人なら、たとえば、社長と専務の注意がそれた隙に、コーヒーサーバーに睡眠薬を投入することもできたはずだわ」

「残念ですが、それは、ありえません」

「どうして？」

運転中だったが、純子は、思わず榎本の顔を見た。

「秘書たちは、その後、ケーキを買ってきたときに、残ったコーヒーを飲んでるんですよ。しかし、こちらも、誰一人として眠気を催してはいない」

「そうか……そうだったわね」

どうも、一筋縄ではいかない。

「じゃあ、睡眠薬については、ペンディングにしましょう。殺人そのものについては、どう思う？　副社長は、社長の遺体を発見する約二分前に、自室に帰ってるわ。ぎりぎりだけど、殺す時間はあったんじゃない？」

「それも、完全に不可能です」

榎本は、にべもなかった。

「遺体が発見されたときの状況を、考えてみてください。窓拭《まどふ》きの青年が遺体を発見して、インターフォンで相棒に変を告げた後、相棒はマスターキーを持っていなかったために、内階段で十二階のフロアに入ることができず、エレベーターで一階まで下りてから、警備員に事態を説明しています。警備員は、それから、十二階の秘書室に電話をかけているんです。遺体が発見されてから、秘書室の電話が鳴るまで、どんなに短く見積もっても、三、四分は経過しています。おそらく、実際には五分以上かかってるでしょう。つまり、遺体が発見されたのは、副社長が部屋に戻るより前ということになるんです」

「でも、副社長が帰ってきてから遺体が発見されるまでの間の二分というのは、確実な数字じゃないでしょう？　もしかしたら、もっと時間がたっていたのかもしれないわ」

純子は、最後の抵抗を試みた。

「窓拭きの青年は、もう一つ、重要な証言をしていますね」

榎本は、純子の記憶を喚起する。

「彼は、社長室の前に副社長室の窓を拭いているんですが、そのとき、中に誰もいなかったと言っています。つまり、副社長は、まだ帰ってきてなかった」

残念ながら、副社長犯人説は、完全に打ち砕かれてしまったようだ。

「わかったわ。今のところ、副社長はシロとしておきましょう。でも、いくら何でも、その代わりに容疑者リストのトップに来たのが……」

二頭の猿の行動は、まさに驚くべきものだった。

車椅子に座って要介護者の役をしている女性が呼びかけると、止まり木から駆けつけ、パジャマのボタンを留めたり、電話の子機を持ってきたり、冷蔵庫からメロンを取ってきたりする。

「すごいですね。本当にびっくりしました。こんなに小さなお猿さんなのに」

純子は、感嘆して言った。

「南米原産の、フサオマキザルです。小さいですが、猿用の知能検査をやると、チンパンジー並みの高得点を取るんですよ。新世界の類人猿という呼び名もあるほどです」

安養寺は、嬉《うれ》しそうに言った。一応、ベイリーフの介護システム開発課長という肩書きがあるが、実質的には、独立した研究所の職員のような立場らしい。

「安養寺さんは、このフサオマキザルの研究をなさってるんですか？」

榎本が尋ねると、安養寺は笑った。

「ええ。それ以外にも、盲導犬・聴導犬・介助犬に関する研究や、アニマル・セラピーについても、手がけてます」

「アニマル・セラピーというと、老人ホームに犬を連れてったりする、あれですか？」

「そうですね。それ以外にも、最近では、イルカ・セラピーなんかもやってます。自閉症の子供が、わずか一週間の体験で見違えるような変化を見せるのは、感動的ですよ。動物と触れ合うことにより、人は本当に癒《いや》されるんです」

「それにしても、介護ザルというのは、新しい分野ですね」

「いえいえ。アメリカなどでは、とっくに活躍してるんですよ。日本では、まだまだ認識が薄いですけどね。将来的には、盲導犬や聴導犬並みのステータスにしていきたいと思ってるんですけど、まあ、役所の頭の固さだけは、どうしようもないですね。多くの自治体では、いまだに、飼育に許可が必要な危険動物という扱いですから」

「危険なんですか？」

「そりゃあ、犬歯がありますから、咬《か》まれることを考えれば、危険がゼロとは言えません。しかし、大型犬なんかと比べれば、よっぽどおとなしいし、心配する必要はないんですけどね。ペットとして、危険な毒蛇や毒蜘蛛《ぐも》を野放しに売らせている国のやることとは、思えませんね」

安養寺は、二頭の猿のそばによって、愛《いと》しげに頭を撫《な》でた。

「実は、ここで研究しているのは、さらに一歩先です。要介護者のいる家庭では、人の指示によって、介護ザルが動きます。その際、彼らにも使いやすいような機械システムを設計できないかということなんですよ。ヒューマン・モンキー・インターフェイスというわけですね」

「人が猿に命じ、猿が機械を操作するということですか？」

榎本が尋ねた。

「簡単に言えば、そういうことです」

「最初から、機械に音声で命令した方が、簡単じゃないかと思うんですが。人間と機械の間に、猿を介在させることに、何か、メリットがあるんでしょうか？」

榎本の質問に、安養寺は、我が意を得たりという顔になった。

「いい質問です。もちろん、人間がじかに機械に命じた方がよいことまで、猿にやらせる必要はありません。しかし、今、房男と麻紀が実演したような、ちょっとしたものを取ってきたり、物を動かしたりということまで、全部機械にやらせようとすると、とてつもないコストがかかってしまいます。福祉分野でもロボットは急速に進歩していますが、フサオマキザルのサイズで、匹敵する能力のものを作ろうとすると、あと五十年はかかるでしょう。介護補助ロボットとして開発されたルピナスVにしても、力仕事は得意ですが、繊細な作業には限界があるんです」

安養寺は、介護ロボットへのライバル意識を覗《のぞ》かせた。

「それに、先ほど言いましたように、動物と触れ合うことには、それだけで癒しの効果があるんですよ。障害者にとって介護ザルは、単なる労働力でもペットでもない、生活のパートナー、コンパニオンというべき存在になりうるんです」

「なるほど」

「フサオマキザルって、とっても、愛情豊かな動物なんですね」

純子は、二頭の猿を見やって言う。

「そうです。その意味では、人間と何ら変わらないと思うことすら、ありますよ」

安養寺は、常に猿と一定の距離を保とうとしている榎本を見て、微笑した。

「この二頭は、安養寺さんの言うことなら、何でも聞くんですか？」

榎本が訊《き》く。

「もちろん、あらかじめ教えたタスク以外は難しいですが。でも、たいていのことは可能ですよ」

「たとえば、三次元的な迷路の道順を覚えて、往復するようなことは？」

「その程度のことは、哺乳類《ほにゆう》でなくても学習可能です。房男や麻紀にとっては、簡単すぎる課題ですよ」

「それでは、もし、安養寺さんが房男に、私を咬めと命じれば、襲ってきますか？」

安養寺の顔から、笑みが消えた。

「そういう類《たぐい》の命令は、一切教えていません。番犬の代わりにするわけではないので」

「かりに、教えたとしたら、どうでしょうか？」

安養寺の表情は、ますます険しくなった。

「わかりませんね。無理に教え込めば、可能かもしれません。しかし、フサオマキザルはもともと、争いを好まない動物です。しかも、彼らは、人間を仲間であると認識しています。おそらく、非常な心理的ストレスを受けることでしょうね」

質問が核心に迫りつつあるのを感じ、純子は榎本を見た。

「彼らには、どのくらいの膂力《りょりょく》があると、考えればいいですか？」

「……どう言えばいいでしょうか。体重比で言えば、人間からは考えられないくらいの力がありますけど」

「たとえば、重さ数キロの物体を持ち上げて、落とすことは可能ですか？」

安養寺は、考え込んだ。

「ちょっと難しいでしょうね。房男の体重が3.6kg。麻紀の方は、2.8kgしかありませんから。よほどうまく重心を入れて、踏ん張りを利かさないと、身体の方が浮き上がってしまうでしょうし。まあ、その物体に持ち手でもついていれば、身体全体で勢いを付けて、瞬間的には、持ち上げられるかもしれませんね」

「ありがとうございました。あと一つだけお伺いしたいんですが、事件があった日に、房男と麻紀を本社に連れて行ったのは、なんのためだったんですか？」

「お聞きになっていると思いますが、当社の親会社であるベイリーフは、今年、株式上場を控えています。それに伴い、IR活動というのをやらなければなりません。社長が中心になって、銀行や生保など、株式を引き受けてくれそうな機関投資家を回っては、プレゼンをやるわけです」

「あの日、休日だったのに、社長さんたちが出社していたのは、その準備のためですね？」

「ええ。それで、機関投資家回りの際に、当社の房男と麻紀か、ルピナスVを連れて行って、デモをやってはという案が出ていました。単に話をしたりスライドを見せたりするのと比較すると、より訴求力があるんじゃないかということで……」

事件のことを思い出したのか、安養寺は暗い顔になった。

「あの日、猿を連れて会社に着かれたのは、何時頃ですか？」

「朝の八時過ぎだったと思います。ちょっと早く着きすぎてしまったんですが、午前中にデモをやるということだったので、早く行って落ち着かせた方がいいと思いまして」

「それで、十時頃に社長からお呼びがかかるまで、待機されてたんですね？」

「ずっと、十階の会議室にいました。観葉植物があって落ち着きますし、あまり広い場所に連れ出されると、この子たちが不安を覚えるんです」

安養寺は、可愛くてならないというように、房男の顎《あご》の下を人差し指でくすぐった。

「やっぱり、空振りだったわね」

研究所のある幕張《まくはり》のビルを出ながら、純子は言った。

「房男と麻紀には、とても犯行は不可能よ」

だが、榎本の顔に笑みはない。

「……残念ながら、そうとも言えないと思います」

「でも、あの猿の力では」

房男が、マウンテンゴリラそこのけの怪力でガラステーブルを持ち上げ、社長の頭を強打する図が、頭に浮かんだ。

「私が、まだ介護ザルを容疑から除外しきれないでいる理由を説明します」

榎本は、陰気な声で言った。

「今回の事件で不可解な点の一つに、凶器があります。今のところ可能性が高いとされているのは、ガラスのテーブルと灰皿です。ガラスのテーブルには被害者の血痕《けっこん》が付着していましたが、具体的な犯行の様態を考えると、なかなか、すっきりとした説明ができません。灰皿に至っては、血痕もなく、現場に落ちていたわけでもないので、苦し紛れに持ち出したとしか思えません。つまり、どちらも、実際に使われた凶器かどうかは、はなはだ疑問です」

「でも、他に凶器が存在したとしても、犯人が密室に侵入し、脱出した方法に比べれば、それほどの不思議はないんじゃない？　犯人が持ち去ったと考えればいいんだから」

「そこなんですよ、問題は」

榎本は、鋭い目で純子を見た。

「なぜ、犯人は、凶器を持ち去らなければならなかったのか。もし専務に罪を着せる気だったのなら、その場に放置しておいても何ら差し支えなかったはずです。いや、それどころか、凶器がないことで久永専務犯人説に疑問が投げかけられる可能性がありますから、何としても、置いておかなければならなかった」

「でも、犯人のシナリオでは、ガラステーブルがその役を担うはずだったわけでしょう？　つまり、久永専務が、はずみで社長を突き飛ばし、死なせてしまったという……」

純子は、リモコンキーで、駐車してあったA3のロックを開けた。

「では、そういうシナリオだったとしましょう」

助手席に乗り込みながら、榎本が言う。

「それでは、犯人はどうやって、ガラステーブルに血痕を付けたんでしょうか？」

「さあ」

エンジンをかけながら、純子は首を捻《ひね》った。

「遺体を持ち上げて？」

「そうですね。まあ、ごく微量なら、遺体の血痕をいったん他の物体に移して、ガラステーブルに押しつけることもできますが」

「ガラステーブルを横にしたのかも」

「かもしれません。いずれにしても、非常に手間がかかるし、リスキーだと思いませんか？　ほかの物体に付けてから転写した場合、現代の鑑識技術によって小細工が発覚してしまう可能性もあります。そんな面倒なことはせず、普通の凶器を使っていれば、何の苦労もなかったはずです。社長の殺害後、単に床に放り出しておけばいいんですから」

純子は、A3を発進させる。

「……うーん。言ってることはわかるけど、こうは考えられない？　犯人は、専務に罪を着せるつもりではあったが、はっきりとした殺人事件にはしたくなかった。このあたり微妙だけど、あくまでも偶然の事故として処理したかったために、ガラステーブルを使ったとは？」

「たしかに、仮説としては、有力ですね。社長を殺害して、専務に罪を着せ、なおかつ会社に与えるダメージを最小限にしたいと思えば、そういう選択もありかもしれません。そうなると、誰を犯人に想定しているのかは、あきらかですが」

榎本は、小さく笑った。

「その場合はやはり、犯人がどうやって密室に侵入したのかという問題に、突き当たりますね」

「榎本さんには、密室を解決できる、別の仮説があるわけね？」

「ええ。こうは考えられないでしょうか？　犯人が凶器を持ち去ったのは、それが捜査側の目に触れては困るものだった。つまり、きわめて特殊なものだったとは？」

「筋は通っているように思うけど。特殊なものって、たとえば、どういうものなんですか？」

「たとえば、介護ザルにも使えるようにデザインされた、殺人の道具です」

純子は、しばらく絶句した。

「そんな道具、どうやって入手するの？」

「あの会社の研究テーマが、まさにそれじゃないですか。人間のみならず、猿の手でも容易に扱える道具や、システムを開発すること。猿の体格と膂力に合わせ、理想的な凶器を作り上げることくらい、お手の物でしょう。それに、猿は二匹います。二匹の協同作業で初めて可能となる方法だったのかもしれません」

「ちょっと待って。話がおかしいわよ。じゃあ、ガラステーブルには、どうやって血痕が付いたの？　犯行後、猿が遺体を持ち上げて付けたっていうわけ？」

痛いところを衝《つ》いたと思ったのに、榎本は平然としていた。

「もしかすると、ガラステーブルに血痕があったというのは、偽装工作ではなく、偶然の産物だったのかもしれません」

「偶然？」

殺人を行った猿の足に血が付いていて、うっかり踏んでしまったとでもいうのか。

たった今、房男と麻紀を見てきたばかりの純子には、とても信じられなかった。介護ザルを使って、殺人を実行させることなど、沙汰《さた》の限りとしか思えない。

「やっぱり、無理よ。安養寺さんの説明を聞いたでしょう？　あそこまで知能が高い猿なら、いくら飼い主の命令であったとしても、人を攻撃して殺すことの意味がわからないはずはないわ。心理的な抵抗も大きくなるはずだし」

「その点は、工夫すれば、クリアーできると思います」

榎本の口調は、冷徹だった。

「凶器の形状が特殊であれば、攻撃しているという感覚は薄れるでしょう。ダミー人形などを使い、ゲームのようにして訓練すれば、猿は、それが殺人行為であるということを意識しないですむかもしれません」

「ええと……ちょっと待って。さっきから言ってることはすべて、猿の犯行であれば密室の謎が解けるというのが、前提なんですよね？」

「はい」

「じゃあ、猿はどうやって社長室へ出入りしたの？」

「天井裏を走っている、空調用ダクトを通ったんだと思います」

純子は、ぽかんと口を開けた。

「そんなこと、できるの？」

「社長室の天井にある吹き出し口を見ましたが、サイズ的にはぎりぎり通れると思います」

思わず、榎本の顔を凝視する。

「もし、介護ザルが使われたとするなら、犯人は、今の安養寺課長？」

「そういうことになりますね。控えめに言っても、何も知らなかったとは考えられません」

しばらくの間、純子は沈黙した。

「……わたしには、とても信じられないわ」

「正直に言えば、私もそうです。ただ、偶然だとすると、一つ、非常に気になる暗合があるんですよ。それは、社長を撲殺する際、頭部に加えられた打撃が、比較的弱かったことです」

純子は、はっとした。

「社長は、半年前に頭部の手術を受けていたため、それほど強くない打撃でも、殺害は可能でした。犯人は、おそらく、そのことは知っていたでしょう。しかし、確実に殺害をもくろんでいる状況で、打撃に手心を加えるのは、不自然です。打撃が強すぎて不都合なことは何もないですから」

「老人である専務に、罪を着せるためだったんじゃない？」

「専務は、それほど体力が弱っていたんですか？」

「……いいえ」

純子は、渋々認めた。老齢だが、若い頃は剣道で鍛えたというだけあって、背筋はしゃんと伸びている。前日もゴルフに行っているのだから、人を撲殺するのに充分な力はあるだろう。

「私は、打撃が弱かった理由について考えてみたんですが、合理的な説明は二つしか思いつきませんでした。一つは、犯行の際、加害者の中で被害者に対する人間的な感情が働き、つい、ためらってしまったということ。もう一つは、犯行方法による制約から、強い打撃が加えられなかったということです」

「まあ、その点は符合するけど……」

「このどちらも、犯人が瀕死《ひんし》の社長にとどめを刺さなかった理由にもなります。しかし、もし後者で、しかも介護ザルを使った犯行だったら、現場に凶器が残されていなかったという先ほどの疑問も氷解するんです。人間が直接手を下したのであれば、現場に適当なダミーの凶器を残しておくことも難しくなかったはずですから」

純子は、学生時代に読んだ世界最古の密室ミステリーを思い出した。人間には侵入不可能な部屋で凶行に及んだのは、オランウータンだった……。

だが、どうにも、納得できない。もしかすると、この男は、適当な屁理屈《へりくつ》をでっち上げることで、密室を破ったと主張し、成功報酬をせしめようという魂胆なのだろうか。

何か反論しようと思ったとき、コートの内ポケットで携帯電話が鳴った。着メロは、『キリング・ミー・ソフトリー』である。

「ちょっと、失礼。……もしもし?」

片手でハンドルを握ったまま、電話に出る。

「もしもし。青砥さん?」

今村の声だった。

「事務所から、電話してくれという伝言を聞いたんだけど」

「ええ。ちょっと、話したいことがあって」

「何？」

「さっき、久永さんと、接見してきたとこなんだけど。前回のことは、聞いたわ。どういうことなんですか？　弁護団としては、心神喪失を主張することに決めたの？」

「……いや、そういうわけじゃない。ただ、状況はきわめて不利だからね。一応、そういうセンも、準備しておかなきゃと思って」

「そういうセンって、そのことしか、話さなかったんじゃないの？」

「基本的な事実関係については、今さら、確認することもないしね。接見時間は、限られてるから。とりあえず、夢遊病の可能性に絞って、話を聞いてみたんだ」

「……それは、藤掛《ふじかけ》先生の指示？」

一拍、答えが遅れた。

「いや」

「わかったわ。七時頃には事務所に帰れるから、あとで、ゆっくり話しましょう」

「ああ。それじゃ」

携帯電話をしまってからも、難しい顔をしていたのだろう。榎本は、しばらく、声をかけるのをためらっていたようだった。

「ごめんなさい。一人でやってるときと違って、弁護団となると、なかなか、意思の疎通がたいへんなんです。とはいっても、三人しかいないんだけど」

榎本は、微笑した。

「建物の設計図は、入手できたということでしたが？」

「ええ。あっちこっち問い合わせたんだけど、最初から、あのビルの中に保管してあったみたい」

「結構です。今から、いったん新宿の店に寄り、それから、もう一度ロクセンビルに行って、中を見られますか？」

「……それは、時間的には、だいじょうぶだと思うけど」

純子は、時計を見た。

「でも、今度は、どこを見るの？」

「とりあえず、介護ザルにかかった嫌疑が晴らせるかどうか、チェックしてみましょう」

まだ、六時を十分ほどすぎたばかりだったが、十二階の役員フロアは森閑としていた。

「もう、どなたも、おられないんですか？」

純子が聞くと、忍はうなずいた。

「いつも、最後まで会社に残っていたのは、社長と副社長、専務の三人でした。今日は、副社長は、銀行の方と会食があるとかで」

誰もいない方が、よけいな邪魔が入らなくて、好都合である。

「社長室は、立ち入り禁止ということなんですけど」

忍は、心配そうに言った。

「いや、今、見たいのは、別の場所です」

榎本は、青焼きの設計図を見ながら言う。

「どちらでしょうか？」

「とりあえず、男子トイレを」

冗談だと思ったのだろう。忍はくすりと笑った。だが、榎本はさっさと、トイレの方へ歩いていく。

「ここで、お待ちしてましょうか？」

忍は、純子に言った。榎本が尿意を催したのだと思ったらしい。

「そうね」

トイレの入り口から入りかけた榎本が、こちらを振り返った。

「青砥先生」

「えっ。わたしも？」

しかたがないので、後に続く。忍は、呆気《あっけ》にとられていた。

純子も、さすがに、男子トイレの中に入ったことはなかった。このフロアの役員たちが、全員退社していて、幸いだったと思う。おそるおそる中に入ってみると、榎本は、部屋の中央あたりに、例の脚立を立てていた。右手には、ストール小便器と掃除用流しが並び、左側には個室がある。

「何を見るの？」

「天井裏です」

榎本が指差した天井には、一辺が45㎝ほどの正方形の点検口があった。

脚立の天板に腰掛けると、榎本は、マイナスドライバーを出して、ネジの頭のような金具を回した。点検口の扉が開き、天井裏が姿を現す。

「もしかしたら、天井裏を通れば、社長室の上まで行けるんですか？」

純子の頭の中では、一瞬、忍者や屋根裏の散歩者の姿が駆け巡った。

「残念ながら、それは無理だと思います。しかし、念のために、確認してきましょう」

榎本は穴の中に両手を入れると、軽々と身体を引き上げて、頭を突っ込んだ。フリークライマー並みの、機敏な動作である。防犯コンサルタントというのは、ここまで体を鍛えておく必要があるのだろうか。泥棒ならともかく……。

「それでは、ちょっと、行って来ます」

言うなり、榎本は、吸い込まれるように穴の中に姿を消した。

静寂が戻ってくる。どんなに耳を澄ませても、足音すら聞こえなかった。

純子は、じりじりしながら、榎本の帰りを待った。何となく、男子トイレの中で、ぽかんと天井の四角い穴を眺めている自分が、馬鹿のように思えてくる。

急に、河村忍のことを思いだした。もしかしたら、まだ、外で待っているのだろうか。

二人で男子トイレに入ったのを見て、どう思っているのかも、少し心配になってきた。

トイレの戸を開けると、案の定、忍は、エレベーターホールに佇《たたず》んでいた。背中を向けているので、表情は見えないが、何かを考え込んでいるように見える。

「ごめんなさい。もうすぐ、終わりますから」

純子が声をかけると、忍は振り向いた。ほっとした様子が窺《うかが》える。

「本当に、お手洗いを調べられてたんですね」

「天井裏を調べてたんです。もしかしたら、密室の謎が解けるかもしれないんで」

なぜか、言い訳するような口調になっていた。

「密室、ですか？」

忍の声音は、まるで、異次元空間ですかと言っているようだった。

「ええ。もし、久永専務が無実なら、犯行のあった社長室は密室ということになりますよね。それで、あの人に依頼して、可能な侵入経路を調べてるんです」

「専務は無実です」

忍は、きっぱりと言った。

「そうね。そんな方じゃないってことは、わたしたちも、よくわかってます」

「いえ……それは、もちろん、そうなんですけど」

純子は、彼女の物言いに、どこか奥歯に物が挟まったようなものを感じた。

「何かご存じなんですか？」

優しく言う。

「どんな些細《ささい》なことでもいいから、教えていただけませんか。それが、久永さんを救うことになるかもしれませんから」

忍はうなずいた。

「毛布なんです」

「毛布？」

「あの日の昼、専務が椅子にかけたまま眠ってしまわれたので、上から毛布を掛けたんです。でも、どうしてもずり落ちてしまうので、固定しておいたんです」

「どうやって？」

「専務の椅子は、背もたれと肘掛《ひじか》けの間が狭くなっているんです。だから、そこに毛布の端を差し込んで。ちょっと、コツがあるんですけど」

「でも、どうして、それが……？」

「社長の遺体が見つかって、副社長が専務の部屋に入ったとき、毛布はまだ身体の上にかかったままでした。わたしが固定したときと同じ状態で」

だとすると、専務は、眠ってから一度も、椅子から立ち上がっていないという傍証になるかもしれない。

「専務がご自身で掛け直したということは、考えられませんか？」

「かなり難しいと思います。専務の両手は身体の両脇で、毛布の下でしたから」

純子は、考え込んだ。もちろん、不可能とまでは言えないが……。

「このことは、警察に話しました？」

「いいえ。ショックが大きかったんで、毛布のことはすっかり忘れてたんです。でも、ずいぶん後になってから、思い出して。副社長が専務の胸ぐらを摑《つか》んだときも、毛布はそのままでした。無理やり立たせたときに、ようやく落ちたんです」

もしかすると、これは、弁護に使えるかもしれないと思う。たいした証拠にはならないだろうが、少なくとも、心証を形成する上で、不利にはならない。

「必要な場合、裁判で証言していただけますか？」

「はい」

純子には、毛布を直したというのが、あの老人の小細工とは思えなかった。うまくいったところで、無実を証明できるわけではないし、逆に、毛布がずり落ちていたとしても、犯人ということにはならない。

その、証拠としての弱さが、逆にシロという印象を与える。やはり、久永専務は無実だったのではないか。

「それから、このことは外部の人間に言うなと、口止めされてるんですが」

毛布の一件を話して気が楽になったらしく、忍の口は滑らかになった。

「社長は、少し前から脅迫されてたんです」

「脅迫？　誰からですか？」

「わかりません。ただ……」

純子は、辛抱強く忍が話すのを待つ。

「以前、介護サービスセンターで、死亡事故があったんです。刑事事件にはならなかったんですが、補償問題がかなりこじれたらしくて。遺族の中にすごく強硬な人がいて、何度か本社に押しかけてくるということがありました。結局は、示談が成立したみたいなんですが」

「いつ頃の話ですか？」

「二年ほど前です」

「脅迫の具体的な中身は、ご存じですか？」

「いえ。わたしが聞いたのは、会社に火を点《つ》けてやるとか、社長の家族も同じ目に遭わせてやるとか。ほとんどは噂で聞いただけなんですけど、一度は警察を呼ぶ騒ぎになったらしくて。だけど、問題はその後で」

忍はためらってから続けた。

「昨年の秋なんですけど、社長室の窓が狙撃《そげき》されたんです」

「狙撃って、ライフルか何かで？」

純子は、愕然《がくぜん》とした。

「いいえ。空気銃らしいんですけど。朝、伊藤が出社したら、社長室の西側の窓に穴が開いていて、反対側のドアにペレットがめり込んでたんです」

「ペレット？」

「空気銃の弾のことらしいんですけど」

「そのことは、警察には？」

「そのときは、届けてません。上場を控えてるんで、スキャンダルになるようなことは、外部に漏らしたくなかったんだと思います。その代わり、十二階は、窓を防弾ガラスにしたり、いろいろと防犯設備も入れたんですが」

　多くの疑問が、少しずつ解き明かされていくようだった。

「でも、今回の事件の後、そのことは警察に話してるんですね？」

「そのはずです」

　またしても、情報隠しだ。純子は、あらためて警察に対して憤りを感じた。社長が脅迫されており、あまつさえ狙撃までされたというのは、犯人が外部にいる可能性を示す、有力な手がかりではないか。

　そのとき、トイレの中で物音が聞こえた。榎本が戻ってきたらしい。さらに、水道の蛇口から水が迸《ほとばし》る音も。純子は、引き返して、男子トイレのドアを開けた。

「どうだった？」

　榎本は、かなり悲惨な状態になっていた。髪の毛からつま先まで、すっかり埃《ほこり》まみれである。特に、膝《ひざ》のあたりは、チョークの粉をまぶしたように真っ白だった。

「どんなビルでも、まず天井裏の掃除はやらないんですよ」

　榎本は、鼻の頭にしわを寄せながら、濡《ぬ》らしたハンカチで顔を拭《ぬぐ》っていた。

「天井板は、石膏《せっこう》ボードと岩綿吸音板を貼り合わせたものなんですが、一面、石膏の粉で真っ白でした。もっとも、板に体重をかけると天井が落ちてしまうんで、骨組みである軽量鉄骨の上を渡るしかありませんが、それでも、この有様です」

「それで、何かわかったの？」

「このビルでは、廊下の手前で防火区画が切られています。天井裏も、コンクリートの壁で仕切られているんです。したがって、天井裏を通って社長室の上まで到達することは不可能ですね」

「そう。じゃあ、天井裏ルートは、捨ててもいいんですね？」

「人間の場合なら、そうですね。しかし、小さな猿であれば、そうとも言い切れません」

「どういうこと？」

「エアコンのダクトは、防火区画の隔壁を貫いて、社長室まで続いています。したがって、どこかから猿をダクト内に入れることさえできれば、社長室に侵入することは可能です」

「あ、そうか。ダクトの中を通ったって、言ってたわね。でも、社長室に着いたら、中に入ることはできるの？」

「吹き出し口は、どこも大概そうですが、押すだけで外れる簡単な構造です。社長室を調べたときに、確認しました」

そう言われると、榎本が簡単にカバーを外すところを見たような気がする。

「じゃあ、犯人は猿を連れて天井裏に上がって、ダクトの途中に穴でも開けて、猿を入れたというわけなの？」

「それも、今確認してきましたが、こちら側のダクトには、どこにも細工できるような場所はありませんでした」

「そう……」

純子は、ふと、ある事実に気がついた。

「ちょっと待って。防火区画の手前の天井裏は、行き来できるんでしょう？」

「はい」

「じゃあ、調べるのは、別に女性用トイレの点検口でもよかったんじゃない？」

「それはそうですが、私は男ですので、やはり憚《はばか》られますね」

榎本は、平然と言った。

わたしが男性用トイレに入るのは、憚りがないとでもいうのか。純子は、出かかった文句を抑え込んで、当面の、より重要な問題に意識を集中する。

「……ええと、そうすると、猿は、どこからダクトに侵入したわけですか？」

「唯一、可能性があるのは、設備機械室です」

榎本は、脚立を持って男子トイレを出た。純子も、後に続く。榎本は、隣の部屋の前に立つと、当惑顔で佇《たたず》んでいた忍に、設備機械室のドアを開けてくれるよう頼む。忍は、エレベーターで階下に下り、ハンドルのような形の鍵《かぎ》を持って戻ってきた。

設備機械室のスペースの大半を占めているのは、巨大な鉄の箱のような機械だった。

「これが、十二階の空調機です。その横にダクトでつながっているのは全熱交換機で、外気を取り入れ、適温にしてから空調機に送ります。空調機からの風は、その上にあるチャンバーを経て、さっき言った社長室に通ずるダクトに送られます」

榎本は、まるでこの会社の設備担当者のように、よどみなく解説した。

「チャンバーは、単なる空洞の箱ですが、このタイプはひとつの面だけが外れるようになってます」

チャンバーは天井すれすれの位置にあるので、榎本は、脚立に上り、小さな工具を出して、チャンバーの板を固定しているボルトを外した。

「空調用のダクトに猿を入れたとすれば、ここしかありません」

下から見上げる限り、榎本の言うシナリオは、不可能ではなさそうだった。

榎本は、ショルダーバッグから、幾重もの輪になった細いケーブルを取り出す。その一端を、小型ビデオカメラのジャックに嵌《は》め込んだ。ダクトの奥へ、するすると、ケーブルの先端を差し入れていく。

「ファイバースコープです。胃カメラみたいなもんですね」

榎本は、しばらくの間、ケーブルを動かしながら、ビデオカメラの液晶モニターに映し出された、天井裏の映像に見入っていた。

「おやおや。これは、予想外」

そうは言いつつも、まるで驚いた様子はなかった。

「青砥先生も、見てください」

ケーブルの反対側の端に接続したビデオカメラを、純子に手渡す。

「どう思いますか?」

「どうって……」

ファイバースコープの先端にはライトが付いていて、狭い範囲を照らし出しているが、特に変わったものは見えなかった。

「光の当たっている箇所を、よく見てください」

はっとした。ライトに照らされて、かすかな風に揺れている、細かい藻のようなものが見えたのだ。埃が、ダクトの内側に溜《た》まっている。

「社長室の吹き出し口は、もう少しきれいでしたが、送風があっても、埃はたまるものですね」

「これじゃあ、通ったら、すぐにわかるわね」

猿どころか、ハツカネズミでさえ、埃の上にはっきりとした痕跡《こんせき》を残してしまうだろう。

「せっかく、長いケーブルを持ってきましたから、一応、もっと奥まで覗《のぞ》いてみましょう」

榎本は、再びビデオカメラを見ながら、さらにケーブルを送り出した。五、六メートルは行ったと思われたとき、はっとしたように手を止める。

「見てください」

受け取ったカメラの画面には、ダクトの内側に嵌《はま》った格子状のルーバーが映し出されていた。

「防火ダンパーです。火災の熱によってヒューズが溶け、羽根が閉じる仕組みですが、この間隔では、いくら猿が小さくても、抜けられないでしょうね」

榎本は、さほど残念そうでもない口ぶりでいった。

「じゃあ……？」

「介護ザルは、完全に、シロということですね」

房男と麻紀の汚名が晴れたのは、嬉《うれ》しいような気もする。だが、密室は、ますます強固なものになってしまった。

「青砥先生。ちょっと、お茶でもいかがですか？」

全身埃だらけの男から、唐突な誘いがあった。

「ええ。かまいませんけど」

純子は、とまどいながら、オーケーする。

二人とも、やや空腹を覚えていたことから、マクドナルドに入った。

「一応、今日一日でわかったことを総括した上で、明日以降の方針について、打ち合わせしておこうと思ったんです」

榎本は、ビッグマックを頬張りながら言う。結局、服に付いた汚れは、ほとんど落ちなかったので、店内でも好奇の視線を一身に集めていたが、本人は、まったく意に介していないようだ。

「ずっと一緒にいたんで、だいたいわかってるとは思うけど……」

ポテトを摘《つま》みながら、純子は陰気に考えた。今日一日の成果といえば、介護ザルの容疑を取り下げたことくらいではないか。

だが、榎本は、妙に意気軒昂《けんこう》だった。

「調査の結果、侵入経路は、かなり絞り込むことができました。明日は、残った可能性のうちから、まず……」

純子は遮った。

「ちょ、ちょっと待って。放っておくと、満足な説明のないまま、どんどん話が進んでしまう。いったい、どういうふうに絞り込めたの？」

「わかりました。ご説明します。……現場を見て確認しましたが、社長室には、開口部が三種類しかありません。三つの窓と、二つのドア、それに、天井にある二つの穴、空調の吹き出し口と天井裏に通じる点検口です。蛍光灯の周囲には幅数ミリの吸気口がありますが、これは無視してもよいでしょう。つまり、侵入があったとすれば、三種類のいずれかからということになります」

「そうね」

純子は、社長室の内部を思い浮かべた。たしかに、ほかに開口部はない。

「まず、窓は論外でした。あのビルの窓は、すべて嵌め殺しになっていて、絶対に開けることができないからです」

「たとえば、いったんガラスを割って侵入してから、新しいものを嵌め直したという可能性も、まったくないわけね？」

ありえないとは思ったが、一応、確認しておく。

「ありえません。あれだけの大きさのガラスを嵌めるのは、大工事です。即席にやれる類のことではありません。それに、あの部屋の窓ガラスは、割ること自体、きわめて困難です」

「どうして？」

「あのガラスは、高層ビル並みに20㎜強の厚さがありました。見たところ、22㎜か23㎜でしょう。一般のフロート板ガラスには、こんな規格はありませんから、たぶん、防犯用の合わせガラスじゃないかと思います」

「そうか。十二階の窓ガラスは全部、防弾ガラスのようなものに替えてあるって言ってたわ」

榎本は、うなずく。

「たぶん、10㎜の超強化ガラス二枚の間に、120mil《ミル》、つまり約3㎜のポリビニールブチラール膜を挟んであるんでしょう。NIJ-IIクラスの防弾能力はありますから、貫通力の弱い拳銃弾《けんじゅうだん》だったら、止められるかもしれませんね」

何を言っているのかよくわからないが、頑丈だということらしい。

「じゃあ、当然、金属バットぐらいでは、割れないってことね？」

「何回叩《たた》いても、せいぜいヒビが入るのが関の山で、打ち破るのは困難でしょう。でも、どうして、わざわざ窓ガラスを取り替えたんですか？　費用も馬鹿にならなかったはずですよ。どうも、あれを入れるために、窓枠ごと交換しているようですから」

純子は、社長が脅迫を受けていたことと、狙撃《そげき》事件の話をした。

「空気銃ですか？」

榎本は、小首を傾げた。

「ええ。警察には届けなかったそうなんだけど、ペレットっていうの？　空気銃の弾が、窓ガラスに穴を開けて、ドアの木にめり込んでたって」

「弾痕《だんこん》があったのは、西側の小さな窓ですよね」

「ええ」

「すると、着弾が見つかったのは、東側の壁の、副社長室に通じるドアということになりますね」

「そう言ってたわ」

「不思議ですね」

榎本は、コーラを啜《すす》る。

「どこから、撃ったんでしょうか？」

「それは、やっぱり、隣のビルからだと思うけど」

榎本は、首を振った。

「西側のビルは、十階建てです。社長室はロクセンビルの十二階ですから、屋上から撃ったとしても、弾道は、かなり上向きになるでしょう。部屋にはかなりの奥行きがありますから、着弾するとしたら、天井か、天井に近い位置の壁になるはずで、とても、反対側のドアに当たるとは思えないんですが」

「……うーん、そうね。放物線軌道だったからじゃない？」

榎本の表情を見て、あわてて言葉を変える。

「それとも、窓ガラスを貫通するときに、角度が多少変わったとか」

「考えられませんね」

鼻で笑われて、純子は、少なからず気を悪くした。

「まあ、とにかく、今の話で、エレベーターに暗証番号を付けたり、廊下に監視カメラを設置したりした理由は、よくわかりました」

榎本は、しばらく沈黙し、何事か考え込みながら、ビッグマックの残りを食べ終えた。

「話を元に戻しましょう。三種類の開口部のうちで、窓は鉄壁でしたし、天井裏に上がって検証した結果、天井の開口部もすべてシロだとわかりました。すると、残るは、二つのドアだけということになります」

「でも、どちらのドアを使ったとしても、監視カメラに捕捉《ほそく》されずに、社長室に入るのは、不可能でしょう?」

「一見、そのようですが」

「どういうこと?」

「監視カメラも、状況しだいでは、裏をかくことが可能です」

「でも、人の目なら、錯覚ということもあるでしょうけど、カメラを、どうやって騙《だま》すの?」

「人間の目にも、機械システムにも、それぞれ固有の盲点や死角があるんです。どちらを欺くことが、より難しいというものでもないんですよ」

榎本は、うまそうにチキンナゲットを食べ終えた。

「……とはいえ、これはすべて、社長室に侵入があったという仮定を基にした話です」

「それは、そうでしょう」

「ひとつだけ、契約で、訂正しておきたいことがあります。私が、五十万円の報酬をいただくのは、被疑者以外の人間が現場に侵入できたと証明できた場合と言いましたが、これを、被疑者以外の人間が被害者を殺害できたと証明できた場合に、変更していただきたいんですが」

「そのことには、異存はありませんけど」

純子は、コーラを啜って、喉《のど》を潤した。

「つまり、犯人が、社長室に侵入せずに、社長を殺害したかもしれないと思っているわけね？」

「その可能性も、無視できませんから」

「具体的には、何のことを考えてるの？」

榎本は、ストローの生えたカップを、細かく左右に動かしながら、純子の方へと押しやった。

「ロボットです」


事務所に帰ったときには、午後八時をかなり回っていた。すでに、誰もいないかと思っていたのだが、『レスキュー法律事務所』と書かれた曇りガラス越しに、灯《あか》りが点《つ》いているのが見えた。

ドアを開けると、奥のデスクに今村が座っていた。ワイシャツ姿で、腕まくりをしている。

「おかえり」

今村の前には、コーヒーの入ったステンレスのマグカップのほか、宅配中華料理の紙パッケージが、割《わ》り箸《ばし》を立てたまま放り出されていた。どことなく、アメリカの弁護士ドラマを意識しているような光景だと思う。

「遅くなって、ごめんなさい。七時って言ってたのに」

戦闘開始の前ほど、下手に出るのは、純子の癖だった。

「いや。僕も、ついさっき帰ってきたところだから」

永年の勘で、何となく危険を察知したらしく、今村もフォローに努める。

「それより、どうだった？　今日一日、密室の謎が解けないか、調べてたんだろう？　何か、成果はあった？」

あなたは密室だと思っていないんでしょうと、突っ込みを入れたくなったが、純子はしばらくの間、無言でいた。愛用している青いサフィ焼きのカップに、コーヒーを注ぐ。

「まあ、すでに、警察が調べてるんだし、そんなに簡単に、新事実が出てくるわけはないよな」

沈黙を誤解したのか、今村は、ぽつりと言った。

「ずいぶん、警察を信頼してるのね。知らなかったわ」

純子は、椅子に腰掛けると、熱いコーヒーを啜った。気付けにはなったが、榎本の防犯ショップでごちそうになったものに比べると、泥水に近いと思う。

「いや、別に、そういうわけじゃないけど。でも、彼らもそれなりに優秀だからね。目の前にでかい抜け穴が開いているのに、気づかないなんてことはないだろう？」

「どうも、早く見切りをつけろと、暗に言ってるみたいね？」

「まさか。現場が密室じゃなかったということになれば、弁護の幅も広がるし」

今村は、両手で餅《もち》を引き延ばすようなしぐさをした。

「つまり、幅が広がらないなら、心神喪失一本で行くということなのね？」

「そういう言い方は、フェアじゃない」

今村は、椅子に深くもたれ、無精髭《ぶしょうひげ》の浮いた顎《あご》を擦《こす》った。

「現場が密室のままなら、無罪を主張しようがないだろう? もし、君に他のプランがあるのなら、喜んで拝聴するけど」

「今村さんには、真実は何かという視点は、まったくないようね? 久永さんは、はっきりと犯行を否認してるのよ。弁護活動は、まず、依頼人の話を信じるところから、始まるんじゃない?」

「しかし、それが、現実に現れた証拠と、明らかに矛盾するようなら、無条件に信じるわけにもいかないだろう」

「まだ、結論は、出ていないわ」

「密室が破れる?」

「可能性は、あると思う。新城先生に紹介してもらった、防犯コンサルタントなんだけど、優秀よ。たぶん、二、三日で、可能な犯行方法は絞り込めると思うわ」

「絞り込んだ結果、請求書以外、何も残らないんじゃないか?」

純子はかっとしたが、目を瞑《つぶ》って、皮肉をやり過ごした。

「とにかく、まだ、結論は出ていないのよ」

今村は、机の上からメモを取り上げ、高く振りかざした。

「今度は、僕の話の方も聞いてくれ。久永専務が、睡眠中に社長を撲殺し、何の記憶も残っていないという可能性があるんだ」

「夢遊病だというんでしょう?」

「いや、夢遊病とは別物なんだ。レム睡眠行動障害という病気なんだけど、しばしば、暴力的な発作を伴い、特に、中高年の男性に多いという統計がある」

今村は言葉を切って、得意げに純子を見つめた。

「よくわからないけど、要するに、夢遊病とどこが違うの?」

「睡眠には、レム睡眠と、ノンレム睡眠とがある。レム睡眠中は、脳が活発に活動しているが、身体は眠った状態にある。眼球が激しく動くことから、Rapid Eye Movement の略で、REMと名付けられた」

「そういう名前のロックグループがいたから、知ってるわ」

「一方、ノンレム睡眠というのは、ちょうど、この逆だ。脳は眠っていて、身体は活動可能な状態にある。眼球の運動は見られない。いわゆる夢遊病というのは、ノンレム睡眠期に、外界から何らかの刺激を受けた脳が……」

「もういいわ。夢遊病は関係ないんでしょう?」

純子は、いらいらして遮った。

「うん。問題はレム睡眠行動障害だ。こちらは、睡眠中に運動抑制機能が低下することにより、夢の内容がそのまま行動に現れてしまう病気なんだけど」

「久永さんが、それだと主張するつもり?」

「単に、戦術として主張するんじゃない。実際に、そうであった可能性があるだろう？」

「で、その病気のことは、いつ知ったの？」

「え？」

「わたしには、一言も相談がなかったわよね？」

「そうだな。まあ、詳しいことは、今日いろいろ調べてみて、初めてわかったんだけど」

「へえ、今日なの？　じゃあ、お聞きしますけど、前回の接見のとき、どうして久永さんに、そんな話ができたの？」

「それは……レム睡眠行動障害云々《うんぬん》というのは、もちろんわからなかった。ただ、睡眠中の無意識の犯行という可能性について、確かめておきたかっただけだよ」

「取り込まれたのね」

「何だって？」

「あの、藤掛っていう弁護士に」

「待ってくれよ」

「藤掛さんは、あの会社の顧問弁護士よ。当然、会社の意を受けているはずだわ。上場を間近に控え、専務が社長を殺害したというのは、会社にとって、さぞかし大打撃でしょうね。当然、上場は中止か、延期になる公算が高い。でも、もし、それが睡眠中の発作で、心神喪失状態で起こした事故だったということになれば、ダメージは最小限ですむはずよね」

「冗談じゃない！」

今村は、真っ赤になって立ち上がった。

「依頼人は、ベイリーフじゃない。久永篤二だ。僕が、依頼人の利益を損なうようなことを、平気ですると思うのか？」

「せめて、平気ではないと信じたいわね」

「たしかに、あの爺《じい》さんは、恩人の社長を殺すような人間には見えない。だが、人間関係には、外には現れない部分もある。どんなに恩義を感じ、尊敬を抱いていたとしても、同時に、鬱屈《うっくつ》した怒りや恨みを溜《た》め込んでいることは、珍しいことじゃないだろう？　それを、無意識下で抑圧していた場合、夢の中で爆発したって、何ら、非難すべき筋合いのものじゃない。そして、レム睡眠行動障害というのは、その夢が、現実になってしまう病気なんだ」

「なぜ、一足飛びに、そういう結論に飛びつくの？　今まで、久永さんに、そういう症状が現れたことは、一度もなかったのよ？」

「状況証拠を見てみろよ。真っ黒だろう。爺さん以外には、犯行が可能だった人間は皆無なんだぞ。心神喪失の主張以外に、彼を救う手だてがあるのか？」

「あるわ」

純子は、きっぱりと言った。

「今、やってるとこよ」

4 介護ロボット

ルピナス電子工業の研究室は、つくば市にあった。以前は、共同研究をしていた大手家電メーカーの研究所に間借りしていたが、昨年、提携を解消し、ハイテク・ベンチャー企業が多く集まるビルに引っ越したらしい。オフィスはこぢんまりとしていたが、親会社の入っているビルと比べると、格段に新しく、こぎれいだった。

受付に来意を告げると、ちょうど、雑誌の取材が入っているところだという。

「申し訳ありません。雑誌の方が来られるのが一時間以上遅れて、ついさっき、始まったところなんです」

受付の女性は、心底、申し訳なさそうに謝った。名札には、椙田《すぎた》と書かれている。たぶん、自分と同い年ぐらいだろうと、純子は思った。顔立ちは整っているが、女子学生のように髪をゴムで束ね、まったく化粧っ気がない。

時計を見ると、午前十一時すぎだった。たぶん、一、二時間は待たなくてはならないだろう。ここで無為に時間を潰《つぶ》すのも馬鹿馬鹿しいが、陸の孤島であるつくばからでは、よそに回るということもできない。

「介護ロボットの取材ですか?」

榎本が訊《き》く。

「はい。二月号の、ロボットと人間の共生というテーマの特集です」

椙田さんは、やや自慢げに、硬派イメージのある月刊誌の名前を出した。

「脇で聞かせていただいてもいいですか? 我々もたぶん、同じようなことをお聞きするはずなんで、お互い、時間の節約になると思うんですが」

「はあ。そうですね……」

椙田さんは、少し困ったような顔になった。殺人事件の調査などという後ろ向きの仕事より、マスメディアに露出することの方が、会社としての優先順位は高いに違いない。どちらかというと、取材してもらう立場だけに、雑誌側に対する気兼ねがあるのだろう。

「親会社から来た人間ということにして、傍聴させていただけないでしょうか? こちらから、口を差し挟むようなことはいたしませんから」

純子も、一押ししてみた。ベイリーフから、調査には協力するようにとの指示が来ているはずだし、遅刻したという負い目は、雑誌の方にあるはずだ。

「わかりました。それでは、ご案内いたします」

椙田さんは、二人を先導し、奥まった部屋のドアをノックした。

ドアを開けると、そこは、三十畳ほどの広いスペースになっていた。部屋の中央に立っていた数人の人間が、いっせいに、こちらに視線を向ける。

純子は、彼らの前にある、長い二本のアームの付いたカートのような機械に目を奪われた。あれが、社長室にあった介護介助ロボット『ルピナスV』だろうか。

椙田さんは、説明役らしい作業服を着た男性の側に行った。事情を説明しているらしい。男性がこちらを見たので、純子は軽く会釈したが、反応はなかった。

「それでは、どうぞ。今、開発担当者の岩切がご説明しておりますので、お近くで、お聞きになってください」

椙田さんは、戻ってきて小声でそう言うと、すばやく退出してしまった。

何となく、歓迎されていないような気まずい雰囲気を感じる。純子と榎本は、説明が聞こえる程度まで近づくと、目立たないように、壁際に陣取った。

「……ええ、お答えの途中になりましたが、言葉で説明するより、実際に被介護者を抱き上げる動作を見てもらった方が、よくわかると思いますんで」

岩切は、太い声で言った。開発担当者ということは、課長職くらいだろうか。硬そうな髪の毛は、パンチパーマのように縮れており、分厚い眼鏡の奥では、細い目が眼光鋭く光っていた。体格もがっしりとしており、研究者というよりは、技術者という言葉が似合う。

「これが、コントロールボックスです」

岩切は、ロボットとケーブルでつながっている金属製の箱を手に取った。数個のスイッチと、模型飛行機を操縦するプロポのように、指で動かすジョイスティックが二本付いている。

「ルピナスVは、まだプロトタイプですので、コントローラーには、市販の十チャンネルのプロポを使っています。製品化した場合には、専用のスクランブル付きのコントローラー、それもエアコンのリモコン程度の簡単なものになる予定です」

岩切がコントローラーを操作すると、ルピナスVが低い唸《うな》り声を上げ始めた。同時に、ロボットの上部にあるモニターが点灯し、低く柔らかい女性の声が響く。

「わたしは、介護支援ロボット、ルピナスVです。被介護者の移動、車椅子への乗せ替え、入浴介助などの機能があります。現在、充電率は100パーセントです」

上部にあるモニターに、ガイダンス画面が現れる。これから行う作業を、選択できるようになっているようだ。

岩切はガイダンスを無視し、大きな親指の腹でジョイスティックを操った。すると、ルピナスVは、ゆっくりと前進し始めた。底部は大型の電動車椅子を思わせるが、六角形で車輪の代わりに、ボールが六個嵌《はま》っている。

「ルピナスVの上部は旋回可能で、下部は、前後左右どちらの方向にも、スムーズに動くことができます。階段は上れませんが、二、三十センチの段差は、苦にしません。また、被介護者を抱き上げたままでも、5㎝までの段差なら、安全に乗り越えられます」

介護ロボットは、部屋を横切って、ゆっくりと進んだ。前方には、ベッドが置いてあり、その上に、パジャマを着た等身大の人形が寝ている。自動車の衝突実験などに使うクラッシュ・ダミーのようだ。ロボットは、ベッドの前で止まった。

「これから、被介護者を抱き上げる動作に移ります」

岩切が言うと、介護ロボットは、長い二本のアームを持ち上げた。人間の腕とは、関節の曲がり方が逆で、肘《ひじ》が上を向いている。ゆっくりと油圧ピストンが動き、アームの先端が、ダミー人形に近づいた。

「アームの先にある、ガイドに注目して、見とってください」

岩切は、太いアームの先端に付いた、曲がったアンテナのような部分を指し示した。

「このガイドは、非常にしなやかな素材で作られとりまして、けっして、被介護者を傷つける心配はありません。内蔵されているセンサーには、人間の指と同等の感覚があり、どこにアームを差し込めばいいか、探り当てることができます」

二本のガイドは、するすると、ダミー人形の背中と膝《ひざ》の下に入り込んだ。続いて、太いアームも、なんなく身体の下に入った。向こう側から突き出たガイドは、折り返され、軽くダミー人形を挟み込んだ。

「これでもう、持ち上げられるんです」

岩切がジョイスティックを動かすと、介護ロボットは、ゆっくりと、ダミー人形を持ち上げた。アーム自体が平たい形状であるためか、ダミー人形の背中に密着して、まったく危なげがない。

「運びます。ちなみに、この人形は、軽そうに見えますが、私とほぼ同じ、80kgあります」

介護ロボットは、ダミー人形を捧《ささ》げ持つ形で、そろそろと移動した。

「ルピナスVは、一秒間に二十回、重心の位置を測定します。それが少しでも、決められた範囲から外れれば、直ちに修正します。したがって、絶対にバランスを崩すことはありません。設計上、体重300kgまでの被介護者に、対応可能です」

見学者は全員、気を呑《の》まれたように沈黙していた。

「では、入浴の介助をしてみます」

介護ロボットは、部屋の隅にある浴槽の前へと移動した。時速に直せば、たぶん、2km未満だろう。

「入浴の介助というんは、これまで、重労働でした。介助者は最低でも二人必要ですし、ベッドから浴槽まで、数回は被介護者を台に乗せ替えなきゃならず、被介護者にとっても、煩わしい限りでした。しかし、ルピナスVを使えば、この通りなんです」

介護ロボットは、浴槽の前で止まると、持ち上げたとき以上にゆっくりと、アームを下ろし始めた。

「ルピナスVは、完全防水です。特に、アーム部分は、そのまま、お湯に浸《つ》けられます。もちろん、センサーによって、湯量も検知しますから、操作している人間が脇見をしていても、被介護者が溺《おぼ》れる心配はありません」

「たいへん、素晴らしい機械だと思います。ただ、安全性に関しては、どんな場合でも、絶対ということはないんじゃないでしょうか？」

インタビュアーらしいメモを手にした中年女性が、甲高い声で質問する。岩切は不機嫌な顔になった。

「安全性《セイフティ》プログラムは、あらゆる場合に備え、万全を期してます。問題はないはずです」

岩切は、むっとしたように言った。

部屋の空気が妙に重かったのは、自分たちが闖入《ちんにゅう》したせいではないことに、純子は、ようやく気がついた。

「でも、どんなに考えられたシステムでも、人間がやっている以上、絶対にミスがないとは言えないでしょう?」

「だから、その点は、最初に説明したとおりです。工学上最もミスが起きにくいのは、人間が指示を出し、機械がそれをチェックする場合なんです。間違っても、その逆ではありません。ルピナスVは、100パーセント、自律制御型ロボットとしての能力を備えながら、被介護者を持ち上げる、運ぶ、降ろすなどの指示を人間から受けない限りは、動きません。だから、プログラムのバグや誤作動によって、被介護者に危険が及ぶ心配はないんですよ」

岩切は、ぶっきらぼうに言った。

「だけど、結局は、今見たとおり、人間がリモコンで動かしているわけですよね?」

中年女性は、やや悪意の窺《うかが》える声音で訊いた。

「そうじゃない」

岩切は、何を聞いてたんだという目で、彼女を見据えた。

「ルピナスⅤは、人間からの指示を理解し、それを二百を超えるセンサーからの情報と照らし合わせ、安全性を確認した上で、初めて動作に移るんです。万一、危険だと判断すれば、指示を拒否し、停止します」

「しかしですね、機械というものは、常に、誤作動する可能性があると思うんですが？」

「もちろん、そうです。しかし、事故が起きるとしたら、こういう場合だけです。第一に、人間が、被介護者に危険が及ぶような、異常で誤った指示を出す。そして、それと同時に、セイフティ・プログラムに何らかの不具合が起き、危険な指示をチェックできずに、そのまま実行してしまう」

岩切は、コントロールボックスを操作した。

介護ロボットは、浴槽から、ダミー人形を引き上げた。そして、ゆっくりと後ろに下がる。

「たとえば、ここで、被介護者を床に落とすような操作をしてみます」

岩切は、ジョイスティックを揺らし、何度もボタンを押したが、ロボットは反応しなかった。

「見てのとおり、センサーで、身体を支える台の存在を確認できない限りは、高い位置で被介護者の身体を離すことはできないんです」

さらに、忙しく指を動かして、コントロールボックスから指令を与える。介護ロボットは動き出したが、その速度は、乱暴な操作とは対照的に、非常に緩やかだった。

「そもそも、ルピナスVは、急激な動作は一切できない仕様です。だから、被介護者に危険が及ぶような、誤った指示そのものの出しようがない」

ロボットは、ゆっくりと壁に近づいていった。

「では、このまま前進させて、ぶつけてみましょう」

デモンストレーションは、一転して、不穏な様相を呈し始めた。全員、息を呑んで、ロボットの動きを見つめている。

だが、壁に接近するにつれて、介護ロボットの進む速さは漸減していった。ついに、ダミー人形の頭部が、蝸牛《かたつむり》の接吻《せっぷん》のような緩慢さで壁に接触したかと思うと、完全に停止する。

「被介護者を移動させる際、落下事故とともに多いのが、何かにぶつかるという事故ですな。これを防ぐため、ルピナスVには、多数の赤外線センサー、超音波センサーが取り付けられており、壁との距離を正確に測定して、接触時の速度がゼロになるように、徐々に減速していきます。また、アームの振動センサーが少しでも衝撃を感じれば、その時点で停止する」

岩切は、ルピナスVの上部に、愛《いと》しげに手を置いた。音声は切ってあるようだが、液晶モニターには、危険な操作を警告する画面が点滅している。

「もういっぺん、おさらいしますよ。ルピナスVは、そもそも、非常にゆっくりとした動きしかできませんから、操縦者の悪意でもない限り、被介護者に危険が及ぶことは、まずありえない。そして、万一、そういう操作がなされたとしても、コンピューターが危険をチェックして、指示を拒否する。もともと、ほとんどありえないような操作ミスに加えて、セイフティ・プログラムが正常に働かないという、二つの偶然が合わさる確率は、限りなくゼロに近い」

「わかりました。安全面に関しては、100パーセントということはありえないにしても、一応、対策を講じておられるわけですね」

中年女性は、岩切の剣幕に押されたように、薄いルージュを塗った唇を歪《ゆが》めた。

「今回のテーマ、人間とロボットの共生ということに戻りたいと思うんですが、物理的な安全対策は、充分に取られているとしましょう。それでは、心の部分については、どうでしょうか?」

「心?　どういうことですか?」

岩切は、とまどったようだった。

「つまりですね、被介護者も人間であり、心を持っているということです」

「そんなことは、あたりまえでしょう」

岩切はもはや、不快感を隠そうともしなかった。

「そうでしょうか?　介護というきわめて人間的な問題を、生産工学的に捉《とら》え、動作研究にまで還元してしまうと、どうしても、等閑《なおざり》になってしまう部分が出てくると思うんです。

それが、被介護者の心の問題です」

「言ってる意味が、よく、わからないんですが」

「わかりませんか？　要するに、機械に介護されるということを、お年寄りたちは、どう考えるかということです。フォークリフトで持ち上げられ、運ばれ、置かれる。それは、介護する側からすれば、能率も上がり、都合のいいことでしょう。しかし、介護される側はどうなのか？　モノとして扱われながら、はたして、人間としての尊厳は保てるのか。そういう点については、こちらでは、どうお考えなのでしょうか？」

陰険なやり方だと、純子は思った。このインタビュアーは、相手にプレッシャーをかけ、怒らせて、話を引き出すのが得意技らしい。だが、その実、言っていることは、弱者の側に立つヒューマニズムを装っているだけの、内容空疎な難癖にすぎない。技術論では対抗できないと見て、岩切が不得意であろう、曖昧《あいまい》で情緒的な議論による場外乱闘を仕掛けたのだ。

「……どうと言われても」

岩切は、ハンカチを出して、額の汗を拭《ぬぐ》った。

「そういうことについては、まだ、あまりお考えになっていないということですね？　わかりました。もちろん、こちらは、技術的な問題を研究する場所でしょうから……」

「ちょっと、よろしいですか？」

純子は、手を挙げた。中年女性は、びっくりしたようにこちらを見る。

「今、言われたとおり、こちらで研究しているのは介護ロボットの技術的な側面だけです。倫理的、あるいは心理的な問題に関しては、親会社であるベイリーフの方で検討しております」

口は挟みませんなどと言っておきながら、議論に割って入るなど、正気の沙汰《さた》ではないが、どうしても、黙っていられなかった。

「あなたは……？」

「本日は、ベイリーフの方から、参りました」

消火器の押し売りが使う、『消防署の方から来ました』という話法だ。榎本が、呆《あき》れた目で純子を見る。

「ベイリーフでは、全国二百箇所を超えるサービスセンターで、介護の現場に携わって参りました。その際、最も大きな問題と感じたのは、介護士さんの肉体的な負担です。人ひとりを持ち上げたり、移動させたりするのは、たいへんな作業なんです。最近は、お年寄りとはいっても、かなりの体重がある方もおられますし。介護士さんには、慢性の腰痛を抱えている人が多いんです。ルピナスVは、介護士さんたちの健康を守る有効な手段になると考えております」

「そのことは、よくわかりました。だけど、介護される側の気持ちは、どうなんですか？　機械で、モノのように扱われるのではなく、やはり、人間的なふれあいを求めているのではないでしょうか？」

「ルピナスVの導入によって、介護士さんの肉体的な負担が減れば、それだけ、お年寄りに対しても細やかな気遣いができる、余裕というものが生まれます。人間的なふれあいも、より、充実できると考えております」

「モノのように扱われた上で、気遣いされたってねえ……」

また、唇を歪めながら、そっぽを向いて言う。

「もちろん、『機械浴』に対するご批判があることは、承知しています。被介護者を一律に、天ぷらを揚げるように浴槽に浸《つ》けるのは、おっしゃるとおり、人間性というものを無視していると思います。被介護者とはいえ、身体の不自由な程度はまちまちですし、ご本人ができる範囲内で自ら入浴する、その手助けをするのが、本来の介護のあり方であるとも考えています」

「あなたの言ってることと、このロボットは、矛盾するんじゃないですか？」

純子は、首を振った。

「被介護者の中には、まったく身体が動かない方もいらっしゃいます。ルピナスVは、そういう方にも、安全、快適に、入浴していただくために、作られたんです」

「自分で体重を支えられる人であれば、簡易リフトのように、腰掛けた姿勢で入ってもらうことも、できますよ」

岩切が、言葉を添えた。

「実際に介護を受けている方には、介護士さんに肉体的な負担をかけていることを心苦しく思われているケースが、たいへん多かったんですよ。特に、太っておられる方ほど、そうです。でも、相手が機械であれば、そういった気兼ねも、一切不要になります」

純子の言葉に、中年女性は、黙り込んだ。

「日本人は、万物に霊魂を見出す感性を持つためか、ロボットに対するアレルギーが、ほとんどないんです。八〇年代に、自動車の生産ラインに産業用ロボットが導入されたときがいい例なんですが、工場労働者の間では、排斥運動が起きるどころか、各班のロボットに名前を付けて可愛がるという、欧米では考えられない光景が見られました。単純労働はロボットに任せ、人間は、より高度で複雑な労働に従事するという分業が、ごく自然にできたんですね」

「介護と産業用ロボットとじゃ、話が違うでしょうよ……」

すでに勝敗の帰趨《きすう》を悟ったのか、捨てぜりふに近いつぶやきだった。

「これから高齢者人口の大半を占めるようになる団塊の世代は、鉄腕アトムなどのマンガで育ったせいか、ロボットという存在自体に、強い興味と親近感を抱いています。ルピナスVも、きっと人気者になってくれるんじゃないかと、私どもでは期待してるんですよ」

純子は、微笑みを浮かべて、話を締めくくった。

「これこそ、ロボットと人間の共生ということじゃないでしょうか？」

雑誌社の取材陣が、黙然と引き上げたあと、岩切は、純子と榎本に向かい合った。

「弁護士さんですわね？　ベイリーフの顧問をなさっとるんですか？」

名刺を見ながら、尋ねる。

「いいえ。顧問弁護士である藤掛さんを、お手伝いしているだけです。……よけいな差し出口をして、すみませんでした」

「いやあ。よくぞ言ってくれたと思っとります」

岩切は、苦い顔になった。

「ああいう、くだらない先入観に毒された連中が多いんで、疲れます。何が、ロボットと人間の共生ですか。お題目だけは立派でも、機械は冷たく、人間の手は温かいなどというステレオタイプから、一歩も踏み出そうとせんのですよ」

純子にも、計算があったわけではなく、つい、議論好きの本性が出てしまっただけなのだが。

「それにしても、ロボットについて、よく勉強されてますね」

「一夜漬けですが。さっきの話も、ほとんど受け売りです」

「いやいや、立派なものですよ。先生くらいの認識を、みなが持ってくれたらいいんですが」

岩切は、一徹そうな顔に笑みを浮かべる。これで、話を聞きやすくなるかもしれない。しめしめと思った矢先、榎本が発言した。

「私たちは、先日、ベイリーフの潁原社長が殺害された件で、調査をしています。専務の久永さんが容疑者とされて、警察に逮捕、勾留《こうりゅう》されていることは、ご存じですね？」

「もちろん、知ってますよ」

岩切の顔が、また少し険しくなった。

「さっきの取材も、その話から始まったくらいですから」

「岩切さんは、久永さんについては、どう思われますか？」

純子は、訊《たず》ねてみた。

「専務は、会社の大番頭として、四十年以上社長に仕えてきた人です。もちろん、そんなことをするはずがありません」

「わたしも、久永さんの無実を信じています。そのために、他の人間にも犯行が可能だったかどうか、可能性を検討しているんです」

岩切は、強くうなずいた。

再び、榎本が質問する。

「では、お伺いしますが、ルピナスVを使って殺人を犯すことは、可能でしょうか？」

岩切の顔が紅潮し、顎《あご》のあたりが膨らんだ。

純子は、目を覆いたくなった。いったい何という聞き方をするのか。せっかく、気分良く協力してもらえそうだったのに。

しかし、案に相違して、岩切は冷静な声で言った。

「そのことは、警察からも、何度もしつこく聞かれました。答えは明白です。絶対に無理です」

岩切は、介護ロボットを指さした。

「私は、何も、ルピナスVの開発担当者だから、感情的になっとるんじゃない。私なりに、工学的なアプローチで考えてみました。だが、何をどうやっても不可能というのが、最終結論です」

「先ほどの説明をお聞きしていて、私も、まず、無理だろうと思いました」

榎本は、介護ロボットの前に屈《かが》み込み、本体やアームに顔を近づけて観察した。

「穎原社長は、撲殺されました。何らかの方法によって、頭部に強い打撃を受けたわけです。そこで考えると、第一に、ルピナスVのアームは、上下に動かすことは可能だが、打撃を加えられるような形状をしていない。また、凶器を保持する機能もなく、見たところ、固定するのも難しい。さらに、衝撃を与えるのに必要な速い動きは、まったくできない。その上、ロボット自体がセンサーで危険を察知して、人体に危害が及びかねない指令については、拒否する仕組みになっている」

「そのとおりです」

「ただ、少しでも可能性があれば、チェックしておかなければなりません。たとえば、ルピナスVが、社長の身体を抱えて、壁にぶつかるというケースですが」

「さっき、お見せしたとおりです。もとから、ゆっくりとしか走れん上に、センサーが、衝突を阻止します」

「もし、センサーの上を、ビニールテープなどで塞《ふさ》いだら、どうですか？」

「それは、障害物が目の前にあるのと同じ状態になりますから、はなから、まったく動かんでしょうな」

岩切は、部屋の奥にある作業机から、ガムテープを取ってきた。ルピナスVの全面にある、針の穴のようなセンサーの一つを、何重にも覆い隠す。

「やってみますよ」

岩切は、コントロールボックスを操作した。しかし、介護ロボットは、微動だにしない。液晶モニターの上には、再び、警告を示す赤い画面が現れた。

「なるほど」

「たとえばなんですが、このセンサーには、透明な物体は見えないということはないですか？」

純子が思いついて、質問する。もしそうであれば、あの窓に激突させれば……。

「ガラスのことですか？」

岩切は、一笑に付した。

「それじゃあ、危なくて、家の中は動かせませんよ。センサーには超音波も使ってるんで、もちろん、ガラスもしっかり検知します」

「セイフティ・プログラムなんですが、被介護者を抱えているときにだけ、作動するんですか？」

榎本は、矢継ぎ早に質問をぶつける。

「いや、どんな場合も、常に有効になってます。だから、別に人間がいなくても、ルピナスVを単に壁や家具に衝突させるという操作も、受け付けません」

「先ほどの実演で、社長の身体を抱え上げて、床の上に落とすという指示が拒否されるというのはわかりましたが、何らかの方法によって、ルピナスVに、そこに台があるように錯覚させることはできませんか？」

「それも、一応は、考えました」

岩切は、首を振った。

「ですが、台の存在を確かめているのは、単一のセンサーじゃない。まず、複数の超音波センサーが、被介護者の身体を置くべき場所に、充分大きな物体があることを確認する。次に、ゆっくりアームを降ろしていきます。ここで、アーム下部の圧力センサーが、台の感触を確かめる。それから、徐々に重みを預けていくんですが、このとき、少しでもぐらつくようであれば、作業は中断です。そして、最終的に、台が完全に身体の重みを受け止めたことを確認してから、アームを引き抜く」

やはり無理だと、純子は思う。セイフティ・プログラムというのはだてではなく、安全性について考え抜かれている。どんな手段を使っても、すべてのセンサーを騙《だま》し通すのは、まず、不可能だろう。

「それより、こちらからお聞きしたいんですが、もし、犯人がルピナスVを操縦したと仮定するなら、いったい、どこからコントロールしたんですか？　同じ部屋の中におったのなら、自分で犯行は可能でしょう？」

岩切の反問は、鋭かった。

「そうです。そこが、というか、そこも問題ですね」

榎本は、顎に手を当てた。

「ラジコンで隣の部屋からルピナスVを操縦することは可能ですか？　あるいは、同じフロア内の、離れた場所から」

「試したことはありませんが、薄い壁一枚くらいなら、だいじょうぶでしょう。送信機の出力不足であれば、ちょっと改造すれば、いくらでも補える。問題は、現場を自分の目で見ていない限り、操縦できないということなんですよ」

「先ほど、ルピナスVには、自律型ロボットの能力があると、おっしゃってましたね？　だったら、前方にいる人を移動させろ、というような指示だけ与えて、あとは、勝手にやらせることはできないんですか？」

純子の質問に、岩切は、にやりと笑った。

「もちろん、そういうふうにすることも可能でした。しかし、結局は現在の形、直接人間から指示を受けなければ、いっさい動くことができないという仕様にしたんです。何よりも、安全性を重視した結果ですよ」

純子は、榎本を見た。介護ザルに続き、介護ロボットの方も空振りだったという思いは、否めない。だが、榎本は、まだあきらめていないようだった。

「ルピナスVのセイフティ・プログラムを、外部から、ハッキングその他の方法で、改竄《かいざん》することは可能でしょうか？」

純子は虚を衝《つ》かれた。そういう可能性については、まったく考えていなかったからである。

しかし、岩切にとっては、とうに確認済みの問題だったようだ。

「それは、完璧《かんぺき》に不可能です。ご説明しましょう」

岩切は、介護ロボットの、モニターとキーボードを指さした。

「ルピナスVには、高性能のパソコンを搭載しており、将来的には、インターネットで音声や画像を送ったり、操作したりすることも可能になります。しかし、現在はまだ、ネットに接続できる環境になっていません」

「誰かが、ひそかに機材を増設し、無線LANやPHS経由で、ネットにつなげていたという可能性はありませんか？」

「難しいでしょうな。ルピナスVには、外部に向かって開いているスロットなどはありませんから、何かの機器を接続しようと思えば、ここを開けるしかないですし」

岩切は、胸ポケットから鍵束《かぎたば》を出した。介護ロボットの背面にある小さな丸い鍵穴に、棒状の鍵を差し込む。扉が開くと、パソコンに入っているような緑色の基板が三枚、差さっているのが見えた。

「それ以前に、ルピナスVのセイフティ・プログラムは、パソコンからは絶対に、削除、改竄できないようになっているんです。一時停止すら、不可能です」

「プログラムが入っているのは、どこですか？」

「メインボード上の、ROMの中です」

基板の上にある、黒い部品を指さす。

「すると、プログラムを変更するためには、ROMライターで書き換えるか、あるいは、別のROMと取り替えてしまうしかないわけですね？」

岩切は、首を振った。

「これは、書き換え不能のワンタイムROMで、しかも、剝《は》がすと跡の残るラベルで厳重に封印されてますから、どちらの方法も不可能だと思います。今度の事件の後も、封印は無傷でした。念のため、うちのチーム全員でプログラムを再チェックしてみたんですが、異状はまったく見つかりませんでしたよ」

帰りの車の中で、榎本はしばらくの間、黙りこくっていた。たぶん、頭の中はフル回転しているのだろう。

「どう思います？」

とうとう沈黙に耐えきれなくなって、純子が口火を切った。

「やはり、介護ロボットでは、あの犯行は難しいと思いますね」

榎本は、まだ未練があるような口ぶりだった。

「まず、ルピナスVのセイフティ・プログラムを無力化するのは、ほとんど無理でしょうね。細工を行うとしたら、直接、メインボードをいじるしかありませんが、あの扉の鍵はホリのトライデントで、そう簡単に、不正解錠することはできません。ROMの封印も相当に厄介です。しかし、それ以上に問題なのは、犯人には、殺人のために行った細工、すり替えたROMなどを、片づける暇がないということです」

「かろうじてチャンスがあったとすれば、副社長か、それとも、あの、岩切さんだけね……」

「ええ。しかし、社長の遺体が発見されてから、副社長が部屋にひとりでいた時間は、一、二分しかなかったんでしょう？」

「ええ。何であれ、証拠を処分するには短すぎるはずよ」

「だったら、問題外ですね。一方、岩切氏の方には、かなり有利な、不利というべきかもしれませんが、点があります。彼は鍵を管理していますし、ROMの封印についても、最初に跡の残らない偽物を貼っておけば、クリアーできたかもしれない。それに何と言っても、事件後、ルピナスVをチェックしたのは、彼自身です」

「プログラムは、全員で検査したと言ってたけど」

「その点は、裏を取る必要がありますね」

純子は、うなずいた。

「確認してみるわ」

「今、気がついたんですが、ひょっとすると、ルピナスVのセイフティ・プログラムには、始めからバグが仕込んであったのかもしれません。魔法の呪文《じゅもん》であるパスワードを送信すれば、機能が骨抜きになるように設定してあったとか。だとすると、システムエンジニア全員でプログラムを再チェックしても、発見できないことはありえますね。その場合、犯人は岩切氏か、ルピナスVの開発チームのメンバーに限られますが」

よくそこまで疑えるものだと感心する。疑惑というより、妄想に近いような気もするが。

「……しかし、そうだと仮定しても、まだ、最大の問題が残っています。かりに、ルピナスVを使って、どうやって人を殺したのかということです。かりに、セイフティ・プログラムが最初から存在しなかったとしても、あの機械を使って人間を撲殺する方法を、まったく思いつかないんです」

「そのことなんだけど」

純子は、ためらいがちに、口を出した。

「まだ、漠然としてるんだけど、もしかしたら、方法はあるんじゃないかと」

「本当ですか？」

榎本は、驚いたように、こちらを見た。

「まあ、まだ、はっきり、こうだと言える状況じゃないんだけど……それに、ルピナスVをどこから操作したのかという問題もあるでしょう？　こちらは、皆目見当もつかないのよ」

「それなら、方法は、三つ考えられます」

榎本は、こともなげに言った。

「え？」

「一つ目は、インターネット経由で操縦することです。さっき気がついたんですが、ルピナスVのモニターには、将来的に映像を送るための、小さなウェブカメラが付いていました。何とか、あの蓋を開けてネットに接続できれば、これが最も簡単確実です」

「でも、接続機器の問題は？」

「ええ。アダプターやモデムなどの機材を、どうやって撤収したのかが、わかりませんね。それに、インターネットの場合、どうしても、接続記録が残ってしまいます。これだけ細心緻密《ちみつ》に犯行を組み立てた犯人が、犯行の証拠を残しかねないインターネットを使うことは、まず考えられないと思います」

「そうね。わたしも、そう思う」

「二番目は、無線式のカメラを使うことです。盗撮用のピンホールカメラを社長室に設置しておけば、その映像を見ながら操縦することは、たぶん、さほど難しくないはずです」

「それは、離れた場所からでも可能なの？」

「岩切氏が言うように、往《い》きの電波も還《かえ》りの電波も、強さはいかようにでもなります。少なくとも、同じフロアからなら、充分可能でしょう」

「でも、その場合も、どうやって、カメラを処分したのかという問題が残るわね」

「ええ。目下のところ、それが、最大の難題ですね」

榎本は、手を伸ばして、缶コーヒーを一口飲んだ。

「それで？　三つ目の方法は？」

「それは、あとで、六本木センタービルに着いたら、ご説明しますよ。じかに目で見た方が、わかりやすいですから。それより、青砥先生が思いついたという殺害方法について、教えてください」

純子は両手でハンドルを握って、前方を見つめた。常磐《じようばん》自動車道は快調に流れている。風が車を打つ音が、心地よい。

「何というか、さっきも言ったけど、まだ、きちんとした形はなしてなくて。ただ、思うのは、この犯人は、とてつもなく頭がよくて用意周到っていうこと。だから、もしルピナスVを犯行に使ったとしたら、その性能の限界をしっかりと見極めて、あくまでも将棋の駒の一枚として、計画に組み入れたんじゃないかって」

「……続けてください」

「頭のいい人間の発想って、よく陳腐なイメージで語られるわよね。日頃、慣れ親しんでいる物の、思いもよらない使い方。ハサミを紐《ひも》で吊《つる》して振り子にしたり、蓮根《れんこん》の穴と水滴でレンズを作ったり。だけど、そういうのは、しょせん、ただの思いつきにすぎない。本当に頭のいい人の立てる計画は、そういう断片的な思いつきを、無理なく有機的に組み合わせて、最終的に望み通りの結果が得られるようになっている」

「なるほど？」

「つまり、何が言いたいかというと、犯人は、アームに凶器を縛り付けたりとか、そういう無理やりなことをしたんじゃなくて、ルピナスVには、ルピナスVにできることをさせたんじゃないかって、思うんだけど」

榎本は、深くうなずいた。勇気づけられて、純子は続ける。

「そうやって考えてみると、ルピナスVにできるのは、やっぱり、穎原社長の身体を運搬することでしょう？」

「そうですね。社長は、人事不省の状態だったでしょうから、犯人は、社長の身体を、好きな場所に移動することができたはずです」

「問題は、どうやって撲殺するかなんだけど、ルピナスVが直接、打撃を与えられなかったのなら、ワンクッション、置いたんじゃないかしら？」

「興味深いですね。たとえば、どういう方法ですか？」

「……こういうのは、どうかな。穎原社長の身体は、デスクのすぐ向こうに、俯《うつぶ》せに横たえる。デスクの端ぎりぎりのところに、重量のある物体を、底が半分はみ出すようなきわどい状態で置いておく。そこに、ルピナスVのアームが軽く触れると、物体はバランスを失って落下し、社長の後頭部にぶつかって、衝撃で死に至らしめる」

榎本は、しばらく黙考していたが、ようやく、口を開いた。

「発想としては、おもしろいです。もしかすると、考える方向としては、正しいのかもしれません。打撃が弱かったという事実とも、符合します。しかし、いくら社長が頭部を手術していたとしても、そんなやり方で、撲殺できるとは思えませんね」

「やっぱり、そうかな」

純子は、がっかりした。

「テレビの二時間ドラマなら、それでもいいんでしょう。百回に一回くらいは、クリティカルヒットして、死亡することもあるかもしれない。しかし、あまりにも、確実性に欠けます。頭のいい犯人がやることではありません」

純子の頭の片隅で、何かが閃《ひらめ》いた。

「だったら、現場には、確実に穎原社長を殺害できる凶器があったんじゃない？　正確に狙いを付けて、重量のある物体を落下させるような」

ギロチンそっくりの機械を思い浮かべる。

「もし、そういうものがあれば、ルピナスVを使って、その位置に穎原社長の頭を持ってくるだけでいいんじゃないかな？」

「かなり、嵩張《かさば》る装置になると思うんですが、犯行後、それをどうやって部屋から持ち出したんですか？」

「うーん。凶器を処分するトリックか……」

純子はアクセルを踏み込んで、前をとろとろと走っていたワゴンを抜いた。

「難しいですね。打撃面がフラットで、充分な重量がある凶器。加えて、それを正確な位置に落下させる装置も必要になる。それらはすべて、煙のように犯行現場から消え去った……」

榎本がつぶやく。

煙のように。

「巨大な、ドライアイスのキューブだったとか？」

榎本は微笑した。

「リスに襲われたというよりは、多少現実味があります」

常磐道から首都高に入ってからは、一転して、渋滞に悩まされた。物理的な距離ではなく、車での移動に要する時間で距離を表せば、東京は、今の地図からはみ出すくらい膨張し、史上空前の巨大都市になるのではないか。
四、五十分たって、ようやく車が流れ始めたところで、純子の携帯電話が鳴った。今、扱っている事件の性質を考えると、『キリング・ミー・ソフトリー』は、やめどきかもしれない。画面を見ると、今村からだった。

「もしもし」

「青砥さん？　いま、どこ？」

「つくばから、東京へ帰ってきたところ。もうすぐ、六本木かな」

「ちょうどよかった。ミーティングをやりたいんだけど。今後の弁護方針に関して」

「二人で？」

「いや、もちろん、藤掛さんも。あと、ベイリーフの穎原氏にも入ってもらって、四人なんだけど」

　純子は、耳を疑った。

「どういうこと？　部外者を入れるの？」

「そうなんだが、まあ、オフィシャルな会議でもないしね。我々だけでは、どうしても、情報不足な面があるから」

「ちょっと、待ってよ。利益相反になる可能性もあるのよ？」

「どういう場合だよ？　専務の無罪を勝ち取れば、会社としてもイメージダウンは避けられる。逆に、会社の利益が、専務の利益を侵す可能性もないだろう？」

「もし、真犯人が副社長だったら、どうするのよ？」

　沈黙が生まれた。

「冗談だろう？」

「へえ。そんなにウケた？」

「あの人には、完璧《かんぺき》なアリバイがあるんだぞ？」

「アリバイも密室も、崩されるためにあるのよ」

深い、溜《た》め息《いき》が聞こえてきた。

「わかった。とにかく、来てみてくれ。どうしてもだめだというなら、三人で話をするけど、もし、内容によって、部外者がいるところで話すのがまずいと思ったら、君がストップをかければいいだろう？」

「どこでするの？」

「ベイリーフ十二階の、役員会議室だ」

左手を見ると、全日空ホテルを過ぎるところだった。

「わかった。行くわ。たぶん、あと十分ちょっとで着くと思う」

「そうか。まあ、君がこの事件に入れ込んでいるのはわかるけどね。ミステリー……」

純子は通話を切った。

しばらく、気持ちを落ち着けようと運転に集中する。気を遣ってか、榎本も話しかけてこなかった。

「予定通り、ロクセンビルに行きます」

「わかりました」

「わたしはちょっと、十二階に行って、意思疎通のための、話し合いをしなきゃならないんだけど」

「その間、こちらはこちらで、調査を進めておきます。終わったら、私の携帯に連絡をください」

六本木センタービルに着いたときには、日が傾きかけていた。A3を地下駐車場に入れると、純子は、一足先に降り立った。振り返ると、榎本は、車の中でもぞもぞやっている。ボストンバッグから出した背広に、着替えているようだ。

「どうするの？」

榎本は、ネクタイを結びながら、車から降りた。手には、アタッシェ・ケース一つだけを持っている。どこから見ても、ごく普通のビジネスマンだ。

「私の荷物を、車に入れておいてもいいですか？」

十二階には行かないらしい。どこを、調べるつもりなのだろうか。

「ええ。特に貴重品がなければ」

「それでは、後ほど」

榎本のことも気になったが、これから、裏で談合しているらしい、三人の男たちと対決しなければならない。純子は、深呼吸して、気合いを入れ直した。

今村の携帯に電話すると、すでに、向こうは待ちかまえているらしい。秘書を迎えによこすというのを断って、エレベーターで十一階まで行き、内階段を上がる。

十二階に着くと、副社長の秘書である、松本さやかが、扉を開けて待っていた。

「先生。ごくろうさまです」

さやかは、優雅な笑みを浮かべて、一礼した。厚化粧ではないが、メイクは完璧で、服装も洗練されている。ちょっと見には、とても秘書とは思えなかった。

副社長が彼女を秘書にする際には、何か、下心でもあったのではないか。つい、よけいな心配までしたくなってくる。

「松本さんって、まるで、女優さんみたいね」

先に立って歩き出そうとする、さやかに話しかける。彼女の答えは、予想外のものだった。

「ええ。一応、やってるんです」

「やってるって、女優を？」

「はい。小さな劇団で、それもフルには時間が取れないんで、不定期に、ちょい役で出してもらうだけなんですけど、どうしても、止められなくて。でも、このことは、誰にも言わないでくださいね。就業規則に違反してますから」

これだけ綺麗《きれい》なら、きっと、かなりの固定ファンも付いているのだろう。

「どんな芝居？　よかったら、今度、わたしも見に行きたいな」

「本当ですか？」

さやかの顔が、輝いた。

「今、ちょうど下北《しもきた》で公演をやってて、今週末、わたしも出るんですけど、チケットが、まだ若干、残ってるんです」

「ロッカーに入ってるんです。用意しておきますから、帰りに声をかけてください」

「買うわ。今、あるの？」

「わかった」

　エレベーターホールで立ち話をしている声が聞こえたらしく、今村が、廊下に顔を出した。表情は読み取れないが、何をしているんだという苛立《いらだ》ちは伝わってきた。

「あ。すみません。ご案内します」

　さやかは、秘書の顔に戻ると、早足で廊下を先導した。

　役員会議室は、廊下の左手、社長室の並びとは反対側の、一番奥の部屋だった。

「失礼します。青砥先生が、お見えになりました」

　今村に続いて、さやかと純子が入室する。四十畳ほどの部屋には、コの字形のテーブルのまわりに、十数脚の椅子があった。窓際で立ち話をしていた、穎原副社長と藤掛弁護士が、振り返る。

「ご足労をおかけします。どうぞ、お好きな場所に、おかけください」

　穎原が、にこやかに椅子を勧め、上座の議長席に座を占めた。その横に藤掛が陣取る。

　純子は、二つ椅子を空けて腰掛け、今村は、純子のすぐ後ろに座った。

「今日は、つくばに行かれたんですか？」

　穎原が訊《き》く。

　行動は、すべて筒抜けになっているらしい。

「ええ。ルピナスVについて、岩切さんに、いろいろとお伺いしてきました」

「何か、参考になることは、わかりましたか？」

「そうですね。少なくとも、ルピナスV単独では、殺人を行うことは無理だろうということは」

藤掛が、机に両肘《ひじ》をついて掌《て》を合わせながら、口を挟む。

「まあ、最初から、わかったことではありますがね。こちらの二人の弁護士は、若いだけあって、フットワークが軽いんですね。私は、とてもだめですな。わざわざ、つくばくんだりまで行こうなんていう、気力が湧いてこない」

無駄なことをやっているという、あからさまな皮肉に、純子は、むっとした。

「ゴルフなら、もっと遠くまで行かれるでしょう？」

潁原が訊く。

「まあ、それは別ですわな」

殿様蛙の合唱のような、オヤジたちの笑い声。このまま、連中のペースにはまってはならない。

「副社長も、ゴルフはお好きなんですか？」

純子が尋ねると、また、藤掛が割り込んできた。

「もう副社長じゃない。潁原さんは、このたび、ベイリーフの社長に就任されたんだ」

「え？　そうなんですか？」

「今朝、緊急の取締役会が開かれて、そこで、潁原さんの、代表権を持った社長就任と、久永専務の退任が決まった」

背後から、今村がぼそぼそと言う。寝耳に水の話で、純子は啞然《あぜん》とした。自分だけが、蚊帳《かや》の外に置かれていたらしい。

「いつまでも、社長を空席にしておくわけにもいきませんから。本当なら、社長が亡くなってすぐに、新社長を決めるんですが、とにかく、この一週間ほどは、異常事態でしたからね」

穎原は、悠揚迫らぬ態度で言う。

「穎原さんの社長就任はわかるんですが、久永専務は、どうして、解任されたんでしょうか？　まだ、専務が犯人だと決まったわけじゃないんですよ？」

「解任じゃない」

穎原は、笑みを浮かべたまま、口を閉じた。藤掛が、純子の方に身を乗り出す。

「あくまでも、本人からの申し出による退任ということだ。まあ、けじめをお付けになったということだな」

「でも、いつ、久永専務の意思を確認したんですか。わたしが昨日、お会いしたときには……」

「その前だ。今村君が接見したとき、久永さんの意思は確認してある」

純子は振り返って、今村の顔を見た。今村は目をそらした。

「私はね、遅すぎるくらいだったと思うよ。今はとにかく、反省の情を示すことで、多少なりとも、裁判所の心証を良くしなきゃならんからね」

「待ってください。久永専務は」

「専務ではない」

「……絶対に、社長を殺害していないと、おっしゃってました。これから、裁判でも、あくまでも、無実を主張していくつもりです。ですから、専務取締役を退任しなければならない理由は、どこにもないはずです」

純子は、静かだが語気鋭く反論した。

「もう、決まったことだよ」

今村が言った。

「それに、会社内部の決定について、我々は、とやかく言える立場じゃない」

「取締役会には、当然のことながら、職責を果たせない役員を解任する権限がある。それを、自主的な退任という形にしたのは、これまで会社に尽くしてこられた久永さんに対する、穎原社長の温情ということですな」

藤掛が畳みかける。口元には笑みを湛《たた》えているが、目は笑っていない。

「そのことについて、異議を唱えるつもりはありません。久永さんのご意思がどこにあったのかは、わたしには不明確ですが。ただ、これは、今後の弁護方針にも関わってくる問題です」

「その通り。それで、今日は、意思統一をしておきたくて、こうして集まってもらった」

藤掛は、ポケットからタバコを出して、ゆっくりと火を点《つ》けた。

「今村君とも相談したんだが、やはり、心神喪失でいくしかないだろう。夢遊病、じゃないんだよな。何といったっけ？」

「レム睡眠行動障害です」

「そうそう。それだ。久永氏が穎原昭造《しようぞう》氏に対して行ったことは、睡眠中の精神障害によるもので、いわば、夢の中での出来事と同じだ。当然、責任能力は問えないというわけだな」

「久永さんに対して、誰か専門の医師が、そういう診断を下したんですか？」

純子の質問に、藤掛は露骨に苦笑して見せた。

「勾留《こうりゆう》中だから、むろん、診察も診断もできない。だが、今回の場合、そういう可能性が充分考えられるということだ。専門家に、証言していただけるんだな？」

「安政大学の広瀬《ひろせ》先生から、内諾をいただいています」

「それはいい。攻める側も守る側も、精神医学にはど素人だ。勝敗のポイントは、どのくらいの権威を引っ張ってこれるかだろう。あとは、メディア対策だが……」

「反対です」

純子は、藤掛の話の腰を折った。

「久永さんは、あくまでも、無実を主張しています。接見の際、そのことは、はっきりと確認しています」

「本人も、よく覚えていないだけの話だろう」

藤掛は、一瞬垣間《かいま》見せた怒りの表情を押し殺し、猫なで声を出した。

「それに、彼の立場になってみれば、そう言うのも無理からぬことだ。夢うつつであったとはいえ、自分にとっては実の親以上の人間を殺すという、取り返しのつかないことをしでかしたんだからな」

「いいえ。久永さんは、明確に、その可能性についても否定してるんです。これまでに、睡眠障害にかかったことは、一度もなかったともおっしゃってました」

藤掛の目が、厳しくなった。

「そのことは、誰かに話したかね？」

「いいえ。もちろん、誰にも話してません。もし、聞いたとすれば、接見に立ち会った警察官くらいです」

そう言ってから、純子は、ここには、部外者である穎原がいることに気がついた。

「とりあえず、久永氏が言ったことについては、箝口令《かんこうれい》だ。……だが、どっちにしろ、過去の病歴は、問題にならない。たとえ睡眠障害があっても、自分でそれと認識できるとは限らんからな」

「奥様やご家族なら、ご存じのはずです」

「そこは、こちらの主張に沿った証言をしていただけるはずだ」

藤掛の発言は、奇妙なくらいずれていた。今は、戦術ではなく真相究明の話をしているのだ。そう言おうと思ったとき、ノックの音がした。

「失礼します」

　さやかが、トレイにコーヒーを載せて入ってきた。純子がトレイを受け取ろうかと思っていると、今村がさっと立ち上がった。彼のフェミニズムは、相手が美女のとき限定で発揮されるようだ。

「いいですよ。こっちに、もらいます」

　今村は、トレイを受け取ると、自分のコーヒーだけを取って、純子に回した。純子も、同じように自分のコーヒーだけを取ろうかと思ったが、現在の微妙な空気を考えると、憚《はばか》られた。業腹ではあったが、穎原と藤掛の前にもカップを置く。案の定、礼を言ったのは穎原だけだった。

　コーヒーのソーサーには、砂糖とクリープのスティックが添えられていた。純子は、ブラックのまま飲んだが、藤掛を見ると、当然のように両方をコーヒーに入れ、再び戦端を開いた。純子にではなく、穎原に向かって話しかける。

「今村君も青砥君も、若いが、いくつか大きな事件を経験してるし、刑事弁護の分野では高い評価を受けているんですよ。うちの事務所は民事が主なんで、助っ人として弁護団に入ってもらったんですが、大いに期待してるんです」

　穎原は、うなずいた。

「正直言って、一時は葛藤《かっとう》もありました。しかし、今は、久永を救っていただきたいと思っています。高齢でもありますし、実刑だけは免れるよう、よろしくお願いいたします」

「わかりました。最善を尽くします」

臭い馴《な》れ合いだった。心神喪失の方に持っていけば、会社の被るイメージダウンが、最小限ですむからだろう。依頼人は会社ではないと言いかけたとき、藤掛が純子の方に向き直った。

「青砥君は、引き続き、今の調査を続けてください。万一、外部から侵入できたということになれば、これは朗報だ。場合によっては、弁護方針を切り替えることだってありうる。その間、今村君の方は、心神喪失を主張する準備を、万端整えておいてください」

「わかりました」

今村が、張り切った声で答える。

「長い会議は、非効率の象徴です。今日は、これで散会にしましょう」

藤掛は、話し合いの打ち切りを宣言した。こちらの抵抗が強いと、見て取ってのことだろう。

純子は、心の中で用意していた反論を嚙《か》み締めた。このまま終わらせてはいけない。そう思ったら、純子は、声を出していた。

「質問があります」

「何だね？」

藤掛は、不機嫌な声になった。

「弁護方針については、いつ、久永さんに伝えるんですか？」

「それは、未定だ。今言ったように、方針そのものが最終決定したわけではないし」

「久永さんご自身は、無実を主張しています。たぶん、無意識の犯行ということでは、同意をいただけないと思います」

「それを、これから説得していくんだ」

「僕から、もう一度説明してみます」

　今村が言う。

「それは、しばらく待ってください」

「なぜだ？」

「久永さんは落ち着いているようですが、ご自分が無実だという気持ちの張りで、かろうじてもってると思うんです。もし、自分が社長を殺したのだと思えば、それが一気に崩れてしまいます。最悪の場合、自殺を図るようなことも……」

　がちゃんという耳障りな音が響き、純子はぎょっとした。テーブルの上にカップが転がって、ごく少量のコーヒーが飛び散っている。さいわい、カップは割れてないようだ。

　潁原は右手にソーサーを持って、苦笑いのような表情を浮かべている。カップをよく見ていなかったため、滑り落ちてしまったらしい。

　潁原が動揺していることを、純子は直感した。なぜだ。久永が自殺するという警告が、なぜ潁原を慌てさせたのか。

「それは、絶対にあってはならないことです。何としても防止してください。藤掛さん。

警察に対し、久永さんに自殺企図があると申し入れて、警戒を厳重にしてもらうことはできますか?」

「わかりました。ちょっと、釘《くぎ》を刺しておきましょう。まあ、だいじょうぶです。勾留中の容疑者が自殺するなどということになれば、あちらとしても大失態ですから」

藤掛にも、頴原の過敏な反応は奇異に映ったようだ。

なぜだろうと、純子は思う。頴原雅樹が、本気で久永さんの身を案じていたとは思えない。

そこには何か、別の理由があるはずだ。

さやかが入ってきて、テーブルにこぼれたコーヒーを拭《ふ》く。

純子は何気なく、転がっているカップに目をやった。その瞬間、天啓のように閃《ひらめ》くものがあった。

わかった。

純子は、茫然《ぼうぜん》とした。

ルピナスVを使って殺人を行う方法を、今、ようやく発見したのだ。

5　弾道

六本木センタービルの西隣にあるのは、杵田《きねた》ビルという名前の、煤《すす》けた十階建ての建物だった。ディレクトリを見ても、二階に大手のサラ金が入っている以外、特に目を引くようなテナントはない。測量・行政書士事務所。ミニコミ誌の出版社。アパレル関係らしい商社。最上階は空室になっているようだ。

榎本径は、黒いアタッシェ・ケースを持ち、今や泥棒のユニフォームであるドブネズミ色の背広を着込んで、ビルに入っていった。

途中、数人のスーツ姿の男たちとすれ違ったが、まったく注目を受けない。エレベーターに乗ると、特に小細工はせず、直接、最上階へ上った。出る際に一階のボタンを押して、かご室を一階に戻しておく。テナントのいない最上階に、かご室が止まっていれば、不審に思われるからだ。

こちらのビルの階段室には、鍵《かぎ》がかかっておらず、誰でも出入りできるようになっていた。だが、屋上へ通じる重いスチール製のドアは、施錠されていた。新築マンションへの採用率が非常に高い、業界二番手メーカーのシリンダーだ。鍵はリバーシブルのディンプル・キーで、ピンが十八本もあるため、ピッキングに対しては比較的耐性がある。

だが、このシリンダーも、六本木センタービルで使われていたシリンダーと同様に、明らかな弱点があった。ディンプルのパターンが単純なために、合い鍵を作製するインプレッションという技術による解錠が、容易なことである。

径は、アタッシェ・ケースを床に置いて、蓋《ふた》を開けた。短い光ファイバー・ケーブルが付いた内視鏡を取り出す。本来は、耳の穴の中を見るためのスコープだが、先端に付いている透明な耳かきは、最も小さな鍵穴のサイズに合わせて、針のように細く削られている。光る針を鍵穴に挿入して、スコープを覗《のぞ》く。照らし出されたシリンダーの内部は、まっさらであり、ピッキングを受けた形跡はなかった。この新しさからすると、ごく最近、ディスク・シリンダーから交換されたばかりなのかもしれない。

次に、鍵の輪郭にカットされた、強化プラスチック製の板を取り出した。もともとの色は白だが、マジックインキで両面を黒く塗り潰《つぶ》してある。通常、合い鍵作りには金属製の未加工の鍵を使うが、プラスチックの方がはるかに切削が容易なため、作製に要する時間を大幅に短縮できる。強度的にも、何百回と使わない限りは、問題ない。

プラスチック板を鍵穴に差し込んで、左右に何度か捻《ひね》りを加えてみる。シリンダーは、当然ながら、びくともしなかった。

キーを引き抜くと、黒い表面には多くの微細な傷が付いていた。シリンダーのピンが当たった跡である。径は、先端を鋭く研いだ電池式のハンダごてを用い、プロにしか読み取れない痕跡《こんせき》に沿って、慎重に窪《くぼ》みを穿《うが》っていった。

掻《か》き取った滓《かす》を爪で刮《こそ》げ落としてから、もう一度、プラスチック板を差し込んで動かしてみる。最初のときとは、はっきりと手応《てごた》えが異なっていた。さらに、ハンダごてで窪みを拡大するにつれ、二筋のドット・コードのようなディンプルは、徐々に純正キーのパターンを浮かび上がらせていく。何度か手応えを確認してから、仕上げに、先の尖《とが》った棒ヤスリで、撫《な》でるように微調整を行った。

溶けたプラスチックの異臭が漂う中、自信満々にプラスチック板を挿入する。シリンダーは屈服し、小気味良い音とともに回転した。合い鍵を作り始めてから、四分とたっていない。

径はドアを開けて、狭い屋上に出た。四囲に塀のようにそびえているのは、屋上看板の裏側だった。西日がコンクリートを黄昏色《たそがれいろ》に染めている。

まだ熱いハンダごてをコンクリートの上に置いて、アタッシェ・ケースから必要な機材を出すと、どこからも見られていないことを確認してから、屋上看板の下をくぐった。

首都高を走る車の音が、間近に響いてくる。

看板とビルの縁の間は、わずか三、四十センチの幅しかなかった。高所恐怖症でなくても、ここに立つには、相当な勇気を必要とするだろう。

東側にある六本木センタービルを見ると、社長室の窓にはカーテンが下りていた。今立っている場所から空気銃で狙うとなると、銃口は、かなり上を向くはずだ。

径は、アタッシェ・ケースから小型のレーザーポインターを出した。ペン型のボディの中ほどには、30cmほどの黒い絹糸が結んであり、その先には五円玉がぶら下がっている。ビルの縁に立ち、レーザーポインターで社長室の窓に照準を合わせた。向こうのビルの壁面には、西日を受けた屋上看板の影が落ちているため、緑色の輝点は鮮明に見える。

射手の身長は約170cm、着弾したのは窓の下枠から15cmの位置と、仮定する。右手でレーザーポインターを支えて、左手で全円分度器をあてがった。鉛直に伸びた絹糸と、レーザーポインターの中心線との角度は、107°だった。つまり、空気銃の銃口は、水平より17°上向きだったことになる。

社長室の寸法は、一度入ったときに歩測してある。西側の窓から東側のドアまで、9m強だった。ポケット電卓で計算すると、tan17＝0.305730……だから、9m×0・306＝2・754mとなり、弾丸は窓の穴から見て2.7m以上高い位置に着弾することになる。したがって、当然、その前に、天井にヒットしているはずだ。

もちろん、青砥純子が指摘したように、弾道は放物線になる。しかし、ここからドアまでの距離を17m、弾丸の初速を、平均的な空気銃並みの秒速170mとすると、着弾まで0.1秒しかかからない。その間に落下する距離は、概算では5cm程度だから、無視してもかまわないだろう。

また、社長室の天井パネルの材質を考えると、跳弾したとも考えられない。射手がもっと長身で、弾が窓に入った位置が下枠ぎりぎりだったという仮定で、レーザーポインターの向きを変えてみたが、角度は2ほど小さくなっただけである。計算上、やはり、ドアに当たる可能性は出てこなかった。

ビルの間を縫って、身震いするほど冷たい風が吹き付けてきた。路地に面した側とはいえ、長時間突っ立っていると、どこから目撃されるかわからない。

何者かが社長室を狙撃《そげき》したとすれば、人目を気にする必要がない深夜だったのだろうか。

径は、看板の下をくぐった。裏側からは、屋上看板を支えている軽量鉄骨の骨組みが見える。ビル二階分以上の高さがあるが、メンテナンス用の鉄梯子《てつばしご》も付いており、登るのは造作もない。

この上から撃てば、当然、角度は変わる。問題は、犯人がそんなことをする必然性が、見当たらないということである。

とはいえ、犯人が、何より目撃を恐れていたとすれば、屋上看板の下をくぐって外に出るのをためらい、わざわざ上から身を隠して狙撃した可能性も、皆無とはいえない。

径は、西側にあった鉄梯子を登ると、看板の上に頭を出さないよう気をつけながら、鉄骨を伝って反対側まで移動した。

東側に達して、六本木センタービルを見下ろすと、屋上が一望にできた。

扉のある塔屋と、給水タンク。避雷針。パラボラアンテナ。金網で囲まれた四角い箱。

屋上を一周しているレール。

鉄骨に両腕を載せた姿勢で、レーザーポインターを社長室の窓に向けた。再び、中心線と絹糸との角度を測ってみると、71°だった。今度は、水平より19°下向きということになる。計算するまでもなかった。下向きの弾道で窓を突き破った弾丸は、確実に床に当たるはずだ。

径は、ゆっくりと鉄骨を伝って下りた。十本の指はフリークライミングで鍛え抜いてあり、必要とあらば、小指一本でぶら下がることもできる。革靴を履いたままでも、何の支障もなかった。

看板パネルの裏側に、狙撃に使えたような穴がないかを確かめる。通りを向いている北面とは違い、ビルで半分以上が隠される東面には、電飾文字は使っていない。真っ平らなスチール板には、小さな隙間ひとつ見つからなかった。

結論は明らかだった。杵田ビルの屋上から狙撃したのでは、どうやっても、社長室の窓から入って反対側のドアに達するような弾道は得られないのだ。

かといって、杵田ビルより後ろの建物から撃ったとも考えられなかった。一般的な空気銃の射程は、30m程度しかない。50m以上の長射程のものもあるが、屋上看板が障害物になって、どこからも社長室の窓は見通せないはずである。

最初に狙撃の話を聞いたときから、違和感があった。かりに、角度的に問題がなかったとしても、射撃用の空気銃の威力は、せいぜい6〜7J《ジュール》、狩猟用でも10〜60Jほどだ。ペレットのように柔な弾丸が、分厚いビルの窓ガラスを撃ち抜いた上、9m以上先の堅い木のドアにめり込むとは、とても思えない。

まちがいなく、犯人は室内にいたはずだ。そして、直接ドアに空気銃の弾を撃ち込んだのだろう。さらに、外からの狙撃に見せかけるため、別の方法で窓ガラスに弾痕《だんこん》を作ったに違いない。

問題は、その方法だった。窓の内側から穴を開ければ、破片は外側に落ちる。絨毯《じゅうたん》の上にまったくガラスのかけらが見当たらなければ不自然だし、通行人が、路上に落ちている破片を見つける可能性もある。

犯人が穴を開けたのは、おそらく、窓の外側からだろう。だとすれば、そんな工作が可能な場所は、六本木センタービルの屋上しかない。

だが、どうも、何かがおかしい。使った道具類をアタッシェ・ケースに収納しながら、径は考えていた。

狙撃がフェイクだったことは、今や、あきらかだ。普通に筋読みすれば、密室殺人の準備工作だと考えるべきだろう。

しかし、この二つのトリックの背後にある意図を考えると、奇妙なまでに分裂していることに気がつくのだ。

狙撃を演出したのは、外部に犯人を作り上げる目的だったはずだ。それに対し、密室殺人の方は、あきらかに、内部の犯行に見せかけるためのものである。

さらに、いまだに尻尾《しっぽ》をつかめないほど巧妙に作り上げられた密室と比較すると、少し調べただけでもボロが出てくる狙撃事件の方は、いかにもお粗末だった。とても、同じ人間の手になるものとは思えない。

もしかしたら、狙撃事件と密室殺人は、切り離して考えるべきなのだろうか。

アタッシェ・ケースを閉じて屋上から退去しようとしたとき、内ポケットの中で携帯電話が振動を伝えた。見ると、青砥純子からだった。

「もしもし」

「榎本さん？　今、どこ？」

「直線距離では、すぐ近くです」

一瞬の沈黙があった。謎めいた言い方をされるのが嫌いらしい。

「……ごめんなさい。ちょっと、これから、うちの事務所のパートナーと、緊急の打ち合わせをしなきゃならないの。だから」

妙に抑揚に乏しい、押し殺したような口調だった。彼女は、何かの理由で興奮している。

それはどうも、怒りではなさそうだった。

「わかりました。こちらは、できる範囲で調査を進めておきます」

「こっちは、みんな帰っちゃうけど、今すぐなら、十二階に上がれますよ？　あんまり長い間は、難しいけど」

「だいじょうぶです。どうか、お気遣いなく」

「そう？　介護ロボットを操縦する第三の方法というのを、聞きたかったんだけど……」

純子の声音は、どこか自信たっぷりだった。

「何か、見つけたようですね」

「え？」

「新しい事実か、それともヒントを」

再び、沈黙が訪れた。

「……そうね。たぶん、見つけたと思う」

そこで止めるつもりだったらしいが、我慢できなかったようだ。

「密室は破れたと思う。確認のため、一応、実験してみる必要はあるけど。……でも、詳しいことは、明日話しますね」

「わかりました。楽しみにしてますよ」

「それじゃあ、明日もよろしくお願いします」

「こちらこそ」

通話を切ると、径は、屋上看板の下から頭だけを出して、六本木センタービルの玄関を窺《うかが》った。

純子が発見したらしい密室トリックは、おそらくトンデモ系だろうが、あまりにも自信たっぷりな口調だったのが少し気になる。もしかすると、まんまと先を越されて、成功報酬をふいにしてしまったかもしれない。まあ、考えてもしかたがないことだが。

ロクセンビルの駐車場から、二台の車が出てきた。薄茶色のメルセデスと緑のセルシオ。上からはドライバーは見えないが、一方は穎原だろう。二台の車は六本木方面へと走り去った。

続いて、純子のアウディＡ３が現れた。助手席に誰か乗っているようだ。Ａ３は渋谷の方へ向かう。

径は、屋上を出ると、音を立てないようにそっとドアを閉め、施錠した。エレベーターは使わず、一階まで階段を下りる。

ロクセンビルの正面玄関から何喰《く》わぬ顔で入って、エレベーターに乗った。

暗証番号を入力する。③、④、②、④……。

これでロックが解除されたかどうかは、階数ボタンを押してみなければわからない。

ビンゴだった。⑫のボタンが光り、エレベーターは、ゆっくりと上昇を始めた。

昨日、小倉課長が暗証番号を押すところを、背後から観察していたのだが、彼の肘《ひじ》の動きからすると、明らかに、最初のボタンだけが左側にあった。

エレベーターの階数ボタンは二列で、下から順に、Ⓑ1、①と②、③と④という並びになっており、すでに、暗証番号に使われているのは、②、③、④の三つのボタンであることが判明しているから、一つめのボタンは③ということになる。そこから考えられる順列は、六通りしかない。

③④②④、③④④②、③④②②、③②④④、③②④②、③②②④である。

六分の一の確率なら、最初に当たってもさほど不思議はないが、ふと、なぜこの番号なのかという疑問が湧いてきた。

操作盤の下方に位置するボタンは、身体で隠しやすいというメリットがあるし、隣り合っていれば、手早く続けて押すことができる。③④②④というのは、適当に選んだ意味のない数字かもしれないし、昭和三十四年の二月四日が、何か重要な日付なのかもしれない。『密室の死』という語呂《ごろ》合わせになっているのは、ただの偶然だろう。

エレベーターは、十二階で止まり、扉が開いた。

フロアの電気が消えているのを見て、径は、かご室を一階に帰し、足を踏み出す。しばらく耳を澄ませて、何の音も聞こえないのを確かめてから、エレベーターホールを横切って、廊下に近づいた。

監視カメラの死角に潜み、アタッシェ・ケースから、無線カメラを積んだ玩具《おもちゃ》の自動車を取り出す。そっと床の上に置いたとき、ゆっくりと息を吐き出した。その瞬間、廊下の突き当たりから、強烈な光芒《こうぼう》が放たれた。

反射的に、身を低くする。センサーライトの感度がここまで良いとは、予想していなかった。

廊下の突き当たりの監視カメラは、夜間、センサーで侵入者を探知して録画を開始する、アラーム録画モードに変わる。同時にセンサーライトもオンになり、光量を補うのである。二つのセンサーは独立で、どちらも侵入者の体温で発せられる赤外線に反応する仕組みだった。

しかし、まさか、廊下の外れから発せられた呼気の赤外線を感知してライトが点《つ》くとは、思ってもみなかった。タイミングが早すぎて顔が映されなかったのは、幸運だったかもしれない。

径は、玩具をしまって、小走りにエレベーターホールを引き返した。運行表示を見ると、一階から、エレベーターが上ってくるところだった。センサーライトが点くと、警備員室の中で警報が鳴るようになっているのかもしれない。

径は、内階段の扉を開け、階段室に出た。警備員が、誰もいないのを見て誤作動だと思ってくれればいいのだが。

下へ戻るのは、危険だ。径は、屋上へ向かった。内ポケットから、マスターキーの複製を取り出す。昨日、警備員室に入ったときに、こっそり型を取ったものだ。

シリンダーの回る音が、静まりかえった階段室に響き、ひやりとする。径が、屋上へ滑り出るのとほぼ同時に、十二階にエレベーターが到着する予報チャイムが鳴った。

外から、すばやく鍵《かぎ》を閉める。施錠する音を聞かれる危険はあったが、屋上への扉が開いているのを警備員に見つけられれば、万事休すである。

径は、鉄扉に耳を付けて、階段室の音を聞いた。耳の跡、すなわち耳紋は、指紋に匹敵する証拠になるのだが、今は、かまっていられない。万が一、警備員が上がってくる気配があれば、すぐさま、どこかに隠れなくてはならない。

しかし、幸いなことに、五分待っても、階段室への扉を開ける音は聞こえてこなかった。

十二階は、暗証番号とオートロックで守られているはずだという先入観から、警備員は、単なるセンサーライトの誤作動と判断したのだろう。

もちろん、二つのセンサーが同時に誤作動することは、まずありえない。だが、センサーライトが点灯すれば、そこから発する赤外線で、監視カメラのセンサーも反応する。あれだけ感度が鋭敏なら、センサーライトの方は、しばしば誤作動を起こしていても不思議ではない。

径は、ハンカチを出して、鉄扉に付いた耳紋を丁寧に拭《ぬぐ》い去った。

ここを脱出するのは、少し時間をおいてからの方がいい。どのみち、屋上は調べる予定だったのだから。

すでに、日は完全に没していた。しかし、灯火やネオンサインが雲に反射して曖昧《あいまい》な灰色になっているだけで、心休まる闇はどこにも存在しない。その上、いつのまにか、杵田ビルの屋上看板の照明が点灯していて、間接的に、こちらの屋上までうっすらと照らし出していた。

隣のビルにいたときと同様に、首都高から、間断なく車の音が響いてくる。

あらためて屋上を見渡した。階段室の向かいには給水塔があり、タンクには南京錠が付いていた。屋上の中央は、二列になった特大の室外機で占領されていた。今も低い唸《うな》り声が聞こえている。北側のへりには、清掃用の常設型ゴンドラと、それを吊《つ》り下げる台車とが無造作に置かれている。ほとんどのビルでは、ゴンドラは雨ざらしなのだ。ビルの外周に沿って、台車の走路であるレールが走っていた。四隅には、台車が向きを変えるためのターンテーブルがある。

給水塔から下りると、階段室の横手に、小さな鉄の箱が付いているのに気がついた。箱に付いている扉も施錠されていたが、マスターキーの複製を鍵穴に差し込むと、シリンダーはあっさり回転した。どうやら、ビル内の錠はほとんど、マスターキー一本で開くようになっているらしい。

扉を開けてみると、大型のプラグを差し込む電源コンセントと、漏電遮断器があった。ゴンドラと台車のための給電ボックスだろう。

扉を閉めて再び施錠し、レールに沿ってビルの外周を点検する。西側に来たとき、径は足を止めた。

原色に塗られたサラ金の看板は、目の前に覆い被《かぶ》さるようにそびえていた。こちら向きの面には、照明こそないものの、威圧感は充分だった。

亡くなった穎原社長は、毎日こんなものを見せられて、さぞかし気分が悪かったことだろうと思う。

レールを越えて、ビルの端ぎりぎりまで行く。高さに対する恐怖は感じないが、下から見られないように、姿勢を低くした。

この下に、屋根裏を挟んで、社長室がある。

全部の窓が嵌《は》め殺しになった六本木センタービルに、正面玄関も通用口も通らずに侵入することは、ほとんど不可能である。唯一の例外は、建物の外壁を攀《よ》じ登るか、隣接するビルから乗り移るなどの方法によって屋上に侵入し、階段室のドアを破るというルートだった。

だが、ロクセンビルの場合、外壁には雨樋《あまどい》のような手懸かりはなく周囲から丸見えであるため、登攀《とうはん》は困難だし、隣のビルとは高さが違い、かつ間隔が空きすぎている。しかも、内階段の鍵を破って十二階に侵入できたとしても、さらに、赤外線センサーと監視カメラが待ち受けている。

もちろん、これは答えではありえない。だが、侵入ルートとしては不適でも、別の工作には、充分使えるはずだ。

径はビルの壁面を見下ろした。社長室の西側の窓は、すぐ目の前に見える。足場にも問題はない。これなら、窓ガラスに適当な穴を開けるのも難しくないだろう。

適当な重さの尖《とが》った錘《おもり》を、充分な強度があるロープの先に付け、振り子の要領でガラスに叩《たた》きつければいい。現在嵌《はま》っている強靭《きょうじん》な合わせガラスであれば無理だろうが、普通のフロート板ガラスなら、弾痕《だんこん》そっくりの穴を開けるのも難しくはないはずだ。

狙撃《そげき》事件については、方法はわかった。問題は、誰が何のためにということである。

F&Fセキュリティ・ショップに帰り着いたときには、午後七時を回っていた。

店のドアを開けると、留守番をしていた葉君《イップ》が、顔を上げた。

「先生。どうか、お帰りなさい」

「どうか、じゃなくて、どうもだ。売り上げは、どうだった？」

「五千円ほどです。防犯ステッカーや、ピッキング・アラームなどが売れました」

「それじゃ、まるっきり赤字だな。君のバイト料と同額じゃないか」

「すみません。専門的の知識が不足していますから。鍵のことを尋ねられたのですが、充分なお答えができませんでした」

径は、純子からアルバイト料として日額一万円を取ることは、おくびにも出さなかった。

「元ピッキング窃盗団みたいな顔をして、この鍵は安全よ、なんて言ってれば、充分、説得力があるんだよ」

「搞錯《ガウチョワ》！　先生。それは差別です。私は泥棒ではありません。これまでに人のもの盗んだことは、いっぺんもありませんよ」

「それは、残念だったな。唯一、そういう前歴が生きる職場なんだが」

「そのことより、バイト料、もう少し、まけられませんか？」

「本当に、まけてもいいのか？　もしかして、上げられませんかと、言いたいんじゃないのか？」

「そうです」

「驚いたよ。一日の売り上げが五千円だったと言った口から、よく、賃上げの要求が出てくると思ってね」

「はい。一応、言ってみました」

イップ君は、カウンターの上で読んでいた日本語の教科書を、布のバッグの中にしまった。新宿にある日本語学校に通っているらしいが、将来、何を勉強するつもりなのかは、今もって不明である。保証人はしっかりしているので、これまでも、週末などに店番を頼むことがあった。

「そういえば、先生。留守中に、メトロポリタン商事のコウノという人から、電話がありましたよ」

ハゲコウか。以前、留守中に電話してきたときには、言うに事欠いて桜田商事だとほざいたらしい。今どき、警視庁が宴会の予約をするときにも、そんな名前は使わない。せめて、警視庁の英語名から、メトロポリタン商事とでも言えばどうだと忠告したのだが、まさか、その通りに名乗るとは。

「何か、伝言があった？」

「いいや。コールバックして欲しい旨と、言いましたよ」

「……わかった。ご苦労さん」

「では、先生。私はこれで失礼いたします」

径が五千円札を渡すと、イップ君は、嬉《うれ》しそうに店を出て行った。

店のドアに閉店の札を掲げて、施錠すると、径は、紙袋からサブウェイのサンドイッチを出して、カウンターに並べた。事務室へ行って、湯を沸かし、特製ブレンドのコーヒーを淹《い》れる。

風が強く、窓枠が、がたがたと耳障りな音を立てた。クレセント錠を閉めても、まだ若干の隙間が残っているのだ。侵入される可能性はまずない場所だったが、どうも気になる。サッシの間にティッシュペーパーを詰めると、それ以上、音は聞こえなくなった。

湯気の立つコーヒーを持ってカウンターに戻り、一見、虫食いのように見える穴に鍵《かぎ》を差し込んで回した。隠し引き出しを開けると、中には液晶モニターと、数台のタイムラプス・ビデオが収められている。

サンドイッチを頬張って、コーヒーを啜《すす》りながら、カウンターの背後にある隠しカメラで撮影した今日一日の店の様子を、早送りで確認した。間欠録画ビデオは、コマ送りで録画するシステムなので、全部見終わるのに、さほど時間はかからなかった。訪れる客そのものが間欠的であり、売り上げは、イップ君の言うとおり、お寒い限りである。

もともと、非合法収入の資金洗浄のために始めたような店だったが、最近は、防犯コンサルタント業務などの、表の収入の割合が大きくなってきている。そろそろ、本気で経営内容にてこ入れして、店からの収入だけでも食べていけるよう、収支の改善を図るべきだろう。

念のため、他のカメラで録画した映像も、チェックする。青砥純子に、店内のカメラが全部生きていることを話したのは、少々、調子に乗りすぎだったかもしれない。

だが、彼女も、こちらのカメラのことは、想像もしていないだろう。

液晶モニターには、切り替えたカメラの映像が映し出された。録画を止めて、テープを巻き戻し、昨日の午前中に戻す。

そこには、店に入ってくる直前の、純子の姿が捉《とら》えられていた。

背が高く、清楚《せいそ》で知的な雰囲気を持った女性。睫毛《まつげ》が長く、目には意志的な光がある。

彼女は、真剣なまなざしで、店のドアに貼られた店名と、『F&F』を図案化したロゴマークを、しげしげと見つめた。次に、コンパクトを出して、髪の様子をチェックすると、水色のハンカチで、スーツの肩や胸元に付いた水滴を拭《ぬぐ》う。

それから、ふと気がついたらしく、金色に光る丸いバッジを襟から外し、ショルダーバッグの中にしまった……。

まだ新米弁護士であることを示す、ぴかぴかのバッジ。彼女は、ピンホール一つで弁護士だと看破したという、あのいかさま推理を鵜呑《うの》みにするくらい、初心《うぶ》だったのだろうか。

今回は、ボロを出すのは避けられたが、これからは、シャーロック・ホームズ気取りは、控えた方が無難かもしれない。

径は、一杯目のコーヒーを飲み干すと、立ち上がった。事務室へ行って、保温ポットから、愛用のチタン製マグカップに二杯目を注ぐ。

密室。

径は、これまでにないくらい、チャレンジング・スピリットを掻《か》き立てられていた。

それが、侵入のプロと自負する自分にも尻尾《しっぽ》をつかませないほど、巧妙な犯罪をやり遂げた犯人に対するものなのか、それとも、青砥純子という魅力的で、しかも微妙にコンプレックスを刺激される女性に対し、自分の能力を見せつけたいという思いによるものなのかは、判然としなかった。たぶん、その両方なのだろう。

密室殺人。

すべては、久永専務に罪を着せるため仕組まれたに違いない。最初に抱いた直感は、すでに確信に近づいていた。凶器一つ取ってみても、久永専務が犯人と仮定すると、割り切れないことが多すぎる。

密室トリック。

可能な方法は、すでに、かなり絞り込まれている。社長室に存在する三種類の開口部のうち、残っているのは、ドアだけだ。

つまり、使われたトリックは、監視カメラを欺くというものに違いない。警察もすでに、その線で調査を行っている。

径は、カウンターに戻ると、上段にある小引き出しから、ファスナー付きビニール袋を取り出した。中には、細いリスの毛が一本入っている。社長室前の監視カメラに付着していたものだ。これまでに、幾度となくお目にかかっており、ひと目でわかった。

警察の鑑識係は、指紋を採取する際に、現場の状況によって、様々な方法を使い分ける。

気化したヨウ素を付着させる。アミノ酸に反応するニンヒドリン試薬や、接着剤のシアノアクリレートを使う。薄い潜在指紋に対しては、蛍光粉末を塗ってアルゴンレーザーを放射する。人体に付いた指紋には、日本で開発された、四酸化ルテニウム法なども用いられる。

だが、今も昔も最もよく使われるのは、古典的な粉末法だった。これは、アルミニウム、ベンガラ、銅などの粉末や、シダの胞子である石松子《せきしょうし》などを指紋に付着させて、指紋ブラシと呼ばれる刷毛《はけ》で、不要な粉末を払うやり方である。

そして、柔らかくて指紋を壊さないために、指紋ブラシには最適とされているのが、リスの毛なのだった。

監視カメラにリスの毛が付着していたのは、鑑識が、そこに残留する指紋をチェックしたからにほかならない。だが、カメラが設置されていたのは犯行現場の外であり、しかも、脚立がなければ届かないほど高い位置だった。普通に考えれば、犯人の指紋など付着するはずがない。

つまり、警察は、少なくとも一度は、監視カメラに対するトリックを疑ったのである。

径は、ファックス付き電話の、コードの付いたハンドセットを取り上げ、登録せずに記憶している番号をプッシュした。

コール三回で、相手が出た。

「はい」

寝起きの猛獣を思わせる、不機嫌な唸《うな》り声。

「そちら、メトロポリタン商事ですか？」

「おまえか。店の電話くらい、携帯に転送しとけ」

「電話なんかに束縛されず、自由に生きたいんでね」

「だったら、もうちっと、まともな日本語話す店番置いとけや」

鴻野《こうの》刑事の声は、気の弱い人間なら失禁しそうなくらいドスが利いていたが、長いつきあいである径の耳には、どちらかというと上機嫌なことがわかった。

「あれでも、前に雇ってたコギャルと比べると、はるかに正しい日本語を話すんだ。それより、何かわかったか？」

「まったく。泥棒が、何の酔狂で、殺しのヤマに首突っ込んでやがんだ」

鴻野は、低く唸《うな》った。

「で、何が知りたい？」

「警察が久永専務を犯人と断定した、根拠だ」

「なもん、決まってんだろう。現場《げんじょう》は密室で、他の奴は誰も入れなかったからだ」

「しかし、現場《げんば》では、疑問の声もあったんだろう？」

「疑問？　何のことだ？」

「とぼけるなよ。あんたの心証はどうだ？　久永専務はクロか？」

鴻野は、せせら笑った。

「心証でシロクロ付くなら、俺は人間嘘発見器だ」

「で、どうなんだ？　クロか？」

一秒近く、間があった。

「そうとも言いきれんな。だが、なにせ半ボケの爺《じい》さんだからな。犯行を覚えてない可能性もある」

「指紋のことは、どうだ？　どうせ、見つからなかったんだろう？」

探りを入れてみたとたん、鴻野の声質が、がらりと変わった。

「なんで、そのことを知ってる？」

「こっちも、現場を調べてるんだ。いろいろと目に入ってくる」

「専務室にまで入ったのか？」

径は、はっとした。鴻野が言っているのは、監視カメラではなく、何か別の指紋のことだ。

正面から問いただそうかとも思ったが、ハゲコウのことだ、獲物の臭いを嗅《か》ぎつければ、取引の材料にしようとするに決まっている。相手の性格は嫌というほど知り尽くしていた。うまく誘導して、向こうが尋問している気にさせてやれば、ぺらぺらと喋《しゃべ》ってくれるはずだ。

「あのフロアは、隅々まで調べた。現場は社長室だが、専務室と副社長室も一連だろう？　本当なら、三つの部屋は全部封印して、現場保全すべきだったんじゃないのか？」

「そこまでは、できなかったんだ。会社の顧問弁護士から、業務に支障を来すとか何とか、言われたらしくてな」

鴻野は、苦い声になった。

「しかし、三部屋とも、鑑識が徹底的に調べ尽くしてる……。おい、話をそらすな。なんで、おまえは、ドアノブのことに気がついた？」

専務室。そして、ドアノブ。ストーリーはつながった。

径は、慎重に言葉を選んで話を続ける。

「第一に、久永専務はふだん、副社長室へ通じるドアはほとんど使っていなかった。副社長とは不仲だったからだ。本人も、最後にノブに触れたのがいつか覚えていないくらいだ。第二に、あのノブは、かなり頻繁に磨かれている」

「なんで、そんなことがわかる？」

「あのノブは、メッキではなく本物の真鍮《しんちゅう》だった。輸入品のアンティークだろう。真鍮というのは、表面に特殊加工をしていない限り、すぐに表面が酸化して茶色に曇る。しょっちゅう磨いていないと、ああいう色は保てないんだ」

「ふん。あいかわらず、糞《くそ》細かい野郎だな」

「以上二点からすれば、犯行前に、専務室から副社長室へ通じるドアノブに、久永専務の指紋が残されていた可能性は、ほとんどないだろう」

「だったら、どうだっていうんだ？」

「久永専務がシロだと仮定すると、ドアノブには、今でも専務の指紋は付いてないはずだ。そして、もし指紋がなければ、専務の立場は、俄然《がぜん》有利になる。監視カメラに映されずに、専務室と社長室を往復するには、副社長室を抜けていくしかないからな」

鴻野は、しばらく考え込んだ。

「だが、単に指紋が付いていないというだけで、シロの証拠にはならんだろうが？　後から拭《ふ》き取ったんじゃねえにしても……手袋をしていたとか」

「手袋が見つかったのか？」

「いいや。だが、別に、手袋じゃなくてもいい。手にハンカチを巻くぐらいでも、充分だしな」

妙に言い訳めいた鴻野の言葉を聞きながら、径は不審を抱いた。

なぜ、『手袋をはめていた』から『ハンカチを巻いていた』という流れになるのか。素手でノブを握ってから、ハンカチで指紋を拭き取ったと考えるのが、最も自然だろう。

いや、鴻野は、『後から拭き取ったんじゃねえにしても……』と言った。どうして、犯人がノブを拭き取らなかったと言い切れるのだろう。

つまり、そこには、拭き取られていない何かが残っていたことになる。だとすれば、それは、いったい何だ。

径は、カマをかけてみることにした。

「ノブに残ってた方の指紋は、いつ付いたのか、わかってるのか？」

ハゲコウは、舌打ちした。

「そこまで気づいてやがったのか。ほぼ、正確な時間が判明してる。あの日の朝早くに、一度触ったきりだと、秘書が供述してるからな。まだ、専務が出社する前の時間だ」

径は、驚きを声に出さないよう自制した。専務の秘書は、たしか河村忍という名前だった。彼女の指紋が、犯行の前からドアノブに付いていたのか。

「河村忍は、なぜ、副社長の部屋に入る必要があったんだ？」

「専務の机に、決裁を要する書類を置きに行ったら、たまたま、副社長に渡さなきゃならん書類が、混じっていたんだそうだ。一応、副社長の秘書にも裏を取ったが、疑う理由はない」

「指紋が付いていたのは、どちら側のノブだ？」

「両方だ」

「それは、どの程度、はっきりしていた？」

「どの程度？　完璧《かんぺき》だ。両側のノブから、秘書の拇指《ぼし》と人差し指、中指の指紋が取れた」

「だとすると、不自然だとは思わないか？」

「何がだ？」

「秘書の指紋が、ドアノブをつかむ形で鮮明に残っているとすれば、久永専務は、自分の指紋が付着しないような方法を講じた上で、わざわざ、通常は持たないような部分を摘《つま》んで、ノブを回したことになる」

「自分の指紋を残したくなかっただけだろう」

「だが、どうやって、先に付いていた秘書の指紋を避けたんだ。千里眼で潜在指紋が見えたわけでもないだろう？」

返事はなかった。

「それに、そういう筋書きは、さっきあんたが言ってたような半覚醒《はんかくせい》の状態での犯行とは、明らかに矛盾すると思うんだがな」

「うるせえ！　そんなことは、こっちだってわかってんだよ。警察を舐《な》めるな！」

鴻野は、怒声を張り上げた。

「だが、少しばかり妙だってくらいで、容疑者から外せると思うか？　あの爺さん以外、やれた奴はいねえんだぞ！」

「だったら、副社長室と社長室の間のドアは、どうだった？　やはり、ノブには、久永専務の指紋はなかったんだろう？」

いまいましげな吐息。

「……ああ。そっちからは、誰の指紋も出なかった」

やはり、そうか。久永は、真犯人によって嵌《は》められた。そのために、現場は密室に仕立て上げられたのだ。

「なあ。他に犯行可能な人間はいなかったと決めるのは、早計かもしれないぞ」

「どういうことだ？　爺さん以外の野郎に社長を殺《や》れたってのか？」

「警察でも、そう疑ってたんじゃないのか？」

「何だ？」

「監視カメラの指紋を採取しただろう？」

鴻野は絶句した。

「おまえは、なんでそんなことまで……いや、待て。カメラに、アルミの粉が残ってたんだろう？ そうだな？」

惜しい。鳥だけに、光るものに目が行ったらしい。

「まあ、そんなところだ。監視カメラのトリックを疑ったのは、あんたのアイデアなのか？」

「いや、うちの班長だ。爺さん犯人説に、最後の最後まで納得がいかなかったんだ。だが、結果は、空振りだ。カメラからは何の指紋も出なかったし、配線の途中に割り込むのも不可能だった」

径は愕然《がくぜん》とした。

「それは、確かなのか？」

「あたりまえだ。あのビルに、細工できる場所なんかあるか。念のため、配管から糞長いケーブルを全部引き抜いて、一センチ刻みでチェックしたんだぞ。思った通り、蚊が刺した跡もねえよ」

今度は、径が絶句する番だった。警察は、最初から久永専務犯行説で動いていると思っていたので、そこまで調べているとは、思ってもみなかった。

だが、これでますます、犯行方法は絞り込まれたことになる。

「犯行時間帯のビデオテープだが、不審なところはなかったのか？」

「おい。カメラにも、ケーブルにも、異状はなかったって言っただろうが」

「だが、テープそのものはどうだった？　犯行時間のずっと以前でも、一瞬、映像が途切れてたり、飛んだりしたような部分はなかったのか？」

「ふん」

少々、訊《き》き方が熱心すぎたらしい。鴻野の声のトーンが、再び変わった。

「ここまでの情報は、サービスだ。おまえには借りがあったからな。だが、この先まで調べるのなら、バーターだ」

電話機を通じて、腐臭が伝わってくるような気がする。死骸《しがい》に群がるハゲコウの面目躍如だった。

「……おたくの班長は、宮田《みやた》警部だったよな？　久永専務が犯人じゃないと思ってるのか？」

径は、話題を変えた。

「ふん。あのおっさんも石頭だし、出世はとうにあきらめてるからな。かなり派手《はで》に管理官とやり合ってくれたよ」

「じゃあ、もし、久永専務犯人説が覆れば、宮田さんは株を上げるわけだ？」

「まあ、そういうことになるかな。管理官の方は面目丸潰《まるつぶ》れだがな」

「それをあんたがやれば、大きな得点になるんじゃないのか？」

鴻野の声に、猜疑《さいぎ》心が混じった。

「どういうことだ？　おまえは、警察が描いた絵を覆せるってのか？」

「もしかすると」

「マジか？」

「だが、それには、もっと情報が必要だ」

「情報が必要なのは、お互い様だ。バーターだっつったろが」

「現時点では、バックできるような情報はない。ビデオテープのことを調べて教えてくれ。あんたに損はさせない」

しばらく、利害得失を計算しているような間があった。

「……いいだろう。長い付き合いだし、ダメもとで乗ってやる。テープの映像に、不自然なところがなかったか、細工した可能性がないかということだな？」

「ああ。よろしく頼む。こちらでも、何かわかったら、すぐに電話する」

「ふん」

ぷつりと通話が切れた。

径は、腕組みをして考え込んだ。

ハゲコウは、一応、コウノトリの仲間だけあって、真相という名の赤ん坊を運んできたのだろうか。それとも、そこはハゲコウだけに、死産した赤ん坊の遺骸にすぎなかったのか。

これまでの調査で、密室に出入りできたのは、廊下に面した三つのドアのいずれかしかないことが判明した。だが、犯行時、ドアは三つともカメラの監視下に置かれていた。だとすれば、犯人は、監視カメラを欺く何らかのトリックを弄《ろう》したはずである。

だが、忘れてならないのは、カメラの映像は、警備員の目によるチェックを経てビデオに録画されていたということだ。つまり、人の目か機械か、いずれか一方を騙《だま》せばいいという状況ではないのだ。人間も機械も固有の弱点を持つが、両方となると、互いの短所を補い合うため、とたんにハードルが高くなる。

だが、もし、監視カメラで撮影した映像を、何らかの方法でダミーの映像と入れ替えられたとすれば……。入り口で映像を偽造すれば、出口では、人間と機械の両方を同時に騙すことができる。

問題は、具体的な方法だが、最初に思いついたのは、監視カメラの配線をジャックするというものだった。

必要なのは、ビルの配管の途中にある、人目に付かないデッドスペースだ。夜間、録画が止まっている間なら、誰にも気づかれずに配線をカットすることができる。そこに、スイッチを介してビデオデッキを接続しておき、いつでも、カメラからの映像をビデオデッキのものに切り替えられるようにしておく。その一方で、撮影済みのビデオの中から誰も映っていない廊下の映像を選んで、テープにダビングしておく。もちろん、天候や時間帯によって明るさや光線の角度が異なることに、留意しなければならない。

そして、犯行直前にスイッチを切り替え、ビデオデッキから、ダビングした無人の映像を流せば、犯人は大手を振って社長室に出入りできることになる。

だが、この方法の最大の欠点は、配線に決定的な証拠を残してしまうことである。ワニ口や布団針でケーブルの被覆に穴を開けるだけでは、不充分なのだ。監視カメラからの映像をカットしなくてはならないため、どうしても、どこかでケーブルを切断する必要がある。しかも、犯行後に、リモコンスイッチで接続を元に戻したとしても、とうてい機器を処分する余裕はないから、結局は、すべての機器が遺留品として残ることになる。

ハゲコウは、ケーブルは無傷だと明言していた。

ビルの一階から十二階までケーブルを配管に通すのは、容易な作業ではないし、引き抜くだけでも、大仕事だ。犯人が、事後に新しいケーブルに入れ替えたとは、まず考えられない。

つまり、この方法ではなかったのだ。

となると、映像をすり替える方法は、一つしか残っていない。

そして、それはそのまま、犯人ないし共犯者の名前を指し示している。

だが、どうも納得できない。どうしても割り切れない部分が、いくつか残るのだ。本当に、それが真相なのだろうか。

径は、警報装置をONにすると、戸締まりをして店を出た。

一ブロック先のビルの半地下に降りると、『クリップジョイント』という真鍮《しんちゆう》製の看板の下にある、スイング・ドアを開けて入る。

グラスを拭《ふ》いていたバーテンダーの蔭山《かげやま》が、こちらを見た。

「径さん。いらっしゃい」

「暇そうだな」

「不景気ですから」

十人以上座れる長いカウンターには、常連客が二人いただけだった。椅子席は空である。

「ちょっと、撞《つ》いてもいいかな」

「どうぞ。空いてますよ」

径は、常連客に会釈して、奥にあるビリヤード・テーブルに陣取った。九個のボールをフット・スポットに合わせてラックすると、壁に掛かっているキューを取り、タップにチョークを塗る。

何も言わなくても、蔭山は、タンブラーに角氷とオールド・グランド・ダッドを注ぎ、チェイサーと一緒に、ビリヤード台の脇に置く。

径は、バーボンを一口含むと、力を込めて、ブレイク・ショットを放った。

九つの色とりどりのボールは、派手な音を立てて弾《はじ》け飛んだ。

一見すると、無秩序な混乱状態に見えるボールの動きは、すべて、幾何学的な法則に基づいている。見守るうちに、混沌《こんとん》とした思考が、しだいに整理されてくるような気がした。

もう一度、出発点に戻って、事件について考えてみよう。可能性がないと思われるものを順に切り捨てていくと、たった一つの方法しか残らなかった。だが、それも、かなり疑わしい。少なくとも、直感では、それが正解とは思えない。

九個のボールは、テーブルの上に散らばり、オレンジ色の五番ボールがポケットインした。幸先《さいさき》はいい。残った手球の位置も、悪くはなかった。径は、テーブルの反対側に回って、黄色い一番ボールに狙いを付ける。

今までは、あまりにも性急に、真相を見つけようとしすぎていたのかもしれない。先入観なしに、事件を眺めてみると、どうなるだろうか。

黄色いボールは、角ポケットぎりぎりの位置に留《とど》まっていた。手球の勢いを殺《そ》いだ殺し球《キル・ショット》を打つ。もくろみ通り、的球をポケットに落とした手球は、その位置で止まった。

キューにチョークを塗りながら、考える。

もしかすると、犯人も、意図的に殺し球《キル・ショット》を使ったのかもしれない。

穎原社長の殺害で、特徴的な点の一つに、打撃がかなり弱かったことが挙げられる。

犯人が、すべてを計算して犯行に及んでいるとすれば、この点も、計画の一部ということになる。

おそらく、打撃の弱さは、偶然の産物ではなく、必然の結果だったのだ。

だが、それが何かということになると、現時点では見当もつかなかったが。

径は、バーボンを一口嚥下《えんか》して、焼けるような喉越《のどご》しを楽しんでから、次の球に照準を合わせた。

青い二番ボールも、造作なく落とす。だが、手球の勢いに誤算があり、難しいポジションに入ってしまった。狙うのは、赤い三番ボールだが、その前には、三個のボールの壁が立ちはだかっている。二、三回、空クッションを入れても、うまく当たりそうにない。

三番ボールは、密室に守られているかのようだった。

径は、ジャンプ・ショットを試みることに決めた。左手のブリッジを高くして、思いきって手球の上を撞く。手球は跳ね上がり、障壁の上を越えた。横目で見ていた常連客の一人が拍手をしかけたが、残念ながら三番ボールには当たらない。ファウルだ。

一人撞きなので、手球を元のポジションに戻してもいいのだが、一人二役で、プレイヤーが入れ替わったことにする。相手のファウルで交替した後は、手球を好きな場所に置いてかまわないのだ。

径は、手球を『密室』の内側、三番ボールを狙える絶好の位置に置いた。

ふと、純子の声がよみがえる。

ルピナスⅤには、ルピナスⅤにできることをさせたんじゃないかって、思うんだけど。

……そうやって考えてみると、ルピナスⅤにできるのは、やっぱり、穎原社長の身体を運搬することでしょう。

犯人は、手球ではなく、的球である穎原社長の身体を、好きな位置に置くことができた。

もしかすると、そこに、この密室を解く鍵《かぎ》が潜んでいるのだろうか。

径は、三番と四番のボールを難なく落とした。五番は、ブレイク・ショットで消えている。次は、緑色の六番ボールだった。

見えない《インビジブル・グリーン》緑色の球は、緑色のクロスの上では、最も見えにくい。

保護色。カメレオン。消える魔球。

ありえない。径は、首を振ると、六番ボールを落とした。

犯人は、やはり、監視カメラの裏をかいて侵入したとしか考えられない。

だが……。

七番の赤紫色の球は、径の身長では、ビリヤード台いっぱいに乗り出しても、うまく狙うことができなかった。壁から、長い柄のついたメカニカル・ブリッジを取り、キューを載せる。

もし、遠隔殺人の可能性があるとしたら、犯人は、メカニカル・ブリッジとキューのような長い腕を持っていたことになる。その役目を担ったのは、たぶん、介護ロボットしかないだろう。

キューの尻《しり》をつまんで、軽くショットすると、七番ボールも消えた。

その場合、犯人が使った手球、すなわち凶器は、いったい何だったのだろうか。

穎原社長を撲殺した、見えないハンマーの正体は。

八番の黒球と、九番のツートンカラーの球は、うまい具合に、角ポケットの手前に重な

って いた。

英語でデッド・コンボ、日本語では即死コンビネーションと呼ばれる状態で、八番の球に軽く当てるだけで、九番の球を落とすことができる。難なく取って、もう一ゲーム撞こうかと思ったとき、尻ポケットの携帯電話が鳴った。

店に電話が入ったという報《しら》せだった。ファックス兼用なので、転送できないのが、不便でしかたがない。

携帯から店に掛けてみると、留守電のメッセージはなかった。どうやら、ファックスが来たようだ。

径は、バーボンを飲み干すと、つけておいてくれと言い置いて、プールバーを出た。

店の鍵を開けて、警報装置を解除したときに、事務所の電話が鳴った。

「はい。F&Fセキュリティ・サービスです」

「榎本さん？　ファックス見てくれた？」

純子の声だった。

「今、帰ってきたとこなんです。ちょっと、待ってください」

径は、ファクシミリの吐き出した紙を取り上げた。

何だ、これは。

なにやら、漫画チックなイラストが描かれているようだ。発信者は、レスキュー法律事務所となっている。

イラストは、新聞漫画のように、四コマに分かれていた。ある年代を境に、大半の女性が漫画風の絵を描けるのは知っていたが、それにしても達者なタッチだった。とても弁護士とは思えない。

径は、図解を見て、衝撃を受けた。

……こんな、単純な方法があったのか。

なぜ、気がつかなかったのだろう。たしかに、このやり方なら、ルピナスVを使って頴原社長を殺害できたかもしれない。

こんなトリックは専門外だとはいえ、すべての可能性を網羅したつもりでいながら、迂《う》闊《かつ》だった。発想の転換ができなかったために、すっぽりと抜け落ちていた部分があったのだ。

「……もしもし。たった今、見ました」

「わたし、やっとトリックがわかったと思うの。さっき、ふとしたことで、偶然、手掛かりを得られたんです」

いったい、どんな幸運に恵まれたのだろうか。

「お見事です」

径は、脱帽するしかなかった。

「ありがとう」

「まだ、どこからルピナスVを操縦したのかなど、詰めるべき点は多々残っていますが、有力な仮説だと思います。ただ……」

「ただ？」

「現実に可能だったかどうかは、実験してみなければわかりません」

「ええ。明日、岩切さんに電話して、実験に協力してもらおうと思ってるの」

「その実験ですが、現場で、実物を使ってやらなければ、意味がありませんよ」

「そうか……」

純子は、考え込むような声になった。

「つまり、穎原さんの了解を得られなければ、実験は無理ということね」

「もし、穎原が犯人だとしても、実験の詳しい内容を伏せておけば、協力は断らないと思いますよ。そんなことをすれば、自分が疑われますし。それに、いまさら、証拠の隠滅も不可能でしょう」

「わかりました。午前中に手はずを整えて、できれば、明日中に実験をさせてもらいます。榎本さんも、立ち会ってもらえますよね？」

「ええ、ぜひ」

電話を切ると、径は、バカラのタンブラーに角氷を入れて、祝杯用にとっておいた、エライジャ・クレイグ18年・シングルバレルをたっぷりと注いだ。

これが正解だったら、潔く負けを認めるしかない。径は、グラスのバーボンを一気に飲み干した。

6 実験

大勢の視線が集中している。その中には犯人の目もあるかもしれないと思うと、胃が締めつけられるような緊張に襲われた。初めて法廷に立ったときでも、これほどのプレッシャーは感じなかった。

だが、これはチャンスだ。衆人環視の中で密室殺人のトリックを解き明かしたときに、犯人がどういう反応を示すかは、見ものである。これから攻勢に立つのは、こちらの方なのだ。

「では、これから実験を始めます。岩切さん、よろしくお願いします」

コントローラーを手にした岩切が当惑顔でうなずき、ルピナスVを起動した。

起動メッセージとともに、社長室の中にモーター音が響き始める。

「ええと、ちょっと待っていただけますか。この実験の趣旨が、いまいちよくわからんのですが」

小倉課長が、当惑した様子で尋ねた。後ろに居並ぶ穎原新社長以下、重役連の意を受けているのだろう。

「目的と内容を先に説明してもらいたいね。そうでないと、実験が成功したのか、失敗したのかが、よくわからん」

藤掛からも、苦言が出た。

「わかりました」

純子はうなずいた。当初は、社長室を使用する許可を取り付けて、ひっそり実験を行う予定だったのだが、妙な成り行きで、大げさなことになってしまった。三人の秘書を加えると、ベイリーフ側の人間だけで十人が成り行きを注視している。今村は藤掛に取り込まれてしまったし、こちらサイドの人間といえそうなのは、榎本だけだった。だが、その榎本も、一人離れた場所に立って、我関せずという態度で本棚の本をめくっている。

だが、名探偵は、いつも一人である。純子は自らを奮い立たせた。

「ご承知の通り、穎原昭造社長が殺害されたとき、現場は密室状態でした。監視カメラに映らずに、ここ、社長室に入れたのは、専務室におられた久永さんだけでした。そのために、警察は、久永さんを容疑者として……」

「前置きはいい。そんなことは、みなさん、よくわかっている」

藤掛が、いらいらした様子で遮った。

「わかりました。わたしたちは、専門家の助力を得て、社長室に侵入する方法を調べましたが、残念ながら、発見には至りませんでした。しかし、その過程で、別の仮説が浮上してきたのです。つまり、犯人が、社長室へは入らないまま、遠隔殺人を行ったという可能性です」

聴衆がざわついた。

「それに使われたんが、うちのロボットいうことでっか？」

痰《たん》の絡んだ声で言ったのは、楠木会長だった。ベイリーフは、もともとは、穎原昭造が設立したエバラ玩具というおもちゃメーカーだったが、楠木が社長をしていたクスノキ介護サービスという会社を買収することにより、介護ビジネスに参入したものらしい。楠木は、現在では、実権を持たないお飾りの会長職に甘んじている。

「その可能性は、無視できないと思います。ルピナスVは、ベイリーフのシンボル的な存在として、ずっと社長室に置かれていましたから……」

「いや、待ってください！」

岩切が、憤然として叫んだ。

「ラボに来られたとき、その可能性はないとご説明したはずですが？」

「ええ。おっしゃったことは、もっともだと思います。ただ、そこには、抜け穴があったのではないかと」

「そもそも、遠隔殺人と言われるが、犯人はルピナスVをどこから操縦したんですか？今やっとるように目視せんかぎり、操縦は不可能ですよ？」

「それに関しては、まだ確定的なことはいえませんが、方法はあったと考えます」

「具体的には、どういうことですか？」

岩切は食い下がった。

「まず、ルピナスVのモニターに付属しているウェブカメラから、インターネットを経由して映像をモニターしたという可能性があります。さらに、この部屋のどこかに盗撮カメラを仕掛けておいて、映像を無線で飛ばしたのかもしれません」

「それだと、どちらにしても、あとに機材が残るじゃないですか？」

「そうだな。犯人には、そんなものを始末する時間はなかったはずだし」

藤掛が言う。今村は、難しい顔でじっと腕組みしていた。

「はたして、そうでしょうか」

純子は、穎原新社長の方をちらりと見た。

「たとえばの話ですが、社長の遺体を発見された後、穎原さんは、約二分間、社長室の中に一人でおられました。この間に機材を回収することは、可能だったんじゃないでしょうか？」

「な、何を言うんですか、君？　しゃ、社長に対して……！」

小倉課長が、血相を変えて怒鳴った。なかば、声が裏返っている。

「青砥君。何の証拠もないのに、失礼だろう。撤回したまえ」

藤掛も、これまでに聞いたことのないような不穏な声で迫る。穎原新社長だけは、まったく表情を変えていなかった。

純子は、いったん口をつぐんだ。今の時点ではまだ、穎原を犯人として告発するだけの材料は揃っていないのだ。

「……ルピナスVを外部から操縦する方法は、ほかにも考えられます」

部屋の隅から、榎本の穏やかな声が響く。全員の注目が、純子から榎本に移った。

「たとえば、どういうことですか？」

藤掛が、鋭い声で訊《たず》ねる。

「犯人は、ゴンドラに乗って、窓の外から部屋を覗《のぞ》き込んでいたのかもしれません」

「ゴンドラ？　清掃用のか？」

「ちょっと待ってください。そのときは、ちょうど、窓拭《まどふ》きに使ってたんじゃないんですか？」

「そんなもん、素人に使えまんのか？」

藤掛と今村、楠木会長から、矢継ぎ早に疑問が放たれたが、榎本は聖徳太子のように落ち着きはらっていた。

「死亡推定時刻は十二時五十五分から一時十五分まで、窓の清掃を開始したのは一時前後ということですが、どちらも正確な時間ではありませんから、ぎりぎり、犯人が使用できた可能性はあります。また、台車とゴンドラは、ふだん屋上に出しっぱなしですから、給電ボックスの鍵《かぎ》があれば、すぐに動かせます。ゴンドラで使うのは上下左右に動かす四つのボタンだけなので、素人でも操作は難しくありません」

沈黙が訪れた。

「馬鹿な。無理がありすぎるだろう」

藤掛が、苦々しげな声で呟《つぶや》いた。

あながち難癖とはいえない。死亡推定時刻や清掃を開始した時間を多少動かせたとしても、あまりにも余裕がなさすぎる。万一、清掃にやってきた連中と鉢合わせをしたら、それで終わりではないか。こんなストーリーでは、とても法廷には持ち出せない。

「可能性ということだけで言えば、隣のビルの屋上から、望遠レンズで覗いていたとも考えられます。それが可能なのは、空気銃による狙撃《そげき》事件があったことでもおわかりだと思いますが」

榎本が言うと、ベイリーフの重役陣は顔を見合わせた。どこから機密が漏れたのか考えているようだ。漏洩《ろうえい》元である河村忍は、落ち着かない様子で目を伏せている。

榎本の説は、狙撃事件というでっち上げを逆手に取った、完全な嘘っぱちだった。事件当時、社長室の窓にはレースのカーテンが下りており、窓ガラスはかなり汚れていたはずである。室内の様子が見えたとは、とても思えない。

だが、榎本説には明確な反証が難しかったのか、それ以上、反論の声は上がらなかった。

「……わかりました。室外から操縦できた可能性はあるとしましょう。しかしですな、昨日お話ししたとおり、ルピナスVには、セイフティ・プログラムが備わっとります。殺人など、とうてい不可能ですよ」

岩切が言う。ここに集っている人間には、ルピナスVの性能は常識に属するらしく、誰からも質問は出なかった。

「セイフティ・プログラムは、非常によく考えられているものだと思います。通常の事故に関しては、まず、ありえないでしょう。しかし、使用者の悪意までは、想定していなかったはずです」

純子は仮眠用のカウチを指し示した。岩切の研究室から持ってきてもらったクラッシュ・ダミーが横たえられ、穎原社長がそうしていたように毛布が掛けられていた。

「プログラムの制約により、ルピナスVは、抱えている人間を落下させたり、何かに衝突させたりすることはできません。しかし、実は、そこに盲点があったんです」

純子は、盲点とは何だという突っ込みを待ち受けたが、誰も何も言わなかった。

「岩切さん。ルピナスVでダミー人形を抱え上げてみてください」

岩切は黙ってプロポを操り、介護ロボットを前進させた。二本のアームがダミーの身体の下に入り、ゆっくりとリフトする。

毛布は、ダミーが持ち上がるにつれて徐々にずれていき、ついには床の上に滑り落ちた。

「ご覧になったとおりです」

「君は何を言ってるんだ？」

藤掛が、とうとう苛立《いらだ》ちを露《あら》わにした。

「今見たのが、いったい何だ？　ただ、介護ロボットで人形を持ち上げただけだろう？」

「毛布です」

「毛布？」

「毛布が落下しました。これが、トリックです」

「わけのわからんことを……」

純子は、ちらりと頴原の方を見た。表情に変化はないが、眼光は鋭さを増しているようだ。

「コンピューター・プログラムは、どんなによくできたものでも、人間が見ているのとは違います。プログラムは、あらかじめ指定されたことにしか注意を向けません。これが人間であったら、毛布が落ちそうになれば、止めようとするでしょう。しかし、ルピナスVは、まったく関心を示さなかった。なぜなら、セイフティ・プログラムの対象となるのは、あくまでも抱え上げている本体だけだからです」

頴原の目に、驚きの色が浮かんだ。とても、犯行を暴かれつつある人間の表情には見えない。どういうことだろう。純子は訝《いぶか》しんだ。この男は犯人ではないのか。

「具体的に言ってくれ。犯人は、どうやって、頴原社長を殺害したんだ？」

今村が言う。

「ダミー人形を、カウチに戻していただけますか？」

純子の求めに応じて、岩切がプロポを操作する。ルピナスVは、さっきの動作を逆回しをするようになぞった。毛布は床に落ちたままだったが、ダミーは元通りの状態になった。

「事件当時、頴原社長は、このようにカウチに寝ていました。犯人は、ルピナスVを使って、社長の身体だけではなく、カウチごと持ち上げさせたんです」

聴衆はざわめいた。

「そんなことができるのか?」

今村が訊《き》く。

「ええ。ルピナスVが持ち上げられる重さは、300kgです。一方、穎原社長の体重は70kg弱で、カウチの重さはせいぜい40kgくらいだから……」

そのときふと、疑問が浮かんだ。なぜ、ルピナスVは、300kgもリフト可能なように作ってあるのだろう。安全性を見込んだとしても、一般的な介護の現場であれば、その半分でも充分なマージンがあるはずだ。しかし、思考の泡沫《ほうまつ》は、論戦の殺気立った雰囲気の中で消え去ってしまう。

「カウチごと持ち上げたら、どうだというんだ? だいたい……」

藤掛は、はっとしたように言葉を切った。ようやく、理解が及んだらしい。

「もし、ルピナスVがカウチごと穎原社長を持ち上げたとしたら、セイフティ・プログラムによって保護すべき対象は、社長の身体ではなくカウチの方です。ですから、その上から付属物が滑り落ちたとしても、プログラムは一顧だにしないでしょう」

再び、沈黙が訪れたが、さっきまでとは違い、空気は張りつめている。

「ルピナスVは、持ち上げた物体を、三方向に、二、三十度まで傾けることが可能です。カウチごと社長の身体をリフトし、部屋の中央まで運搬してから、ガラステーブルの真上でカウチを傾ければ、穎原社長は滑り落ちて、頭頂部に近い位置を強打することになります」

ルピナスVは、最高160㎝まで対象物を持ち上げることができる。それに、カウチの座面の高さ、約40㎝がプラスされるため、穎原社長の身体を200㎝の高さから落下させることができることになる。ガラステーブルの高さは45㎝だから、差し引きで155㎝だ。頭部の手術創を考えると、脳出血で死亡してもおかしくないだろう。

いや、おかしくないどころではない。血痕《けっこん》が付いたとき、穎原社長が頭を下にしていたという鑑定結果や、打撃がさほど強くなかったという点にも、ぴったりと符合するのだ。

「岩切さん。ダミー人形を、カウチごと持ち上げてみていただけますか？」

だが、岩切は動かなかった。

「岩切さん？」

まさか、彼が犯人だったのか。純子は一瞬、そう思いかけた。

「それは、無理です」

岩切は溜め息《たいき》混じりに言う。

「無理？　どうしてですか？　重量的には、かなり余裕があるはずでしょう？」

「最初に、実験内容を教えていただけとれば、お答えできたんですが。……しかし、ここまでお膳立《ぜんだ》てしたんなら、言葉で説明するより、実際に見てもらった方が早いでしょうな」

岩切は、親指の腹でプロポのジョイスティックを動かした。ルピナスVはカウチに近づく。

「いったん正面からリフトして、カウチを引き出し、後ろに回って、もう一度持ち上げて下さい。正面からだと、ダミー人形を落とせませんから」

「わかりました。一応、やってみますが……」

ルピナスは、ゆっくりとアームを下ろし、カウチの底部に差し込む。

社長室にいる全員が、固唾《かたず》を呑《の》んで見守っていた。アームが深く差し込まれ、今にもリフトするかと思われた。

だが、期待に相違して、ルピナスVの動きはそこで止まってしまった。

「どうしたんですか？」

純子の質問に答えたのは、岩切ではなくルピナスVだった。

「リフト不能。エラーNo.2です。リフト不能。エラーNo.2……」

柔らかな女性の声が響きわたる。

「どういうことだ？　なぜ、持ち上げられない？」

全員の疑問を代表して、穎原が訊《たず》ねる。

「奥行きの問題です」

岩切が説明した。

「ルピナスVのアームには、先端にセンサー付きのガイドがあります。これが返って、対象物をしっかりと保持しないかぎり、リフトの体勢には入れません。したがって、リフトできるのは、せいぜい奥行きが70㎝までの物体ですが、このカウチは、どう見ても90㎝以上ありますから、とても無理です」

予想もしていなかった無惨な敗北に、純子は茫然《ぼうぜん》自失した。

そんな馬鹿な。だったら、犯人は、どうやって密室殺人を行ったのか。

追いつめられた気持ちで、部屋の中を見回す。そうだ。何もカウチとはかぎらないではないか。

「待ってください」

純子は必死に考えをまとめようとした。

「カウチは無理だったとしても、台になる物体であれば何でもかまわないはずです。こうは考えられないでしょうか？　犯人は、ルピナスVを使って、いったん穎原社長の身体を別の物体の上に移し、今度は、その物体ごと持ち上げた……」

だが、そんな都合のいい物体は、何一つ目に入ってこなかった。いや、唯一の例外は……。

「この、ガラステーブルはどうですか？　凶器だとばかり思っていたので、これこそ盲点に入っていたかもしれません。穎原社長の身体をガラステーブルの上に載せて持ち上げ、別の場所に落としたとすれば？」

純子の目は、今度は硬く平べったい物体を探したが、何も見つからなかった。

「もう、やめましょう」

榎本が、純子の横に来て囁《ささや》いた。

「残念ながら、実験は失敗です。ここは、捲土重来《けんどちようらい》を期しましょう」

「でも」

「ガラステーブルを台に使ったとは思えません。ぴかぴかに磨かれたガラスに穎原社長の身体を横たえれば、必ず、何らかの痕跡《こんせき》が残るはずです。鑑識は、頭部から付着したと思われる微量の血痕以外、何も見つけていません」

「血痕だけ残して、拭《ふ》き取ったとしたら？」

反問しながら、純子は、社長の身体をガラステーブルから落とした場合、血痕が付いていることに説明がつかないと気がついた。

「それができたとすれば、穎原新社長だけでしょうが、わずか一、二分となると非常に難しいと思います」

榎本は淡々と言う。

「しかも、ガラステーブルを台に使ったなら、今度は、凶器が何かということになります。ここは、いったん退却しましょう。これ以上押しても、得るものは何もありません」

純子は、悔しさに唇を噛《か》んだが、溜め息とともに負けを認めた。

「わかったわ……」

名探偵気取りになっていた自分が、たまらなく恥ずかしい。ぞろぞろと部屋を出て行く男たちが、露骨な嘲《あざけ》りの視線を向けているような気がする。せめて赤面だけはしないよう、必死に闘志と怒りを掻《か》き立てた。

重役連中が去ったあと、気の毒そうな顔をしている岩切に対し、協力への感謝とルピナスVを疑ったことの詫《わ》びを言い、純子と榎本は社長室を出た。

「青砥先生」

暫定的に新社長の秘書になった伊藤さんが、廊下で待っていた。

「ご迷惑をおかけしました」

純子は頭を下げる。

「とんでもありません。……社長が役員会議室でお待ちしております。お話ししたいことがあると申しておりますので」

何だろう。純子と榎本は、目を見合わせた。

「どうぞ。お二人ともだそうですので」

伊藤さんに先導され、二人は、役員会議室に入った。

「お掛けください」

穎原新社長は、立ったまま、コの字形のテーブルの椅子を指し示した。

「先ほどは、お見苦しいところをお目にかけました」

純子は、頭を下げた。

「いや。鋭い着眼点には感服しました」

穎原は、純子の告発を根に持ってはいないかのように微笑した。

「それで、お話というのは?」

純子は、弁護団から下りてくれという要請を予期し、反論を準備した。だが、穎原の口から出てきたのは、意外な言葉だった。

「青砥先生は、久永が無実であると、確信されてるんですか?」

「はい。みなさんは、はなから有罪と決めつけておられるようですが」

「無実だという根拠は、いったい何でしょうか?」

純子は、忍から聞いた毛布の一件について説明した。

「なるほど。……しかし、それだけでは」

「では、指紋はどうでしょうか?」

それまで黙っていた榎本が、専務室のドアノブに秘書の指紋だけが残っていたことを暴露する。

その間、純子は、穎原の表情を窺《うかが》っていた。犯人であれば、必ず表情に出るはずだと思う。だが、穎原の顔に顕《あらわ》れたのは、またしても純粋な驚きだった。

「穎原さんは、今でも、久永さんが犯人だと思われますか?」

純子が訊ねると、穎原は、しばらく迷ってから答えた。

「正直に言いますが、よくわからなくなってきました」

穎原の真意を測りかねて、純子は疑いの視線を向けた。

「私は、義父から受け継いだこの会社を、守り育てていかなければなりません。ですから、もし、久永が義父を殺害したのなら、心神喪失の線に持っていきたかったのは事実です。その場合、会社の被るダメージも最小限ですし、上場も取りやめずにすむでしょう」

穎原の声音からは、今まで聞いたことのなかったような率直さが感じられた。

「だが、もし久永が犯人でないのなら、何としても、真犯人を見つけなければなりません。これは、経済ではなく、正義の問題です」

純子は穎原の顔を凝視したが、演技には見えなかった。

「申し上げたかったのは、藤掛さんの弁護方針とは別に、真犯人を捜す努力には最大限の協力をする用意があるということです」

「……それは、たいへんありがたいお申し出ですが」

純子のまなざしに疑惑を感じたのか、穎原はにやりと笑った。

「もちろん、私自身も嫌疑の対象外ではないことは、承知しています。だからこそ、身の潔白を示しておきたいんです。その方が、お互い時間の節約になるでしょう」

「証明できるんですか？」

「ええ。まず、私には動機がありません」

「そうでしょうか？　こう言っては失礼ですが、前社長の死去によって、この会社を引き継がれたわけですから、最大の受益者という見方もできますよ」

怒らせることを覚悟して言ったのだが、穎原は動じなかった。

「義父は、昨年、開頭手術をしています。未破裂動脈瘤《みはれつどうみやくりゆう》の結紮《けつさつ》という名目でしたが、本当の病名は、脳腫瘍《のうしゆよう》でした」

純子は、衝撃を受けた。

「本当ですか？」

「病院へ行って調べてもらえばわかりますよ。なんなら、カルテを開示する承諾書を出しましょう」

「そのことをお知りになったのは、いつですか？」

「手術の前です。義父に代わって告知を受けたのは、私ですから。しかも、残念なことに、脳腫瘍のできていた部位が悪かったために、完全には摘出できませんでした」

「じゃあ……？」

「義父は、余命一年以内と宣告されていたんです」

たしかに、それだけの期間を待てずに、人生を棒に振る危険を冒すとは思えなかった。動機に関するかぎり、穎原雅樹の容疑は大幅に後退したことを認めざるを得ない。

「事件のあった日、外出されていますが、どこへ行かれてたんですか？」

榎本が訊《たず》ねる。

「人と会っていました」

「相手を明かすことはできますか？」

「ええ。アメリカの投資会社の人間です」

穎原は一枚の名刺を出し、純子に手渡した。グラッタン・キャピタル東京支店長、アンドリュー・サルクスとある。

「年末の日曜日に、わざわざお会いになるんですね？」

「内密の話だったんで、その方が、お互いに都合がよかったんですよ」

「場所はどこですか？」

「帝国ホテルのロビーです」

ホテルの従業員は誰も確認できなくても、会談の相手さえ証言すれば、穎原雅樹はシロということになるだろう。

アリバイは、まず完璧《かんぺき》と言わざるを得なかった。


テニスシューズの底が軋《きし》んだ。

短いテイクバックから、鋭い軌道でラケットを振り下ろす。

強打されてひしゃげたゴムボールは、時速200km近いスピードで正面の壁に激突すると、跳ね返って、背後にある強化ガラスの壁にぶつかった。

振り返りざま、テニススイングですくい上げたボールは、左、そして右の壁にバウンドした。

体勢を整え、再び正面の壁に向けてスマッシュ。

純子の気迫溢《あふ》れるプレイに、ガラスの向こうでは、数人のギャラリーができていた。

今回のことは、運が悪かっただけだと思う。

自分としては、まず、実験して確かめたかった。だが、妙な成り行きから、実験の場が即、法廷になってしまったのだ。

まさか、カウチの底が広すぎて介護ロボットに持ち上げられないとは、いったい誰に予想できただろう。

それにしても、腹が煮える。

どいつもこいつも、敵ばかりだ。藤掛は、ベイリーフの顧問弁護士だからしかたがないにしても、今村のあの態度は、いったい何だろう。

事務所を立ち上げたときに滔々《とうとう》と語った理想、強大な力に踏みにじられている弱い人間の、声なき声を代弁したいというのは、単なるセールストークだったのか。

目の前に、ブルーのゴムボールがふわりと浮いた。力いっぱい強打して、壁に跳ね返ったボールを、ボクサーのようにダッキングしてやり過ごす。ギャラリーから、どよめきが起きた。

後ろを見ると、数人の男たちが阿呆面《あほうづら》をして、こちらを眺めていた。その姿が、社長室に雁首《がんくび》を並べていた連中の姿にだぶった。

純子は、壁にツーバウンドしたボールを、ギャラリーに向けて力いっぱいスマッシュした。

どんという音がして、強化ガラスのシールドが揺れた。文字通り跳び上がった男たちを見て、少し気分が晴れる。

三十分間暴れ回って、ようやく鬱憤《うっぷん》を吐き出した感じがした。ラケットボールは、単位時間あたり、テニスの倍のカロリーを消費する。久しぶりだったので、膝《ひざ》ががくがくした。アイガードを外すと、汗が顔を流れ落ちた。

ジムのシャワーを浴びると、怒りはすっきりと消えたようだった。だが、今度は、際限なく落ち込んでいきそうな予感があった。今日受けた心の傷は、思ったより深かったようだ。

しかたがない。ここは、さらなる癒《いや》しが必要なようだ。

こんなとき、恋人がいれば、慰めてもらえるのにと思う。最初にラケットボールをした相手が今村だったことを思い出して、少し辛《つら》くなった。お互い、プライベートではパートナーになれないという結論を出して別れてからは、半年以上継続して付き合った相手はいなかった。

問題は、自分がダメ男にしか出会わないことではない。ダメであることが、最初から見えてしまうという点だった。それに、今から考えると、彼らにしても、世間的な標準からすれば、それほどダメではなかったのかもしれない。今さらそんなふうに思ってみたところで、しかたがないが。

予約はしてなかったが、エステは個室が空いていた。

前に行ったところでは、最悪の経験をした。大部屋がパーティションで仕切られているだけなので、隣の客の声が丸聞こえだったのだ。エステに来たときくらい、静かにしていればいいと思うのだが、エステティシャンに向かって、ずっと喋《しゃべ》り続けている若い女がいた。大企業のOLらしかったのだが、背中の開いたウェディングドレスを着るために、胸元と背中のコースを申し込んだということだった。際限なく続く無駄口は、結婚相手の容姿と年収の自慢になり、逃げ場のない状態で、延々と傍聴させられた純子は、かえってストレスが溜《た》まってしまったものだった。

純子は、フルコースを申し込み、もう一度シャワーを浴びてから、全裸に紙の下着とガウンだけを羽織った姿で施術台に横たわった。

ふつうのOLより多少は収入があるとはいえ、車のローンもあり、しょっちゅうエステに通う程の余裕はない。久しぶりに、エステティシャンの熟練した指先でフェイスマッサージを受けていると、徐々に、身体と心がほぐれてくる。

今村は、自分が通っている風俗店もエステと同じようなものだと嘯《うそぶ》いていた。それを聞いたときは、殺意に近い感情が芽生えたものだが、こうしてみると、案外、近いものがあるのかもしれないと思ってしまう。人を何よりも癒してくれるのは人の手である。純子にはレズの気はまったくなかったが、女性の指先ほど気持ちのいいものはないと、つくづく感心する。

それにしても、ストレス解消のための三点セット、すなわち、狂気のラケットボール一人打ちと、エステのフルコース、それに、リミッターを解除したチョコレート三昧《ざんまい》というのは、酒に溺《おぼ》れるよりましだとしても、身体をいたわっているのか壊しているのか微妙なところだ。特に、男から見ると、何をやっているのか、まったく意味不明だろう。

だが、そのくらいのことをしなくては、とても、こんなにストレスの多い仕事はやっていられない。弁護士ほど、世間に流布している恰好《かっこう》のいいイメージと実態のギャップが大きな職業はないのではないか。

この業界にいい男を求めてもダメだということは、とうの昔に思い知らされていた。かといって、仕事柄知り合うのは、刑事被告人ばかりである。

純子は深く溜め息をついた。

そのとき、なぜか穎原雅樹の顔が浮かんだ。

何考えてるのよ。既婚者じゃない。

いや、違う違う。そういう問題じゃない。純子は、あわてて自分の考えを打ち消した。

あの男は、もしかしたら、今度の事件の真犯人かもしれないのだ。

とはいえ、動機、機会のいずれもネガティブな上に、未確認ながらアリバイまである。個別に見ると、どれも疑問の余地がないわけではないが、やはり、現時点では、犯人とは考えにくかった。

それに、社長殺しを『正義の問題』と言い切った語調には、迫力があった。横柄で取っつきにくく、しかも冷たく見えるが、それなりに首尾一貫した人間であることは認めざるを得ない。

少なくとも、今村などよりは、ずっと芯《しん》がありそうだ。

もうひとり、気になる男がいないわけではない。

だが、どう考えても、こちらもNGだろう。独身らしいところは若干のプラス点だが、何を考えているかわからないという点では、穎原雅樹よりひどいかもしれない。

それに、証拠こそないが、おそらく、あれは泥棒だ。

覇気のないダメ男にばかりかかずらっていた反動で、危険な香りに惹《ひ》かれるのはしかたがないが、正真正銘デンジャラスな奴に引っかかってしまっては、洒落《しゃれ》にならない。

リズミカルに足裏を揉《も》まれるうちに、心地よさから眠気が襲ってきた。半眼になった目に、ナースのような服を着た若いエステティシャンがマッサージをしている姿が映る。

はっと目を開けて、純子は上半身を起こした。

「あ……痛かったですか？」

こちらの反応に驚いて、エステティシャンが、手を止めた。

「ううん。違うの。ちょっと、思い出したことがあって。どうぞ、続けてください」

笑顔で言うと、彼女は、安心したようにマッサージを再開した。

純子が驚いたのは、フェイスマッサージのときには、たしかに、いつも付いていてくれる女性だったはずなのに、いつの間にか、別人に入れ替わっていたことだった。

考えてみれば、パートによって得手不得手もあるだろうし、一人の客を一人で全部担当するとは、限らないのかもしれない。

エステティシャンは、みな同じ制服を着ているし、なぜか、店ごとに髪型やメイクまでそっくりなので、見間違えたとしても、何の不思議もなかった。

それなのに、なぜ、自分はあんなに驚いたのか。

うとうとしかけたときに、意識をよぎった考え……。

そうだ。思い出した。

どうやら、他のことを考えているときでさえ、意識の底には、ずっと密室の謎がわだかまっていたらしい。もしかすると、無意識の部分では、警察から渡された走り書きの表を見たときに、気づいていたのかもしれない。

だが、やっとわかった。

犯人は、あまりにも意外で、とても納得しがたいものがある。動機についても、今の段階では想像すらできない。

しかし、これなら、密室殺人は可能かもしれない。

いくらリラックスしようと努めても、いったん沸き起こった興奮を鎮めるのは、容易なことではなかった。

高層ホテルの窓ガラス越しに見る新宿《しんじゅく》の夜景は、新宿御苑《ぎょえん》の緑のおかげで、箱庭のように小ぎれいだった。

　バーの入り口に榎本の姿が見えたので、片手を挙げて合図する。

「遅くなりました」

「ううん。わたしも、今来たとこなの。何か、飲みます？」

　純子が飲んでいたのは、パイナップル付きのトロピカル・カクテルだった。榎本は、季節外れだと言いたそうな顔をしていたが、結局、ジントニックを注文した。

「榎本さんも、そんな恰好することがあるのね？」

　コートの下は、濃紺のブレザーに青いストライプの入ったボタンダウンのシャツ、青と銀のレジメンタル・タイ、グレイのスラックスという組み合わせだった。

「一応、アフター5ですから」

「てっきり、昨日着ていた背広が、榎本さんの正装かと思ったんだけど？」

　純子は、からかってみた。

「あれは、仕事着です。勝負服と言ってもいいですが」

「仕事着はわかるけど、勝負って何のこと？」

「動物を見ればわかりますが、ダークグレイは都市環境における保護色なんですよ。特に、夜間は、ヤモリのように目立ちません」

　一瞬、開いた口がふさがらなかった。

「あなたの本職については、訊《き》かない方がいいんでしょうね？」

「別に、かまいませんよ」

「もし聞かれたら、何て答えるの?」

「現実世界のハッカーとでも」

純子は、啜《すす》っていたトロピカル・カクテルを噴き出しそうになった。

「……何でもいいわ。わたしは、無実の依頼人を救えるのなら、悪魔とでも取引する主義ですから」

「えらい言われようですね」

ジントニックが来た。榎本は、口を付ける前に、慎重に香りをたしかめる。毒殺されかかった経験でもあるのだろうか。

「それより、もしデートのつもりだったんなら、悪いですけど……」

「わかってます。こんな服装で来たのは、むしろ目立たないためですから」

榎本は、ようやくジントニックを一口飲んだ。

「わざわざ来てもらったのは、例の密室のことなんだけど。わたしの推理について、意見を聞かせてもらいたくて」

榎本はうなずく。

「先ほど、ファックスを見せていただきました」

「あれだけでは、わからないと思うけど」

「そうですね。昨日のファックスは単純明快でしたが、今回は、説明していただかないと何とも言えません。ただ、考える方向としては、間違っていないんじゃないでしょうか」

「そうですか？」

「これまで、密室については蝨潰《しらみつぶ》しに方法を探ってきました。もはや、残されているのは、真犯人が監視カメラを欺いたという可能性だけだと思います」

「そう……やっぱり、そうよね」

純子は意を強くした。

「実は、同じ線で、つまり、監視カメラを騙《だま》したっていうことなんだけど、もうひとつ可能性を考えたの。これはちょっと、ありえないかなと思ったんですけど」

「お聞きしましょう」

「大きな写真を使うんです。そうね、小さくても、B0判ぐらいの……」

榎本は無表情だったが、黙ってグラスを干すと、お代わりをダブルで注文した。

「誰もいない廊下の映像というのは、ほとんど、静止画像と同じでしょう？　だったら、代わりに、写真が映っていても、見分けがつかないと思うのよ。監視カメラの解像度なんて、たかが知れてるし、テープも使い回しだから、かなり粒子は粗いでしょう？」

「そうですね。馬鹿げたアイデアに聞こえますが、写真のサイズが充分で、光の当たり方が不自然でなければ、普通のCCDカメラでは、写真だとは判別しづらいかもしれませんね」

「そう？　じゃあ、あながち、可能性がないわけでもない？」

「ただし、大きな問題が、ほんの四つだけあります」

榎本は、きわめて事務的に引導を渡した。

「第一に、写真をセットしたとすれば、犯行当日、廊下が無人になってからです。そのときはすでに、監視カメラは作動中ですから、写真を置くシーンが映ってしまいます。サンタクロースでもないかぎりは」

そのとき、榎本の表情に、奇妙な影がさざ波のように走った。

「……第二に、終始、写真だけを見ていれば、ごまかされるかもしれませんが、初めはライブの画像だったのが途中で写真になれば、映像の質感が明らかに変わります。あのやる気のない警備員でも、さすがに気づくでしょうし、警察がテープを見たときには、一目瞭然《いちもくりようぜん》です。第三に、犯行後、写真を撤去しようとする際にも、カメラが犯人の姿を捉《とら》えているはずです。最後に、それだけ大きな写真と固定用のフレームを、警察が来る前に処分しなければなりませんが……」

「もう、いいわ」

純子は、掌《て》で榎本を制した。

「たしかに、その四つのどれをとっても、致命的みたいね。わかりました。写真説は、潔く引っ込めます」

純子は、ショルダーバッグから、クリアホールダーを出した。中には、手書きの表が入っている。ここへ来る前に、榎本の店にファックスしたのと同じものだ。

「本当に意見を聞きたいと思ったのは、こっちの仮説なの」

榎本も、内ポケットから折りたたんだ紙を取り出した。

「これを思いついた最初のきっかけは、現場が密室だったという根拠について疑ってみたことなの。監視カメラの映像のような客観的な証拠だけではなくて、警察の言う死亡推定時刻によって縛られていた部分が大きいんじゃないかって思ったのよ」

榎本は、黙ってうなずいた。

「死亡推定時刻は、午後十二時五十五分から十三時十五分の間、二十分間ということね。現場が密室だったというのは、この時刻を元にしているわけ。でも、もしこの時間が、ほんの少し前に遡《さかのぼ》れるようなら、事情はまったく変わってくるでしょう？」

「死亡推定時刻に関しては、ほとんど知識がないんですが、警察の推定が間違っているということはありうるんですか？」

「今回、死亡後、わずか一、二時間で警察が到着しているわけだから、本来なら、死亡推定時刻は、かなり正確にわかるはずだと思うでしょう？　でも、そこに落とし穴があったのよ」

「どういうことですか？」

「死後、ある程度時間が経過した遺体の死亡時刻を、時間単位で推定するのは可能だけど、死後間もない遺体の死亡時刻を分単位で推定するというのは、まず無理なのね。死斑《しはん》や死後硬直などの現象や、胃の内容物の消化具合なども参考にならないし」

「体温の変化で、わからないんですか？」

「ええ。結局は、直腸内温度を計って決めるしかない。ところが、体温の低下は、冬場でもせいぜい一時間に一度程度なんです。その上、死後二、三時間くらいまでは体内がまだ熱平衡に達していないため、さらに低下が緩慢になるの。加えて、元々の体温にも個人差があるし、室温、着衣などの条件でも、微妙にぶれる可能性がある。午後十二時五十五分から十三時十五分の間というのは、実際には、関係者の証言から適当に決めた数字と言っていいのよ。……つまり、その関係者が嘘をついていれば、さらに二十分くらい違っていても、全然おかしくないということ」

照明が暗いので、細かい文字は読みにくいはずだ。お代わりのジントニックが運ばれてきたが、榎本はじっと目を凝らしている。純子も、手元にある表に目を落とした。

「……そもそも、この表に書かれている時刻は、正確なんですか？」

「一応警察が出してきた数字だから、正確なはずよ。ビデオテープには、秒単位の記録が残っているはずだから」

「ビデオそのものは、まだ確認されていないんですか？」

純子は首を振る。

「警察は、弁護士から請求があっても、手にした証拠は、なかなか開示しないのよ。ビデオテープの実物を見て確かめられるのは、担当検事が久永さんを起訴して、証拠調べ請求を行った後のことになると思う。被告の防御権とのバランスを考えると、不公平もいいところなんだけど……。このメモをもらうのにも、相当苦労させられたわ」

純子は、カクテルで喉《のど》を湿してから続けた。

「……三人の入退室の順序は、そこにあるとおりよ。最初に、河村忍が秘書室を出て専務室に入り、次に伊藤寛美が社長室に行く。それから松本さやかが副社長室に入り、河村が帰ってきた。今度は、伊藤が戻ってから、河村はもう一度専務室へ行った。それから、松本、河村の順で出てきたわけね」

榎本は、穴が開くほど表を見つめている。

「どう思う？」

「そうですね。三つの部屋はつながってますから、三人とも、一応、犯行の機会はあったことになりますね。しかし、いかんせん、時間が短すぎます。ここに書かれている時間が正確なら、最長でも松本さやかの十八秒ですから、この間に殺人を完遂するというのは、プロの殺し屋でもないかぎり、まず不可能だと思いますね」

「わたしも、最初は、無理だと思ったわ」

純子は、得意を押し殺すためにカクテルを啜《すす》った。

「榎本さんは、どのくらいの時間があったら、犯行は可能だったと思う？」

「それは、難問ですね。問題は、いまだに犯行の様態がよくわからないことです。極論す

	専務室	副社長室	社長室
PM12:34:52	河村入室		
09″	↓		
:35:01	↓		
04″	(16秒)		
:35:05	↓	松本入室	伊藤入室
03″	↓	↓	↓
:35:08	河村退室	↓	(10秒)
03″		↓	↓
:35:11		(18秒)	↓
06″		↓	伊藤退室
:35:17	河村入室	↓	
06″	↓	↓	
:35:23	(17秒)	松本退室	
11″	↓		
:35:34	河村退室		
PM12:37	昼食のため、伊藤、松本の二人はエレベーターで階下に降りる		

れば、部屋に入って、凶器を振り上げ、振り下ろし、出てくるだけなら、十八秒でも可能かもしれません。しかし、やはりそれは机上の空論だと思いますね」

「もし、全部で四十秒強あれば？　ぎりぎり、やれたと思わない？」

「何とも言えませんが」

「十数秒のときと違って、不可能と断定することもできないでしょう？」

純子は、ショルダーバッグから出した小さな紙切れを手渡した。

「実は、これがヒントになったの」

榎本は、印刷された文字を見て、面食らった表情になった。

「劇団土性骨《どしょうぼね》、新春熱血大公演。『セント・エルモの根性焼き』……。何ですか、これは？」

「松本さやかが所属している小劇団の、出し物よ。就業規則に違反しながら二足のわらじを履いて、ようやくメイン・キャストに抜擢《ばってき》されたらしいの。昨日、チケットを買ってあげたんだけど」

「それで、これがヒントというのは？」

純子は、悠然とカクテルを飲み干した。

「大学時代の親友で、今はミニコミの編集をやってるんだけど、小劇団に詳しい子がいるの。彼女に電話して、どんな芝居なのか聞いてみたのよ。すぐにわかったわ。一部では、かなり評判になっているみたいで」

「どんな芝居だったんですか？」

「舞台は、豪華客船の上なの。指名手配中の殺人犯と、それを追う刑事、大金を横領したレズの駆け落ちカップルや、自殺志願の工場主、霊媒体質の女子高生なんかが乗ってて……簡単な粗筋を聞きたい？」

「けっこうです。何がヒントになったのかだけ、聞かせてください」

「いいわ。……この芝居では、登場人物は全部で三十人以上いるのに、それを演じる役者は、十人足らずしかいないということ」

「一人で何役もやるわけですね」

「そう。それも、物陰に隠れた一瞬の間なんかに、何度も、服装と役柄をチェンジしなくちゃならないらしいのよ。つまり、早変わりが売り物の芝居というわけ」

純子は、クリアホールダーからもう一枚の紙を抜きだし、テーブルの上に置いた。先ほどの表から、三人の秘書が入室していた時間を消して、かわりに、いくつかの文字や符号を書き加えてある。

「……要するに、こういうことでしょうか？　河村忍は十二時三十四分五十二秒に専務室に入った。だが、途中でいったん退室し、もう一度入室したのは彼女ではなかった。伊藤が河村の退室を装い、松本が伊藤のカバーをすることで、途中に九秒間の空白を作り出したが、河村自身は、最初に入室してから最後に退出するまでの間、外に出ていない」

表を眺めながら、榎本は尋ねた。

「ええ。だとすれば、彼女は社長室で四十二秒を丸々使えたことになる。これは、たぶん、あらかじめ計算された、殺人に必要充分な時間なんじゃないかな」

「秘書が三人とも、グルだったというんですか？」

「そう。秘書三人の共謀による、タイムシェアリング・マーダーというわけ」

榎本は、呆《あき》れたような顔になった。

「河村忍は、なぜ、二度も専務室に入ったと言ってるんですか？」

「専務の決裁が必要な書類を忘れたので、取りに帰ったということなんだけど。でも、それくらいの辻褄《つじつま》を合わせるのは、秘書なら簡単でしょう？　聞きたいのは、このトリックが現実に可能かどうかということなの」

「うーん……そうですね。変装というのは、フィクションの世界にはよく出てきますが、現実問題としては、相当難しいと思うんですが」

「そのことも考えました。でも、驚くくらい好条件が揃ってたの」

純子は身を乗り出した。

「三人とも身長は157cmから163cmまでで、特に痩《や》せても太ってもいない。履いているヒールは、どれも黒っぽくて、似たり寄ったり。カメラの映像では、違いはわからないはずよ。はっきりわかる特徴は、服装と髪型、眼鏡だけなの。あとは、姿勢と歩き方さえ真似すれば、完璧《かんぺき》に、入れ替わって見えるはずよ」

純子は、三枚目の紙をテーブルに出した。そこには、犯行当日の、三人の服装の簡単な

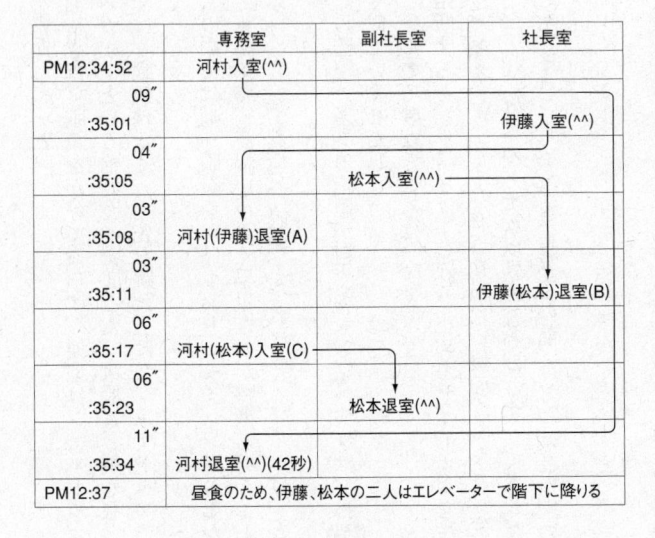

	専務室	副社長室	社長室
PM12:34:52	河村入室(^^)		
09″			
:35:01			伊藤入室(^^)
04″			
:35:05		松本入室(^^)	
03″			
:35:08	河村(伊藤)退室(A)		
03″			
:35:11			伊藤(松本)退室(B)
06″			
:35:17	河村(松本)入室(C)		
06″			
:35:23		松本退室(^^)	
11″			
:35:34	河村退室(^^)(42秒)		
PM12:37	昼食のため、伊藤、松本の二人はエレベーターで階下に降りる		

イラストと、説明が書かれていた。

それによれば、河村忍は、眼鏡をかけておらず、髪型はショートボブ。ブラウスにニットベスト、ひざ丈スカートという恰好《かっこう》だったようだ。大股《おおまた》に、胸を張って歩くらしい。

松本さやかは、やはり眼鏡はなく、毛先を跳ね上げたショートヘアで、パンツスーツ姿。内股気味に、ゆっくりと歩く。

伊藤寛美は、三人の中では唯一眼鏡をかけており、セミロングの髪を束ねている。ゆったりとしたスーツスカートで、歩幅が小さく早足なのが特徴ということだった。

「用意するのは、そっくりな衣装と、眼鏡、それにウィッグだけ。どう？　簡単でしょう？」

「……しかし、いくら監視カメラの画像が粗くても、顔が映れば、わかりますよ。三人の顔立ちは、まったく似ていませんし」

「そこよ。このトリックの巧妙なところは」

純子は、説明を中断すると、ウェイターを呼び止めてサイドカーを注文した。

「この表をよく見て。顔をごまかさなきゃならない場面、つまり、変装しているのは、(A)、(B)、(C)の三つだけなの。それ以外の五つは、すべて本人だから、堂々と顔を見せられるわ。そして、(A)と(C)は専務室の前、(B)は社長室の前だというのが、ミソなのよ」

「どういうことですか？」

「監視カメラは、三つの部屋の入り口を見張るために設置されてるわよね？　だとすれば、中間の、副社長室の前に、最もよく焦点が合ってるはずじゃない？　専務室の前までは距離があるから、人物の顔や姿は、多少ぼやけて映るはずよ。顔をそむけるか書類で隠すかすれば、充分ごまかせるんじゃないかな。逆に、社長室の前は、できるだけ壁に近づいて、カメラの真下を通るようにすれば、顔は映されないですむはずよ」

「監視カメラは自動で焦点を合わせますし、そんな通り方をすれば、不自然この上ないはずですが。しかも、これだけの変装をするのに、わずか六、七秒しかありませんね。やはり、厳しすぎるんじゃないでしょうか」

「だいじょうぶよ。変装するのは全部で四回だけど、そのうち三回は、松本さやかがやるのよ。何といっても、一瞬で早変わりをやる芝居のキャストなんだから、楽勝でしょう？」

純子は榎本の反応に期待したが、あまり乗り気な様子は見えない。

「うーん。私には、やはり、これは冗談としか……」

「これが真相だとすると、懸案だった問題のほとんどが解消するのよ。第一に、凶器が消失したこと。彼女たちは社長室に出入りできた上に、二人はビルの外に出ているから、処分は容易だったはずよ。それに、ドアノブに河村忍の指紋しかなかったことも、不思議じゃないし」

「なるほど。しかし……」

「それだけじゃないの。社長に睡眠薬をのませた方法も解決するの。もし彼女たちが犯人だったら、昼食後のコーヒーに薬を混入するのも簡単でしょう？　残りのコーヒーをのんだという、彼女たちの証言も無視できるわけだし」

「たしかに、そこは、大きなポイントかもしれませんね」

榎本は、依然として煮え切らない様子だった。

「いずれにしても、これは、実際にテープを見て確認するしかないでしょうね。もし、それでもなお、疑いが残るようでしたら、可能性を検討すべきでしょう」

「榎本さんは、この仮説には否定的なのね？」

「そうですね。これが真相だったとは、とても思えません」

「理由は何？」

純子は、休まず追及する。

「まず、普通のOL三人に、こんな綱渡りのような殺人を犯す動機があるかという疑問です。それに、人間の行動を量るのは、ロボットの動作研究とは違います。かりに十八秒が四十二秒になったところで、素人がそれほど短時間で殺人を行うのは、心理的に、まず不可能じゃないでしょうか」

「……やっぱり、そうかな」

純子は、サイドカーに口を付けながら、どこか、ほっとしているのに気がついていた。自分でも、同じ女性である秘書たちを犯人扱いするのは、内心忸怩《じくじ》たるものがあった。むしろ、榎本によって、疑惑を粉砕してもらいたいと思っていたのかもしれない。

「青砥先生は、チェスタトンの『見えない男』という短編小説をご存じですか？」

しばらく沈黙が続いてから、ふいに榎本が言った。

「ええ。昔は、けっこうミステリマニアだったから。でも、筋は忘れちゃったわ」

「アパートの自室で男が殺されるんですが、部屋へと通じる階段や表の道路は、何人もの人間により見張られていた。にもかかわらず、犯人は、まんまとその部屋に出入りしたばかりか、死体まで外に持ち出すんです。なぜ、誰の目にも犯人の姿が留まらなかったのかという謎が、この小説の主眼なんですが」

おぼろげな記憶が甦《よみがえ》った。たしか、あの犯人は……。

「今回、あれに近いトリックが使われたっていうの？」

「いいえ。あれは、現代の日本ではとうてい成立しえない話です」

榎本はジントニックを口に運んだ。

「しかし、この小説は、なぜか今回の事件を思い出させるんです。犯人は、監視カメラの前を通って、社長室に侵入したとしか考えられません。だったら、モニターを通して警備員に見えたはずですし、ビデオにも録画されたはずです。にもかかわらず、犯人の姿は、そのどちらにも捕捉《ほそく》されなかった。まさに、『見えない男』だったんです」

純子も、十年以上も前に読んだ小説のことを思い出していた。

「そういえば、ブラウン神父の助手をするフランボウという男は、改心した大泥棒じゃなかった?」

「そのことは、忘れましょう」

榎本は、無表情に言った。

「ただ、一番奇妙に感じたのは、『見えない男』の被害者が、家事用ロボットを開発して財を成したばかりか、犯行現場の部屋に、そのロボットが置いてあったという点です」

まるで、現実の事件を予言しているようではないか。九十年以上も前に書かれた小説であることを考えると、チェスタトンはなぜこんな突拍子もない設定を用いたのか、想像もつかない。

「ちょっと待って。わたしは、犯人の姿は見えていたものの、うまく偽装したんじゃないかと思った。でも、榎本さんは、本当に見えなかったと考えたのね?」

「ええ」

「でも、どうやって? 犯人は、天狗《てんぐ》の隠れ蓑《みの》でも着てたの?」

「アメリカでは、軍事用に、姿が見えなくなるコートの研究をしているそうですけどね」

「はぐらかしてばかりいないで、ちゃんと説明して」

純子は苛立《いらだ》った。

「見られる側が、物理的に姿を消すことができないのなら、問題は、見る側にあったと考えるべきでしょう。もし、当然見えるはずのものが見えなかったとすれば、どんな理由が考えられるのか」

「もったいつけないでよ。誰なの？　犯人は」

榎本は、静かに純子を見た。

「昨日の晩は、沢田正憲じゃないかと思ってました」

「……沢田？」

純子は、戸惑って聞き返す。

「あの日の警備員ですよ。監視カメラの映像をモニターしていた当人です。彼なら、ビデオテープをすり替えることも可能です。しかし、今日、同じ機種を使って実験してみたところ、証拠を残さずにテープを改竄《かいざん》するのは、きわめて困難なことがわかりました」

「何が、ネックになるの？」

「まず、無信号検出です。あそこにあったビデオデッキやフレームスイッチャーには、カメラから送られてくる映像信号が途切れると、ブザーが鳴って、モニター画面に直前の静止画を表示しながら、『VIDEO LOSS』という文字が点滅する機能があります。無信号検出が記録されると、カメラ番号・日付・時刻がアラームデータにメモリーされ、消去はできません」

「それが、どうして？」

「いったん録画されてしまったテープを改竄するには、それなりの機器と時間が必要になりますから、あの場合、とても無理です。したがって、録画の途中で用意した別の映像を割り込ませることになりますが、その場合、いったんは、カメラからの入力を中断しなければなりません。ケーブルを途中で分岐させてあれば、一瞬で切り替えることも可能ですが、警察関係者から得た情報では、ケーブルにそうした形跡はありませんでした。だとすると、BNCプラグを引き抜いて、差し替えるよりなく、どうしても無信号検出に引っかかります」

この男は誰から情報を取ったのだろうと、純子は訝《いぶか》しんだ。

「第二に、そこをクリアーできたとしても、テープの映像そのものの時間的な変化は、どうしようもありません。西側の廊下の突き当たりは外階段で、ドアには曇りガラスを嵌《は》めた小さな明かり取りの窓がありました。日中は、ここから光が射し込んできますから、廊下に落ちる影の長さは、時刻や季節によって多少変化します。これも、警察関係者から得た情報なんですが、事件当日のテープには、不自然な部分は見られなかったということです」

「ずいぶん、警察関係者に顔が利くんですね」

純子は、皮肉な口調で言った。

「でも、結局、何もわからないままじゃない」

純子はがっかりして、サイドカーを飲み干した。

「いや、そうでもありません。たった今ですが、青砥先生の話を聞いているうちに、重要なヒントを得ることができました」

「ヒントって？」

「犯人はやはり、時間を盗むことで密室を構成したんじゃないでしょうか。秘書三人の早変わり劇とは、少々違うやり方ですが」

「時間を盗んだ……？」

純子は、ぽかんと口を開けた。榎本を鋭く問いつめたいのだが、呂律《ろれつ》も頭もよく回らない。

「ねえ、もったいぶらないで教えて？　犯人の見当はついてるんでしょう？」

「ええ」

榎本は、にやりと笑った。

「もしかすると、サンタクロースだったのかもしれません」

7 見えないサンタクロース

1977年12月、シカゴ大学の物理学部で、一般相対性理論を専攻する大学院生、ゲーリー・ホロヴィッツとバジル・キサントポーラスは、「なぜ、サンタクロースがわたしたちに見えないのか?」のなぞを解きました!
世界中に20億の家庭が一様に分布しているとすると、クリスマスイヴの24時間に全家庭をまわるには、1家庭につき2万分の1秒しか立ち寄れず、光速の4割ものスピードで走り回るサンタに、わたしたちは気がつかないというのです。
【別冊『数理科学』相対論の座標～時間・宇宙・重力(1988年サイエンス社)から
岡村 浩「ブラックホールと一般相対論(I)」より】

純子は首を振った。モニターに表示されているのは、横浜こども科学館の『重力レンズのページ』というサイトである。

いったいこれが、なんのヒントになるというのか。

想像の中に、アニメの、バッグスバニーが現れた。バニーは、亜光速で社長室に侵入し、普通の速度に戻って眠っている社長を殴りつけると、再び閃光《せんこう》のように逃げ去ってしまう……。

わからない。榎本は、いったい何を考えているのだろう。昨日の晩、飲み過ぎたせいか、頭が重く、考えがまとまらない。

腕組みをして背もたれに体重を預けると、パソコンに向かって準備書面を打っているらしい今村の姿が目に入った。

たぶん、景観を破壊するマンション建設の差し止めを求める訴訟の一件だろう。密室殺人について何の疑問も持っていないという態度が、見ていて腹立たしい。

邪魔をしてやろう。

「今村さん」

「何？」

「穎原雅樹のアリバイは、あなたが確認したのよね？」

「アリバイ？」

「ほら、前社長の死亡推定時刻には外出してたでしょう？」

「今さら、アリバイも何もないだろう？　穎原さんには、社長室に入る機会はなかったんだから」

「入らなくても、殺人は可能だったかもしれないわ」

今村の手が止まった。椅子を回して、こちらに向き直る。

「まだ、そんなことを言ってるのか？　昨日、あれだけ恥をかいたのに」

「恥？」

純子は、かっとなった。

「わたしは、確認のために実験しようとしただけよ。あなたたちが、ぞろぞろと野次馬を引き連れてきたんでしょう？　実験が失敗で、ざまあみろと思った？」

「そんなわけないだろう。君の恥は、事務所の恥なんだからな」

「わたしが、事務所の恥だっていうの？」

純子が低い声で言うと、今村はたじろいだ。

「そうは言ってないじゃないか。……要するに、ロボットを使って前社長を殺すことは、不可能だと証明されたと言いたいだけだよ」

「だからといって、他の方法まで、すべて否定されたわけじゃないわ。ねえ、答えてよ。穎原雅樹のアリバイは、裏が取れたの？」

今村は、キーボードの上で両手の指をさまよわせた。書こうと思っていたことを、すっかり忘れてしまったのだろう。いい気味だ。

「穎原さんは、当日の午後一時前後は、ホテルのロビーで人と会っていた。相手からは、穎原さんの言葉を裏付ける証言を聞いている」

「グラタン・ファンドのサルマンとかいう男でしょう？」

うろ覚えの名前を言う。

「グラッタン・キャピタルの東京支店長、アンドリュー・サルクスさんだ」

「信用できるの？」

「グラッタン・キャピタルは、日本だけでも数百億円の資産を持つ投資会社だよ。そんな会社の看板をしょってる男が、嘘を言うとは思えない」

「投資会社？　弱った会社を買い漁《あさ》っては転売で儲《もう》ける、ハゲタカ・ファンドじゃない。いつから、あの連中が、それほど信頼できる人間になったの？」

「そうじゃないよ。たしかに奴らは、儲かるとなれば汚いことにも平気で手を染めるだろう。しかし、それは、法律の枠内か、ぎりぎりグレイゾーンにある場合だ。アメリカのビジネスマンは、偽証罪がどんなに重い罪かよく知っている。他人に頼まれたからといって、刑事事件で嘘をつくとは考えられないよ」

「あなたに嘘をついたって、別に偽証にはならないでしょう？」

「たしかに、法廷で宣誓し証言したわけじゃないが、警察にも同じ供述をしている。その意味合いが軽くないことは、わかってるはずだ」

今村は、案外きっちりと裏を取っているようだ。

「……そう。でも、だいたい、ベイリーフの副社長が、どうして、ハゲタカ・ファンドの人間と会う必要があるのよ？　株式を上場すれば、まともな機関投資家から資金が入ってくるはずなのに」

「彼らの経営戦略にまで、我々が立ち入る必要はないだろう」

「でも、想像はついてるんでしょう？　穎原雅樹はベイリーフを売ろうと画策していたのよ。まだ、前社長が存命のうちから」

「たとえそうだとしても、我々の関知したことじゃない」

今村は、自分の辛抱強さをアピールするように、両手を広げた。

「近々、会社を掌中にできるとわかっていたからこそ、取った行動だとは思わない？」

今村は、事務所のコーヒーメーカーの側に行き、残っていたコーヒーをステンレスのマグカップに注いだ。こちらの机までコーヒーサーバーを持ってくると、頼みもしないのに、純子のサフィ焼きのマグカップにも注ぎ入れる。

「ありがとう」

ひと口飲んでみたが、前の晩から保温されていたコーヒーは、すっかり煮詰まって、饐《す》えた汁粉のような味がした。

「前社長の健康状態は、かなり悪かったらしい。保っても、一年がいいところだったそうだ。だから、穎原雅樹さんが、前社長が死去した後のことを考えていても、経営者としては至極当然だろう？」

とんでもない味のコーヒーをうまそうに啜《すす》りながら、今村が言う。

「そうね。そのことは、直接聞いたけど。……たしかに、前社長が亡くなっても、まったく経済的な利益がないんじゃね」

純子は、今村の表情に走った微妙な狼狽《ろうばい》を見逃さなかった。

「どういうことなの？」

「え？」

「利益があるのね？」

「誰も、そんなこと言ってないだろう」

「今、変な顔をしたじゃない。ごまかさないで。前社長が亡くなったことで、穎原雅樹に何か利益があったんだわ。そうでしょう？」

今村は、溜《た》め息《いき》をついた。

「君は、検事になるべきだったな」

「そうか。わかった！　遺言ね？　前社長は、近々遺言を書き換える予定にしていた。それによって、穎原雅樹の取り分は、大幅に減ることになってたんでしょう？」

今村は、首を振った。

「遺言を書き換える予定は、まったくなかった。遺産の大半は、穎原雅樹夫妻が受け取ることになっている」

「大半？」

「会社の株の一部は、久永さんに遺贈されるからね」

突然、純子の脳裏に、穎原雅樹がコーヒーカップを取り落とした光景が甦《よみがえ》った。

「そうか。それで、やっとわかったわ」

「え？」

「わたしが、久永さんが自殺を図る可能性があると言ったとき、穎原雅樹は狼狽した。どう見ても、久永さんの身を案じていたわけじゃないのに」

「いや、そんなことは、わからないだろう」

今村は、呆《あき》れた顔になる。

「あの男は、久永さんが株を相続するのを、何としても阻止したかったのよ。もし、久永さんが穎原社長を殺害したのなら、相続欠格となって、遺産はすべて穎原雅樹たちのものになる。だけど、久永さんが起訴前に自殺してしまえば、遺言は有効だから、久永さんの遺族が株を相続することになる」

「飛躍のしすぎだ。だいたい、心神喪失で無罪になれば、相続欠格にはならないだろう？」

「そこよ！　あの男が悪魔的だと、わたしが言ってるのは」

「そんなこと、今、初めて聞くぞ」

今村は、つぶやいた。

「たとえ、刑事裁判で有罪にならなくっても、社長を殺害したと認定されれば、久永さんは、ひどい自責に苛《さいな》まれるはずでしょう？　穎原雅樹は、久永さんに心理的な圧力をかけて、相続を放棄させるつもりなんだわ！」

「悪魔的なのは……」

今村の言葉は、語尾が急に小さくなっていき、よく聞き取れなかった。

「何か言った？」

「いや、何も。しかし、君の言うことを聞いてると、まるで、穎原さんが、久永さんの取り分を奪い取るために前社長を殺して、久永さんに罪をなすりつけたみたいじゃないか。久永さんに遺贈される株は、少額とはいえないが、割合としては、ごくわずかだ。いくら何でも、殺人の動機にするには、無理があるだろう？」

「そうね。でも、前社長が死ねば、穎原雅樹には、何か利益があったんでしょう？」

純子は、まっすぐ今村に視線を向ける。

「いや……それは」

今村は、目を逸《そ》らした。

「穎原雅樹が前社長を殺害したとすれば、なぜ、そんなに急ぐ必要があったの？　放っておいても、余命はごくわずかだったのに」

純子は、言葉を切った。おぼろげに、見えてきたものがある。

「まさか……やっぱり、株？」

「ああ、そうだ」

今村は、しかたがないというふうに言う。

「上場ね？　ベイリーフは、近々、株式を上場する予定になってたわ」

「うん。そして、遺産相続がその前になるか後になるかで、大きく異なってくるポイントがある」

「相続税ね。未公開株式の」

今村は、マグカップを口に運んで、うなずいた。今度こそ、コーヒーのひどい味にふさわしい表情だった。

「まだ上場をはたしていない会社の株、つまり未公開株を相続した場合、相続税の基準となる株式の価値は、会社の純資産か、同業他社の株式から類推した価格によって算定されるんだ。ベイリーフの場合、たいした価格にはならない」

「……でも、株式を上場した後では、当然、その時点の株価によって計算されるわけね。相続税も、莫大《ばくだい》なものになる。上場初値は、相当な高値が予想されてたんでしょう?」

「そうらしいね。収益力も安定しているし、ルピナスVを開発した技術力と穎原雅樹の経営手腕は、特に高く評価されていたからね」

「そうか。考えてみれば、当然のことね。株式が上場されれば、莫大な創業者利得が発生する。その利得に課税されるかされないかで、相続税は天と地の開きになるはず。……でも、どのくらいの差になるの?」

「概算だが、たぶん、相続税額では数億円の違いになるだろうな」

純子は、立ち上がって両手を打ち鳴らした。

「やったわ! 動機はあるじゃない!」

「やってないよ」

今村は渋い顔だった。

「何の証明にもなってないだろう？　そもそも、穎原さんには、殺人は不可能だったわけだし」

「それは、これから再検討してみる」

「弁護方針は、前に確認してあるはずだ。言っとくけど、久永さんの弁護のために、穎原雅樹さんを告発するなんてことは、ありえないことだからな」

「どうして？　穎原雅樹の方が、将来、事務所に利益をもたらしてくれるから？」

「馬鹿なことを言うな」

今村は、苦い顔をした。

「久永さんと、穎原雅樹を比べた場合、久永さんにあったのは、殺人の機会だけで、動機は皆無よ。一方、穎原雅樹には強力な動機がありながら、犯行機会がなかったということで、疑惑の圏外に置かれている。本当に怪しいのは、どっちだと思う？」

今村は、隣の机に腰掛けて、下唇を嚙《か》んでいた。何かを考えあぐねているときの顔だった。

「……これは、まだ確認できてない話なんだが、君には言っといた方がいいだろうな。久永さんには動機が皆無というわけでもないんだ」

「え？」

「新社長の指示で、過去の会社の経理を徹底的に洗い直したらしいんだが、不明朗な金の流れが見つかったらしい」

「不明朗って？」

「研究開発費の水増しなどの形で、組織的に横領がなされていたようなんだ。おそらく、過去十五年以上にわたって。総額では六億円近いと見積もられている」

純子は唖然《あぜん》とした。

「久永さんが、会社の金を横領していたっていうの？」

「いや」

今村は、真剣なまなざしになった。

「久永さんも関与していた可能性が濃厚だが、疑惑が持たれている伝票は、彼が決裁できる範囲を超えているんだ」

「でも、もっと上っていうと……」

「亡くなった前社長としか、考えられない」


うまい具合に、右隣は空き部屋だった。

午前十時。泥棒が最も活発に活動する時刻である。周囲に人の目は感じられない。

今日もドブネズミ・ルックに身を包んだ径は、ドアの鍵《かぎ》を見下ろした。一時期、新聞紙上などで、あれほどピッキングのことが騒がれたにもかかわらず、旧態依然としたディスク・シリンダー錠が付いている。大家も住人も、防犯にはほとんど関心がないらしい。『エレガントコーポ・東大井』の二階廊下の手摺《てす》りには、黄色いプラスチック製の目隠しがあり、しゃがめば、建物の外からは死角に入れる。とはいえ、住人に見られると厄介なことになるだろう。立ったまま、迅速に仕事をすませることにした。

必要な道具は、手品のように袖口《そでぐち》から現れた。まず、ダブル・テンションで、内筒に圧力をかける。それから、稲妻形のレークピックを鍵穴に差し込んで、愛撫《あいぶ》するようなソフトタッチで引っ掻《か》いた。熊手掻きというポピュラーな手法で、ピンを一本ずつ揃える手間をかけなくても、まとめて攻略することができる。あまり何度もレーキングを行うと、ピンが破損してしまうため、正規の鍵でも開かなくなるのが難点だが。

シリンダーは、わずか数秒で降伏した。ドアを開け、無人の室内に入ってドアを閉める。きちんと靴を脱いで上がると、キッチンを抜けて奥の六畳間に入った。アタッシェ・ケースから、コンクリート・マイクを取り出す。一昔前のウォークマンにそっくりな外見で、盗聴には欠かせない録音機能も付属している。音声リミッターも完備で、偶然壁を叩《たた》かれたとしても、鼓膜が破れる心配はない。

両耳にイヤホンを嵌《は》めると、聴診器を扱うように、コンタクトマイクを壁に押し当てた。コーポやハイツなどと呼ばれる木質壁式工法のアパートは、コンクリート壁のマンションとは違い、防音性能はゼロに等しい。大声の会話なら、何もしなくても聞こえるだろう。単なる盗み聞きが目的なら、ガラスのコップ一個で、充分用が足りるはずだ。

だが、径は、監視対象の細かい息遣いまで完全に捕捉《ほそく》しておきたかった。貴重な情報は、しばしば、微細なノイズの中に隠れているのだ。

愛用のイヤホンは、アメリカから個人輸入したER－4Pというハイエンド・オーディオ用機器だった。価格が普通のイヤホンの数十倍するので、盗聴などという下賤《げせん》な目的に供している人間は、あまりいないだろう。径はこれに、ノイズを拾わないようPCケーブル用のメタルシールドを被《かぶ》せて使っていた。

隣の部屋からは、はっきりとした人の気配が浮かび上がってきた。

電熱ポットが沸騰するざわめき。キーボードを打つ、かたかたという響き。マウスをクリックする硬い音。カップにインスタントコーヒーと砂糖、粉末クリームを入れているらしい、かすかな金属音。ポットから湯を注ぐ、せせらぎのような音。

コンクリートの壁では、どんなに高性能のマイクを使っても、フィルターが一枚嚙《か》んでいるような音に聞こえるものだが、壁が薄いだけあって、まるで同じ部屋に座っているような臨場感だった。

細々とした音に逐一耳を傾けながら、径は気長に待った。

電話のベル。径は、マイクの感度を上げて、音声を拾う。

おう。……うん。わかってる。……まあ、二、三日中には何とか。……つうか、モノは、もうできてっからな。……どこのホール？　……うん。……おう。ちっと行って、試し打ちしてみるわ。

電話が切れると、ごそごそと動き出す音が聞こえだした。ユニットバスの扉を開ける音。中に入って、何かやっている。ネジを外して、バスルームの天井の蓋《ふた》を開けているようだ。

径は、寒々とした空き部屋の古畳に座り、身じろぎもせずに待ち続けた。隣の部屋の小さな物音は、本人が聞く以上に鮮明に、鼓膜に響いている。

我ながら、ここまでやる必要があるのかという気がしてくる。

青砥純子に請け負ったのは、密室に侵入する可能性を示すことだけだ。それからすれば、すでに、方法のみならず真犯人まで提示可能で、あとは検証を残すのみとなっている。五十万円の成功報酬の権利は、ほぼ手中にしたと言ってもいいだろう。

だが、その程度の端金《はしたがね》のために、侵入というリスクを冒してまで、性急に真相を突き止める必要があるだろうか。万が一、警察に逮捕されれば、単なる家宅侵入ではすまない。最悪の場合、今までに築いた、すべてのものを失うかもしれない。

もちろん、そう簡単に下手は打たない自信はあったが、どれほど細心の注意を払っていても、運が悪ければパクられてしまうのが、現場の常だ。

俺は、青砥純子に、そこまで入れ込んでいるのか。

普通に考えれば、女性弁護士というのは、とうてい釣り合う相手ではない。それでも懸命になって、いいところを見せようとしているのは、儚《はかな》い期待に胸を膨らませているからではないのか。

いや、それだけではない。

最大の動機は、この密室殺人を仕遂げた犯人に対して抱いている両極端な思いだった。

もし、自分が考えたとおりの手段を用いていたとすれば、他に類を見ない手口というだけでなく、信じられないほど大胆不敵な実行力を兼ね備えた人間ということになる。その意味では、まさしく、驚嘆に値する。

だが、人殺しに手を染める人間への反発と嫌悪は、さらに強かった。

盗みはいいが、人を傷つけたり殺したりするのはいけないというのは、単に自分にとって都合よく引いた線なのかもしれない。

だが、この一線を拠《よ》り所にしてきた径には、自らの欲望のために他者の生命を平然と奪う人間は、けっして許すことができない存在だった。

イヤホンに、足音と、ハンガーから乱暴に上着を引き抜く音が交錯する。径は、注意を集中した。

鍵を開けるのに続いて、蝶番《ちようつがい》が軋《きし》み、玄関のドアが開く音。

対象は、ほとんど足音を立てずに径のいる部屋の前を通り過ぎると、廊下を遠ざかっていった。

径もまた足音を忍ばせて玄関に出ると、薄くドアを開けて後ろ姿を見送った。鉄製の階段を下りる響きとともに、釘《くぎ》を打つように頭が沈み込んでいく。

靴を履いて、一分間待ってから、行動を開始した。右隣の部屋を出ると、さっきと同じやり方で、対象の部屋の鍵を解錠する。

ドアを開け、部屋に入ると、数秒間、部屋の様子を観察した。右隣の部屋の鏡像のような間取りで、入り口の右手にトイレとバス、左手に流しがある。四畳半ほどのキッチンの奥には、六畳の和室があり、その奥は小さなバルコニーだった。

径は、革靴にビニールのカバーをかけて、部屋に上がった。

玄関には突っかけもあったが、石井は、スニーカーを履いて出て行ったようだ。目的地は、近所のホールではないだろう。二時間以上は戻ってこないだろうと予測したが、十分で仕事をすませることに決め、時計をセットした。空き巣は、『入りに三分、物色五分』の計八分で仕事を完了するのが原則である。十分もかけて、この程度の部屋を調べきれないようでは、転職した方がいい。

1Kのスペースには、むっとするような臭気が漂っていた。

昨日侵入した、沢田の部屋にも、タバコの臭いと加齢臭が混じり合い、染みついていた。だが、この部屋よりは、まだきちんと片づいていたような気がする。床の上には、足の踏み場がないほど、脱ぎ捨てられた服や雑誌、ペットボトルなどが散乱し、台所には、ゴミが詰まったビニール袋が堆《うずたか》く積み上げられている。流しは、洗っていない食器類で満杯だった。

泥棒にとっても、ゴミ溜《た》めのような部屋は始末に困る。だが、探すものの正体は、さっきの電話で、さらにクリアーになっていた。

まず、浴室の天井にある点検口を調べる。径は爪先《つまさき》立って手を伸ばした。最近は、蓋が載っているだけのタイプが多いのだが、面倒にもネジ止めしてある。キーホルダーを取り出し、リングに付けたプラスのドライバーで、四つのネジを外した。FRP製の蓋を受け止めて、そっと床に置く。

鏡を出して、四角い穴の中を覗《のぞ》いた。何もない。どうやら、石井はここに隠してあったものを持ち出したらしかった。

点検口の蓋を元通りにすると、今度は六畳の和室に置いてあるパソコンを起動する。ハッキングを防ぐためのファイアーウォール・ソフトは常駐していたが、部屋に侵入され、直接、自分のPCをいじられることは、まったく念頭になかったようだ。アクセスログを取るまでもなく、ブラウザの履歴が、消されずにそのまま残っている。大半はエロサイトとコンピューター関係だったが、いくつか、注目すべきホームページがあった。アドレスをメモしてから、OSを終了して電源を落とす。

時計を見ると、まだ五分以上残っていた。とりあえず、部屋の中を蝨潰《しらみつぶ》しに捜索することにした。

不潔さに辟易《へきえき》しながら、箪笥《たんす》の引き出しや、押し入れ、食器棚、冷蔵庫の中など、あらゆる場所を調べると同時に、捜索したという痕跡《こんせき》を丁寧に拭《ぬぐ》い去っていく。金目のものだけを物色する場合と違い、漠然と手がかりを探すのには時間がかかった。あっという間に、時間が過ぎていく。

それでも、残りの五分が経過する頃には、あらかた、部屋の中を調べ終えていた。

殺人の動機に関する証拠、たとえば、手紙や日記の類《たぐい》がないかと思っていたのだが、見事なくらい何もなかった。一応は大学生だというのに、筆記用具がほとんど見当たらない。押し入れの中には、大量のエロビデオとDVD、ローティーンのアイドルの写真集などがあったが、他には、特に見るべきものはなかった。

ボール紙製の本棚には、大学の教科書らしい工学関係の本と、コンピューターの専門書が若干ある以外は、大量のパチンコ・パチスロの攻略雑誌で埋まっている。

机の引き出しから、預金通帳も見つかった。月初めに家から振り込みがあると、すぐに全額引き出している。ほかに、目立った金の動きはなかった。

沢田の預金通帳では、『チヨダケイビホショウ』から、毎月ほぼ同じ額が振り込まれていたのだが、アルバイト料は現金で受け取っているようだ。

腕時計から、聞こえるか聞こえないくらいのアラーム音が響いた。タイムアップだ。

最初に決めたデッドラインは、絶対に延長しない。それが、不測の事態を避けるための鉄則だった。

侵入の痕跡が残っていないことだけチェックして、ただちに石井の部屋を退去する。ドアロックのサムターンに紐《ひも》を巻き、人目がないことを確かめて外に出ると、一瞬で鍵《かぎ》をかけ、紐は引き抜く。

残念ながら、石井が金に詰まっていること以外、動機に関わる情報は得られなかった。

だが、収穫は充分だった。

大井町の駅まで歩きながら、径は、犯行の細部について考えをめぐらせていた。

「お身体の調子は、いかがですか？」

口を開きかけた久永篤二は、同時に見せた純子のメモに、蒼白《そうはく》になった。

『亡くなった社長とあなたは、総額で六億円近い横領に関与していましたね？　事実なら、言葉には出さず、うなずいてください』

久永は身じろぎもしない。

弁護士と被疑者には、立会人なしに接見ができる秘密交通権が保証されているものの、たまたま部屋の外を通りかかった警察官が小耳に挟むのは、願い下げにしたい。

純子は、用意した次のメモを見せる。

『これは、強力な動機になります。あなたには、社長を殺害する機会がありました。このままでは、あなたが社長殺しの犯人にされてしまいます』

久永は、かなり動揺したようだった。しばらく時間を空けてから、次のメモを見せる。

『弁護士は、依頼人の秘密は厳守します。もう、時間がありません。横領が事実なら、うなずいてください』

「無理な取り調べは、ありませんでしたか？」

完全に化石していた久永は、ようやく、わずかに顎《あご》をうなずかせた。

『横領した金は、どこにあるのですか？』

「取り調べの際、暴行、脅迫などを受けていませんか？」

久永は、かぶりを振る。

『金は社長が隠匿していたのですか？』

「その後、以前とは異なる供述はしていませんね？」

久永は、首をかしげながらうなずき、「供述は変わっておりません」と付け加える。

純子は、新しいメモを走り書きした。

『隠匿方法は？　1現金、2口座、3有価証券、4貴金属・美術品、5その他』

「もう一度だけ、思い出してみて欲しいんです。事件当日のことで、何か思い出したことはありませんか？」

指を立てて番号を示すよう、身振りで伝える。

「いや……特にありません」

久永は迷っている様子だったが、ゆっくりと四本の指を立てた。

「そうですか？　もう一度、思い出してみてください」

さっきのメモを見せる。

『横領した金は、どこにあるのですか？』

久永は首を振った。純子は、新しいメモを書く。

『無実を証明するためには、その金を発見しなければなりません』

『横領した金は、どこにあるのですか？』

久永は、沈黙したままだった。彼が知っていることを、純子は確信した。

「状況はきわめて不利です。この期に及んで、弁護士に対して隠し事をすれば、取り返しがつかないことになりますよ。どうか、話してください」

久永は、追いつめられた獣のような目で純子を見た。人格者の仮面はすでに剝《は》げ落ち、そこにいるのは、惨めなこそ泥にすぎなかった。

「よくは、わかりません。社長が、何もかも……」

「あなたの供述は、非常に具体的じゃないですか。そこまでわかっているなら、おおよその場所も、ご存じのはずですよ」

久永は、両肘《ひじ》をついて、祈るように両手を組み合わせる。

「……これは、あくまでも想像なんですが」

「かまいません。言ってみてください」

「たぶん、社長室の中じゃないでしょうか」

沢田は立ち上がると、卑屈なくらい深々と頭を下げた。蹌踉《そうろう》とした足取りで事務所を出て行く。

「驚いたな」

今村が、ぼそりと呟《つぶや》く。

「今の話を、どう解釈すればいい？」

「わたしは、信じてもいいと思う」

純子は言った。

「落とし物だったなんて、嘘にしてはお粗末すぎるわ。榎本さんは、どう？」

「同感ですね」

榎本は事務所のコーヒーに口を付け、顔をしかめた。

「沢田が、ホープフルステークスの複勝馬券を持っていたという、裏付けはあります。アパートに、記録が残っていましたから」

「記録って？」

「競馬に関しては、やけに几帳面《きちょうめん》な男らしく、これまでの収支については、すべてノートに書き留めてあったんです。とくに当たり馬券については克明な記載がありました」

「ホープ……何とかの馬券も、自分で買ったんじゃないですか？」

今村が疑問を投げかけた。

「ありえないとは言えませんが、彼の言うとおり、最近は、まったく買ってなかったようなんです。久々に買った馬券が、有馬記念をスルーして、ホープフルステークスというのも、かなり不自然ですし、そもそもこれまで複勝馬券は一度も買ったことがないようなんです」

「しかし、もし、それが偽装工作だったとしたら？」

「沢田には、私がアパートの部屋に侵入して、記録を見ることまでは、予想できなかったはずです。たった今、追及を受けていた最中にも、そのことについては、まったく話そうとしませんでしたし」

「……それはいいけど、侵入の話は、僕は聞いていないことにします」

今村は、聞かザルのようなポーズを作った。

「とりあえず。沢田の話は本当だったと仮定しましょうよ。すると、どうなるの？　誰が落とし物の箱の中に、馬券を投げ込んだのかしら？」

「犯人だろう？　ほかに考えようがない」

「そうね。問題は、誰にそれができたかだけど……」

「通用口には監視カメラがありませんから、あの日、ロクセンビルの内部にいた人間なら、誰でも、箱に馬券を投げ込むことができたはずです」

「そこから犯人を絞り込むのは、難しいわね。じゃあ、動機は何？　いったい何のために、馬券を入れたの？」

「決まってるよ。犯行がバレないよう、沢田の注意を引きつけておくためだ」

「引きつける……ということは、何から引き離すの？」

「え？」

「犯人は、沢田に、何かをさせたくなかったわけよね。それは何？」

「もちろん、監視カメラを見ることだろう。昼過ぎから競馬中継があることはわかっていたんだから、馬券があれば、沢田を釘付《くぎづ》けにできると踏んだんだろう」

「それは、少し変ですね」

榎本が口を挟む。

「警備員室を見ましたが、テレビと監視カメラのモニターはすぐ近くにありました。テレビに夢中になっていても、モニターは視野に入りますから、異状が映れば発見できるはずです」

「だが、馬券が囮《おとり》だったことは、間違いないでしょう？　だいたい、有馬記念ではなく、ホープフルステークスだった、つまり、発走が十三時十分の馬券でなくてはならなかったことが、何よりの証拠ですよ」

「そのことには、異論はありません」

「……死亡推定時刻とも一致するし、犯行時刻がその前後だったことは、まず間違いなさそうね」

「モニターを見ることではないとすると、犯人が沢田にやらせたくなかったことというのは、何ですか？」

今村が訊《き》く。

「警備員室から、外に出ることだと思います」

榎本は、即答した。

「しかし、どっちみち、競馬中継をやっている間は、ほとんど出ないでしょう?」

「より、確実を期したかったんでしょうね」

「ちょっと待って。つまり、犯人は、沢田に警備員室から外に出られては困る事情があった。しかし、モニターをじっと監視されていることは、全然オーケーだったわけね?」

榎本はうなずいた。

「つまり、榎本さんは、その条件で、前社長を殺害できたと……その方法を発見したわけですか?」

今村が、半信半疑の面持ちで訊いた。

「はい。ただし、それが可能だったのは、二人の警備員、沢田と石井のいずれかだけです」

沈黙が訪れた。

「動機は……?」

純子は訊《たず》ねた。

「そこが、最も納得しにくい部分でしょうね。動機を持った人物から雇われたというのも、今ひとつしっくり来ませんし。しかし、先ほどのお話のように、横領された金が社長室に隠匿されていたなら、筋は通ります」

「その金を奪うため?」

「なぜ、警備員が、隠匿されていた金のことを知り得たんですか?」

「わかりません。しかし、巡回警備の途中で、たまたま知った可能性はあるんじゃないでしょうか」

今村は、難しい顔で腕組みをした。

「全部、憶測だ」

「ただ、これも決定的な証拠にはなりませんが、社長室には、何者かが物色した形跡がありました」

「形跡？」

「本棚の蔵書です。介護ロボットの実験をしたときに見たんですが、何冊かの本の小口部分に、横に擦《こす》ったような黒い跡がありました。たぶん、他を探した後、埃《ほこり》で汚れた指で触れて付着したものだろうと思います」

純子は、息を呑《の》んだ。

「じゃあ、もしかしたら、指紋が採れる？」

「いや、見たところでは、紋理はありませんでした。たぶん、薄手のゴム手袋か何かを、付けていたようですね」

「……とにかく、その、密室殺人の方法というのを聞いてみないと、何とも言えないな」

今村は頑《かたく》なに言った。

「では、これから、ロクセンビルに行ってみませんか？」

榎本は立ち上がった。

「その方法を、ご説明します」

「社長室に侵入するためには、廊下に設置された監視カメラの前を通らなければなりません。問題は、カメラに映された映像は、警備員によってモニターされた上、タイムラプス・ビデオに録画されていたということです。人の目と映像記録。この二つを同時にクリアーする方法ばかり考えていたために、思考が袋小路に入り込んでいました」

三人は、警備員室のモニターの前にいた。部屋の隅には、事情をよく知らない浅野《あさの》という警備員が、当惑顔で佇《たたず》んでいる。

「でも、その二つを何とかしない限り、犯行が露見してしまうでしょう？」

純子は、訊ねた。

「もちろん、そうです。しかし、人間と機械の弱点は違いますから、一つの方法で両方を騙《だま》すのは、きわめて困難です。つまり、犯人は、二つを個別に攻略したはずです。それに気づくまでに、時間がかかりました」

榎本は、モニターを指した。

「まずは、当直の警備員の目です。とりあえず、沢田自身は、犯人ではなかったと仮定しましょう。事件のあった時間帯、沢田はこの椅子に座り、テレビの競馬中継を見ていました。三台のモニターは視野に入っていますから、このままでは、カメラの前を横切ることはできません」

　ちょうど、モニターに映っている十二階の廊下を、河村忍が通り過ぎた。モニター自体を注視していなくても、今のように影が横切れば、気づかないとは考えられない。

「しかし、人間の注意力には、必ず、途切れる瞬間があります。どんなに集中していても、しばらく目を離したり、席を立ったりする時間はやって来ます。そのときを狙えば、犯人は、堂々とカメラの前を横切れたはずなんです」

「そのときを狙えばって……どうやって？」

　今村が、狐につままれたような面持ちで言った。

「考えられる方法は、一つだけでしょう。警備員の動きを、逆に監視していればいいんですよ」

　純子は、はっとした。最初に警備員室に入ったとき、榎本がモニターの反対側の壁を詳しく調べていたことを思い出したのだ。

「あらかじめ、この部屋のどこかに、無線で映像を飛ばす小型カメラを仕掛けておきます。犯人は、モニター付きの受信機を持って最上階のエレベーターホールで待機し、警備員が席を立つなどして、監視の目がそれたのを見届けてから、カメラの前を通過したんです」

「しかし、盗撮用カメラの電波なんて微弱でしょう？　一階にある警備員室から、最上階まで届くんですか？」

「内階段の中に中継器を設置すれば、だいじょうぶです。階段室の中は下から上まで素通しですし、好都合なことに、途中にはコンセントもあります」

「……しかし」

今村は、目を瞬《まばた》いた。

「盗撮カメラは、どこに仕掛けたんですか？」

たしかに、背後の壁には、小さなカメラといえども隠せそうな場所は見当たらない。

「断定はできませんが、一箇所、理想的な場所があります」

榎本は右手の指で、小型テレビを叩《たた》いた。

「沢田の視線をモニターする位置としては、まず申し分ないでしょう。この中なら電源の取り回しも容易ですし。撮影は、スピーカーの小さな穴からで充分です」

「じゃあ、この中には、まだカメラがあるかもしれないんですか？」

純子が言うと、榎本は首を振った。

「いや。とっくに処分されてしまったでしょう。犯人には、たっぷり時間があったはずです。最上階で殺人があったからといって、警察も、一階のテレビの中までは調べませんからね」

「うーん……」

今村が唸《うな》る。

「もし、沢田が犯人だったら、今の話はどうなるんですか？」

「その場合は、人間の目を騙すトリックの方は、必要なくなります。しかし、私には、彼が犯人とは思えません」

「それは、馬券のことで？」

純子は、訊ねてみた。

「それもありますし、アパートの部屋を見たところでは、沢田には、機械関係の知識はほとんどないようでした」

侵入して確かめたことについては、それ以上触れない。

「加えて、もう一つのトリックである、録画を逃れる方法も考え合わせると、やはり、石井が犯人だろうと思います」

「そう。そちらを聞きたいですね。警備員の目はともかく、機械にまで捕捉《ほそく》されないというのでは、まるで魔術ですよ」

今村のつぶやきは、純子の気持ちを代弁していた。

「では、最上階へ行ってみましょう」

エレベーターに乗り込むと、榎本は、あたりまえのように暗証番号を押す。

「青砥先生には、あらかじめ、ヒントをさし上げておいたんですが」

榎本は、宿題について聞く教師のような口調で言った。

「サンタクロースが、わたしたちに見えない理由？」

「はい」

「この事件にどう関係してくるのかは、いくら考えても、わからなかったわ」

不愉快ではあるが、認めざるをえない。

「……でも、もしかすると、犯人の動きが速すぎたっていうこと?」

「相対的には、そうです。監視する側の時間がスローだったという方が、より正確ですが」

「意味が、全然わからないんですけど」

「ごく単純な話ですよ。さっき警備員室にあったタイムラプス・ビデオは、撮影した映像をコマ落ちで記録します。ここでは、テープ一本で七百二十時間というモードで録画しているんですが、その間隔は6・017秒に一コマです。したがって、この間隙《かんげき》を衝《つ》いて、カメラの視界をすり抜けてしまえば、まったく録画されずにすむわけです」

「ええ? ……でも、それは」

扉が開くと、河村忍が出迎えた。新社長から、調査に協力するよう言いつかっているらしい。

「ご苦労様です」

「いいえ、お手数をお掛けします」

挨拶《あいさつ》で質問が中断されている間に、榎本は先へと歩いていく。

「ここで、止まってください」

榎本は、ホールから廊下に入る直前の、位置を示した。廊下の扉は開いており、斜向《はすむ》かいに専務室の扉が見えるが、秘書室の陰で、監視カメラからは死角になっている。

「犯人が潜んでいたとしたら、ここですね。……昼当番で秘書室にいるとき、部屋から外に出る頻度は、どのくらいありますか？」

急に質問を受けて、忍はへどもどした。

「ええと……いえ、ほとんど出ないです」

「そのことも、おそらく下調べしてあったでしょうね。そうなると、気にしなければならないのは、監視カメラだけです。犯人は、小型の受信機で警備員の映像をチェックし、モニターから目が離れるまで待ってから、次の録画の直後、すばやく飛び出します」

榎本は、腕時計のストップウォッチを押すと、小走りに廊下を横切って、専務室のドアを開けた。身体を斜めにして滑り込ませると、内側から静かにドアを閉じる。その間、物音ひとつ立てなかった。

「今ので、五秒と少ししか、かかっていません」

専務室のドアを開けて顔を覗《のぞ》かせながら、榎本は言った。

「つまり、六秒あれば、犯人には充分な余裕があったはずです」

話の前段を聞いていない河村忍は、榎本の突飛な行動に、呆気《あっけ》にとられているようだった。

「一番近い専務室までで、ぎりぎりのタイミングか」

今村が、腕組みをして言う。

「日中、社長室、副社長室、専務室のドアが開いていることは、わかっていた。専務は熟睡していたために、侵入者に気づかなかった。犯人は、専務室から、副社長室を通って社長室へ行った……」

「ちょ、ちょっと待ってください」

ようやく、純子は質問するタイミングをつかんだ。

「たとえば、録画されるときには、カメラのライトが点滅したりとかするんですか？」

「いいえ。監視カメラを見ても、録画される瞬間はわかりません」

「じゃあ、どうやって、そのタイミングを確認するんですか？」

「あらかじめ、警備員室で、タイムラプス・ビデオが撮影を行う周期を記録しておくんですよ」

腕組みをして聞いていた今村が、首を振った。

「しかし、ちょうど六秒だったらまだしも、6・017秒ですか？　千分の一秒単位まであるんじゃ、ストップウォッチを使っても、正しい周期をキープするのは不可能でしょう？」

榎本は、ポケットから、15㎝×6㎝くらいの長方形の箱を取り出した。端にスイッチとコードを差し込む端子が付いており、一昔前の携帯ラジオのような外観である。

「それも、これを使えば可能です」

「何ですか、それ？」

純子は、眉《まゆ》を寄せた。

「体感器と呼ばれるものです」

「タイカンキ？」

純子には聞き慣れない言葉だったが、今村は、はっとしたようだった。

「知ってるの？」

「ああ。ちょっと前に問題になったじゃないか。イカサマ専門の仕事師、ゴト師と呼ばれる連中が、体感器を使ってパチスロで荒稼ぎして。パチスロの機械自体には細工をしないんで、違法かどうかは微妙なところだったんだが、あまりにも被害額がかさんだんで、パチスロ業界の陳情で検察も立件に踏み切ったはずだ」

「その通りです。今村先生には、説明は不要ですね」

「わたしには、依然として、ちんぷんかんぷんなんだけど」

「青砥先生は、パチンコやパチスロについては、ご存じですか？」

「どう違うのかも、わからないわ」

「パチスロは、パチンコよりスロットマシンに近いものです。回転する三つのドラムを止めたとき、それぞれの絵柄が合致すれば当たりですが、当たるかどうかは、内蔵している一周0・0145秒のルーレットで決まります。パチンコも、内部に同じような時計を持っています。これらを狙い撃ちにするために考案された機械が、体感器です」

榎本は、体感器に接続したコードを純子に見せた。先端が、タバコほどの太さの棒状になっている。

「体感器とは、きわめて精密なメトロノームのようなもので、百万分の一秒単位でリズムを刻むことができます。このコードの先には、携帯電話と同じ振動モーターが付いていて、どこか身体の一部に接触させれば、正確なリズムを感じ取ることができる。まさに、体感できるわけです」

犯人は、この機械で、録画の正確な周期を測っていた……。

純子は絶句した。

監視カメラの長い瞬《まばた》きを利用して、自らの姿を完全に消し去ったのだ。

想像するだけで、犯人の狡知《こうち》に背筋が寒くなる。時間を盗むことで密室を構成したという、榎本の謎めいた言葉の意味が、今ようやく理解できた。

「なるほど。二人の警備員のどちらかが犯人というのは、ビデオデッキに自由に触れることができたという意味ですね？」

今村の榎本に対する口調は、すっかり改まっていた。

「ええ。ただしそれには、ビデオの筐体《きょうたい》を開け、内部クロック用のパーツなどから直接タイミングを盗まなければなりません。素人にはとても無理ですが、石井は機械工学が専門ですからね」

「石井は実際に、体感器を所持していたんですか？」

「残念ながら、現物は確認できませんでしたが、石井のパソコンは、体感器の設計図を載せたサイトにアクセスしていました。作製方法について仲間とやりとりしたメールも残ってますから、体感器を自作して、パチスロで一稼ぎしようともくろんでいた可能性は大です」

「……それだけでは、有罪の決め手にはなりませんよね」

純子は、ゆっくり言葉を選びながら言った。

「だけど、犯行の可能性を提示することで、久永さんの容疑にも疑問を投げかけることができるわ。もう一つ、何か証拠が見つかれば、検察に起訴を断念させることができるかも」

内心では、これで決まりだと純子は思っていた。

難攻不落に思えた密室は、ついに崩壊した。ようやく、久永を救うことができる。

同時に、救うに値する人物ではないこともわかったのは、皮肉というよりないが。

警察署の長い廊下を歩くときは、いつも、言いしれぬ圧迫感を感じていた。まわり中警察官だらけという状況は、後ろ暗いところが全くない人間にさえ、緊張を強いるものである。

径の場合は、それ以上だった。これまで、ろくな思い出がなかったため、できれば敬遠したい場所トップ3の一つに入っていた。

しかし、今日に限っては、まったく気にならなかった。ひどく昂揚《こうよう》しているせいか、足取りさえも軽く感じる。

ハゲコウが、不思議そうに振り返った。

「妙な野郎だな。何を、そんなにハイになってんだ?」

「条件反射だ。中学生のときから、ビデオを見る前は興奮する」

「馬鹿か」

ハゲコウは吐き捨てるように言ったが、表情は和らいでいた。

身長が190cmを超えるハゲコウは、どこの署内にいるときでも、周囲に威圧感を放射している。不摂生が祟《たた》って妙に締まりのない体つきながら、膂力《りょりょく》は日本人離れしており、執念深く狡猾《こうかつ》な性格と相まって、あえて敵に回すことを選ぶ人間はほとんどいない。

「ここで待ってろ」

ハゲコウは、会議室のドアを開けた。中にあるのは、安物の長い机とパイプ椅子だけだった。

部屋に入った径は、気長に待つことにした。ここまで来て、焦る必要はまったくない。あと少しで、結論が出る。

録画された画像を詳しく調べれば、純子考案のトンデモトリック、秘書三人の早変わりという説は、永久に埋葬できるだろう。

問題は、体感器トリックの方だった。

もし、犯人がすべてを完璧《かんぺき》に仕遂げていれば、映像から尻尾《しっぽ》を摑《つか》むことはできないだろう。だが、どこかに必ず、小さな証拠が残っているはずだという気もする。

犯人がカメラの死角に隠れている間、画面の隅に小さな影が映っているかもしれない。あるいは、急いで廊下を走ったことが、絨毯《じゅうたん》の目に影響していないだろうか。もしかすると、すばやく専務室のドアを開閉したために、空気が動揺し、埃《ほこり》が舞い上がったようなことも考えられる。

こちら側から見れば僥倖《ぎょうこう》、犯人からすれば不運に期待するしかないのだが、可能性はゼロではないはずだ。

二十分ほど待たされたとき、ドアが開いた。

「……ちくしょう。やべえ、やべえ」

ハゲコウが、ぼやきながら入ってくる。

「管理官と鉢合わせしそうになった。おい、妙なことになったら、てめえのせいだからな！」

白目が黄色くなった野獣のような目で、理不尽にも、こちらを睨《にら》みつける。

「口裏だったら、何とでも合わせるよ」

径は、穏やかに応じる。

「ビデオは、見られそうか？」

「うるせえ！　今、それどころじゃねえんだ」

ハゲコウは怒鳴ると、ドアを開けて廊下を見回した。

「今日は日が悪い。中止だ、中止。出直してこい」

「それはないだろう。ぐずぐずしてると、久永さんが起訴されてしまう」

径は、あわてて説得に努めた。

「ビデオを見れば、真犯人が特定できるかもしれないんだ。うまくいったら、手柄は全部、おまえにやるよ」

ハゲコウは、罠《わな》から餌を食い逃げできるかどうか思案している、狐のような表情になった。

「……あのビデオは、俺たちも飽きるほど見てるんだぞ。てめえにだけは、俺たちにも見えなかったものが見えるってか？」

「ああ、おそらくは」

径は、強気に出ることにした。

「トリックは、九分通り解明した。前提を持って調べるのと、漫然と眺めているのは、全然違う」

「ふん」

意外にも、径の答えは、ハゲコウの気に入ったようだった。

「待ってろや」

再び、肩をそびやかしてドアを出て行く。

そのまま、今度は、一時間近く待たされた。

ドアが開いたので振り向くと、段ボール箱を持った署員が、妙な顔をして立っていた。

「ん？　おたくさんは？」

径が答える前に、署員の後ろから、ハゲコウが顔を出した。

「いや。こいつは、いいんだ」

不気味な笑顔で、径を手招きする。

「こい」

ハゲコウの後を付いていくと、階段を上って、取調室に入った。二畳ほどしかない狭苦しい空間に、机と椅子が二つ詰め込んである。机の上には、14インチのテレビモニターとビデオデッキが置かれていた。

「操作はわかるな。邪魔が入らねえうちに、さっさとすませろ」

「外で待っててもらっても、いいんだがな」

ユニットバス程度の空間で、ずっとハゲコウと顔を突き合わせているのは遠慮したかった。

「だめだ。そいつはオリジナルだからな。大事な証拠に、おまえが悪戯《いたずら》しないよう、見張ってなきゃならん」

そう言うと、タバコに火を点《つ》ける。

煙攻めに閉口しながら、デッキのリモコンを取り上げて、再生のボタンを押す。その瞬間、強烈な違和感に襲われた。

「おい、今、これがオリジナルだって言ったな?」

「そうだ。それがどうした?」

モニターには、ロクセンビルの廊下の映像が映し出される。

「そんな、馬鹿な」

径は、茫然《ぼうぜん》として呻《うめ》いた。

「何言ってんだ?」

「この映像は……」

径は絶句した。どうしても、後が続かない。

「どうした? 何か、見つけたのか?」

ハゲコウも、立ち上がってモニターを覗《のぞ》き込んだ。

そこに映し出されているのは、事件当日の朝、三人の秘書が秘書室と社長室、副社長室、専務室を往復する映像だった。

だが、それは、六秒に一コマの連続写真などではなく、映画を見るように滑らかである。

「なぜだ? ロクセンビルに設置されていたのは、すべて、タイムラプス・ビデオだったはずだ……?」

ハゲコウは、唇にタバコを貼り付かせたまま、陰気な目で径を見下ろした。

「そんなことも、気づいてなかったのか? 社長室の前の映像だけは、ベイリーフが自前で買った、このハードディスク・レコーダーに録画されてたんだ。千代警が用意したコマ落ちビデオなんかじゃ、心許《こころもと》ないっていうんでな」

「だが、あそこにあったのは……」

「ハードディスクだけ取り外すわけにもいかんから、デッキごと持ってきた。その後置かれてたのは、千代警の代品だろう」

ハードディスクに記録された映像は、スムーズで鮮明だった。三人の秘書が出入りしたときの顔は、すべてモニター上で確認可能だった。つまり、早変わりのトリックなど、まったく不可能だったことになる。

さらに、彼女たちは、薄っぺらい書類以外何も持っていないため、社長室から凶器の類《たぐい》を持ち出すこともできなかったはずだ。

これで、当初の目的の半分、純子のトンデモ仮説を覆すことはできた。

だが、それと同時に、六秒間の空白に身を隠す体感器トリックも、完全に無効になってしまった。

「だとしたら、いったい、どうやったんだ……？」

径は、掠《かす》れた声でつぶやいた。

8 社長室にて

エレベーターの扉が開くと、秘書室から河村忍が、びっくりした顔で出てきた。

「あら？　あの……ご苦労様です」

「すぐすみます。ちょっと、監視カメラを見せてください」

にこやかに会釈しながら、径はどんどん歩いていった。忍は、当惑した様子で後についてくる。

「あの、今日は青砥先生はご一緒では？」

「いや、私だけです。至急、確認を要することが、一点だけありまして」

径は、廊下の突き当たりに脚立を立てて、監視カメラを調べるふりをする。

「警備員室で驚いているかもしれませんから、一応、連絡だけお願いできますか？」

「あ。はい」

忍が踵《きびす》を返そうとすると、伊藤さんが出てきた。

「警備員室には、今、電話しておきました」

「お手数をかけます」

「……ただ、やはり、前もってご連絡をいただかないと困ります。社長からは、何でもお手伝いするよう言いつかってはおりますが」

「申し訳ありません。一点だけ、確認しなければならないことができたんですが、何しろ、急なことでしたので」

径は、脚立の上で頭を下げた。二人の秘書は、その場に立ったままだった。

少々まずい状況だった。このまま見られていては、非常にやりにくい。手先の技に自信はあったが、プロのマジシャンではないのだから、注視を受けながらの手品は避けたかった。

そのとき、エレベーターの音が大きくなった。到着のチャイムが鳴ると、二人の秘書は、エレベーターホールの方へ振り向いた。

早足でこちらにやってきたのは、小倉課長だった。

「いやいや。これはまた……どうされたんですか？」

笑顔だが、暗にこちらの非常識さを難詰するように、大きく目を見開いている。

「申し訳ありません。ご連絡もせず、突然、押しかけまして」

「いやいや、とんでもありません。けっこうですよ。ただ、やはり、防犯上の問題がありますので、あらかじめご連絡をいただければ、たいへん助かるんですが」

「そうですね。今後は、気をつけます」

径も、満面の笑みで応じた。

「それとですね……あの、エレベーターなんですが、ここまで、どうやって来られたんですか？」

「ああ、暗証番号のことですね」

「そうです。一応、部外秘になっておるんですが、もし……」

「普通に階数ボタンを押したら、上がって来ましたよ」

「えっ？　しかし、そんな……」

「誤作動かもしれませんね。私も暗証番号のことは忘れていましたが、シークレットコールの機能が停止しているんじゃ、いつ何時、危ない人間が上がってくるかわかりません。すぐ、エレベーター会社に連絡された方がいいんじゃないですか？」

「い……いや、そうですね。それは、たいへんだ。すぐに電話させます」

小倉課長は、ハンカチを出して額を拭《ぬぐ》った。

「それで、本日の御用向きの方は？」

「終わりました」

「は？」

「一点だけ、確認を要することがあったんですが、もうわかりました。いや、たいへんお騒がせしました。これで失礼します」

径は、脚立を下りると、折りたたんで肩に担いだ。小倉課長は笑顔で武装しながら、エレベーターホールまでついてきた。

「ご連絡を怠ったことは、重ねてお詫《わ》びします。今後は、重々気をつけますので」

径は、エレベーターに乗り込みながら、もう一度頭を下げる。小倉課長も、会釈を返したものの、暗証番号のことを考えているらしく、どこか心配顔だった。

「それでは……あ、そうだ。つかぬ事を伺いますが」

径が閉まりかけた扉を止めて言うと、小倉課長は、ぽかんと口を開けた。

「何でしょうか？」

「昭和三十四年、二月四日というのは、御社の創立記念日か何かですか？」

「はあ。そのとおりです。前身になった、エバラ玩具が設立された日ですが」

「なるほど。そうですか。それでは」

エレベーターの扉が完全に閉まるまで、小倉課長は、狐につままれたような表情だった。

径は、地下駐車場でジムニーに脚立を積み込んで、ロクセンビルから出た。最寄りの有料駐車場に入ると、車内で作業服を脱ぐ。温度調節機能のあるアウトラスト・アンダーウエアの上に、ウールの背広とトレンチ・コートを着込んだ。髪はきれいに七三に分け、黒縁の伊達《だて》眼鏡をかける。

必要な機材の入ったアタッシェ・ケースを持ち、徒歩でロクセンビルに戻る。正面玄関から入って、エレベーターに乗った。

インターフォンが置いてあるだけでテナントから見咎《みとが》められない八階で下りる。音がしないように、そっと内階段の扉を開けると、屋上まで上った。

前に作ったマスターキーの合い鍵《かぎ》で、鉄扉を開ける。

木枯らしのようなビル風が、真正面から吹き付けてきた。身を切るような冷たさだった。

ここで時間を潰《つぶ》すことを考えただけで、げっそりした。だが、ビルの中では、警備員の巡回の際に発見される恐れがある以上、やむを得ない。

径は、屋上を見渡した。隠れられそうな場所はいくつかあるが、風除《よ》けのため、清掃用ゴンドラの中で待機することにした。青い防水シートをめくって、金属製の箱の中で膝《ひざ》を抱えて座る。

考えれば考えるほど、自分の迂闊《うかつ》さに腹が立ってきた。

純子から、三人の秘書が出入りした時間表を見せられたとき、なぜ、気づかなかったのだろう。

記されていた時刻には、間隔が三秒や四秒のものも含まれていたではないか。その時点でハゲコウに問い合わせていれば、体感器トリックが成立しないことなど、簡単にわかったはずだ。

タイムラプス・ビデオに関する思い込みと、純子のトンデモトリックに対する先入観が、目を曇らせていたとしか思えない。

……だが、今となっては、そんなことはどうでもいい。問題は、密室の真相である。

それさえわかれば、失点は取り返せる。径は、ゴンドラの中でひたすら考え続けた。夜中まで、まだたっぷりと時間はあった。こんな場所で眠ったら、風邪を引いてしまう。とりあえず、考える以外にやることはなかった。

腕時計が、かすかなアラーム音を鳴らす。

普通の人間には聞こえないほどのデシベルに設定してあるのだが、径は、はっと我に返った。

文字盤を見ると、ちょうど日付が変わったところだった。

ゆっくりとゴンドラから抜け出した。窮屈な場所に押し込められていたせいで、手足の血行が滞っている。手足の屈伸運動をして、感覚が戻るのを待つ。

あいかわらず風は強く、身震いするほど冷たかった。

しばらく耳を澄ませてから、鉄の扉を開ける。真っ暗な階段を下りて、十二階の扉の前に立った。鍵を開ける音が、無人のフロアの静寂を破った。

径は、そのまま動きを止めた。もし、警備員が音を聞きつけたとしたら、エレベーターに乗って、確かめにやってくるはずだ。

三分間待ったが、何事も起こらない。

ようやく、だいじょうぶだと見極めをつけてから、径は一歩を踏み出した。廊下の突き当たりには、一度痛い目に遭わされた、高感度のセンサーライトと監視カメラが、こちらを睨《にら》んでいる。

だが、径は、平然と社長室のドアの解錠に集中した。

赤外線を感知して、監視カメラが作動する恐れはなかった。二人の秘書が一瞬だけ目を離した隙に、監視カメラとライトの赤外線センサーに、カバーを被《かぶ》せてしまったからである。カバーといっても、本物のセンサーの部品の裏にアルミテープを貼ったものだから、素人目には、元通りにしか見えないはずだ。

社長室の鍵は、マスターキーを差し込んでも開けることができなかった。どうやら、マスターキーの存在自体に不安を覚えたため、同じ種類の別のシリンダーに取り替えたようだ。副社長室、専務室のドアも、同様だった。

ピッキングしても、数分で開ける自信はあったが、たまたま、専用の解錠工具を持ってきていた。これは、力ずくで開けるツールとは違い、後にほとんど痕跡《こんせき》を残さない。解錠するまで、ものの二分とかからなかった。

重い木のドアを開けて、社長室に入る。

ふと、異様な冷気のようなものを背筋に感じた。

これまで、多くの場所に不法侵入を繰り返してきたが、真夜中に殺人現場に入った経験はなかった。霊魂の類《たぐい》は信じていないものの、ごく自然に合掌してしまう。

それからまず、カーテンを少し開けた。灯《あか》りはどこから目撃されるかわからないため、径は、通常、懐中電灯すら使わない。その代わりに、星明かりを四万倍に増幅するスターライトスコープの付いたヘッドギアを装着する。

昼間のように明るくなった視界で、あらためて社長室を見渡してみると、事件発生時のままだった。新社長は、今でも副社長室を使っているらしい。

径は、熟練の手際で捜索を開始した。

目的は二つあった。密室殺人を解明する手懸かりを見つけることと、この部屋に隠匿されていたとされる、六億円の横領資金の隠し場所を発見することである。

六億円を現金で隠しているはずがないし、金塊にしても膨大な重量になるので、手元に置いておくには、有価証券か宝石類に替えたはずだ。久永の言葉を信じるなら、宝石だろう。

いずれにせよ、まだ手つかずで残っている可能性はほとんどないだろうが、隠し場所がわかれば、持ち去った犯人を特定する役に立つかもしれない。

もっとも、万一、その金を発見した場合、即座に探偵ごっこは切り上げて、まったく別のプランに移行する予定だった。

三十分ほどで、部屋の中は隅々まで捜索し終えたが、残念ながら、横領資金を発見することはできなかった。やはり、すでに持ち去られた後なのだろう。

径は、社長の椅子に座って、天井を見上げた。

横領した金を隠してあったのは、おそらく、あそこだろうという目星はついていた。だとすると、今回の事件にも、まったく違った角度から光が当たるような気がする。

径は、上着のポケットを探った。タバコかコーヒーが無性に欲しかったが、コーヒーキャンディーで我慢する。

そのとき、内ポケットで携帯電話が振動を伝えた。

径は、舌打ちした。電源を切り忘れていたとは、我ながら、考えられない失態である。そもそも、ここへは携帯電話を持ってくるべきではなかった。どうも、調子が狂っているようだ。

発信者を見ると、青砥純子だった。もうすぐ、午前一時である。

「もしもし」

少しためらってから、径は電話に出た。

「あ。もしもし。榎本さん？」

「おはようございます」

「……ごめんなさい。こんな時間に」

「まだまだ、元気に活動中ですよ」

「お店？」

「いや、出先です」

何を想像したのか、一瞬の沈黙があった。

「聞いて。ずっと考えてたんだけど。犯人はやっぱり、穎原雅樹以外に、考えられないと思う」

ずっと、そのことばかり考えていたらしい。この粘りと執拗《しつよう》さは、やはり弁護士向きかもしれない。

「なぜ、そう思うんですか？」

「動機よ。彼には、強力な動機がある。それなのに、わたしたちには、嘘をついたじゃない？」

「嘘をついたことが、即、有罪の根拠にはなりませんよ」

「あら？　穎原雅樹の肩を持つの？」

「そういうわけじゃありません。しかし、私には疑問があります。株式上場に伴う節税というのが、それほど強力な動機でしょうか？」

「数億円の利益になるのよ？　これが強力じゃないなら、この世に強力な動機なんて存在しないんじゃない？」

「普通の人間にとっては、そうかもしれません。しかし、彼は、何もせずとも相当な額の財産を相続できます。若手の経営者として、手腕も声望もあります。たとえ、数億円を余分に得られるからといって、そうしたものすべてを失う危険を冒すでしょうか？」

「それだけ、完全犯罪に自信があったんじゃない？　現に、いまだにバレていないわけだし」

「それは、結果論にすぎません。どんなに完璧《かんぺき》な計画を立てても、運が悪ければ、失敗するリスクは残ります。有能な経営者である彼が、リスク管理について、そんなに甘い考え方をしているとは思えません」

「でも、現実の数億円っていうのは、とんでもない額よ。あの男が、むざむざ税金で取られる道を選ぶと思う？」

「穎原雅樹が犯人ではないと思う最大の理由は、その気になれば、その数億円を失わないでもすむ手段を、いくらでも考えられたはずだからですよ」

「……たとえば？」

「前社長の余命は、せいぜい一年だったわけですから、その間だけ、上場を阻止すればいいんです。株式上場には、様々な要件を満たす必要があります。子飼いの部下を使って上場準備のサボタージュをすることは、彼の立場なら、難しくなかったでしょう」

「そうかしら？　そんなことをしたら、すぐに前社長の知るところになるんじゃない？」

「単に準備を遅らすのが難しいなら、わざと小さなスキャンダルを作り出すという手も考えられます。それで、会社の評判に多少傷が付いたとしても、後からいくらでも取り返しがきくでしょう。どんな方法を使っても、殺人などという狂気の選択よりは、はるかにましなはずです」

純子は、沈黙した。こちらの反応が意外だったのだろう。

「……わたしは、前社長に対する狙撃《そげき》事件も、穎原雅樹がやったんじゃないかと思ってたんだけど。要するに、上場より先に、前社長が亡くなればよかったんでしょう？」

「それは、違いますね。私が調べた限りでは、狙撃事件はフェイクでした。殺人を意図したものではありません」

「じゃあ、誰がやったの？」

「前社長の自作自演だった可能性が、大です」

純子は、呆気《あっけ》にとられたようだった。

「何のために？」

「監視カメラを設置し、エレベーターに暗証番号を設定し、十二階の窓をすべて、防犯合わせガラスに取り替えるためです」

「それは……それこそ、何のため？」

「前社長が社長室に巨額の横領資金を隠匿していたとすれば、このところの泥棒の横行で、盗まれるのが怖くなっても不思議はありません。屋上からロープで降下して、最上階の窓を破るのは、普通のガラスなら簡単なことですから」

「でも、何もそんな工作をしなくても、ワンマン社長だったんだから、防犯設備を整えるくらいのことはできたんじゃない？」

「監視カメラやエレベーターはともかく、十二階のガラス全部を取り替えるには、相当な費用がかかります。何の理由もなくそんなことをしたら、必ず周囲に不審を抱かれるでしょう。十数年にわたって横領を行っていたとしたら、社内にもそういった噂が流れていたかもしれません。そこで、何もないはずのフロアの泥棒避《よ》けに大金を投じたとなれば、火に油を注ぐようなものです。国税局が聞きつければ、査察という最悪の事態もありえます」

「ルピナスVを守るためという名分は、使えなかった？」

「それだけが理由なら、ロボットをどこかに移すか、金庫に入れた方が安上がりですからね」

純子は、黙り込んだ。径は、耳を澄ます。

「何を食べてるんですか？」

「……チョコレート。そうすると、前社長がゴルゴ13みたいに、空気銃で自分の部屋を撃ったというわけね？」

「窓ガラスに弾痕《だんこん》を開けたのは、空気銃ではありません」

径は、角度が合わないことと、屋上から振り子を使ってガラスを破る方法を説明した。

「これは私の勘ですが、実行役は、久永専務だったような気がします」

純子は、溜《た》め息《いき》をついた。

「……モラルが崩壊してるのは、若者だけじゃなかったみたいね」

「二つの事件は、おそらく、無関係でしょう。しかし、これは、密室の謎を解く大きな手懸かりかもしれません」

「これとは、何を指すの？」

「前社長の人間性です」

径は、天井を見上げた。

「……青砥先生から依頼を受けて、私は、この部屋に侵入する方法について、探ってきました」

「この部屋？」

純子の声には、暗い疑惑の響きがあった。

「……ですが、結論としては、やはり、不可能だったというほかありません。前にも言いましたが、三種類の開口部のうち、窓と吹き出し口からは絶対に出入りできません。唯一の可能性はドアでしたが、タイムラプスではなく、リアルタイム・ビデオで監視されていたのでは、見つからずにすり抜けるすべはありません」

「そう。それが、榎本さんの結論ということね？　わかりました。侵入が不可能だったと証明されたことを認めて、お約束通り、十万円をお支払いします」

「しかし、密室の謎は、依然として、解けないまま残りますね」

榎本は、重いヘッドギアを外し、目頭を揉《も》んだ。

「……こう考えるのが、最も妥当なような気がします。前社長の死は、最初に考えたように、やはり事故だったと」

うっと言う声がした。

「どうしました？」

「ちょっと……喉《のど》に詰まったのよ。だけど、鑑識の結果では、事故の可能性はないということだったでしょう？」

「残された状況だけを見れば、そうでしょう。しかし、事故後、現場の状態が改変されたとすれば、話は変わってきます」

「ちょっと待って」

純子が立ち上がり、歩く気配が聞こえてきた。冷蔵庫を開ける音。グラスに角氷の落ちる響き。

ウィスキーらしい液体を注ぐ音。水を加え、マドラーでかき混ぜている。

「お待たせ。……改変って、どういうこと？」

「一つの物が消えただけで、状況の持つ意味は一変します。たとえば、社長室の中央に脚立が置かれていたら、どうだったでしょうか？　前社長の頭部の傷で、説明がつかなかったのは、ただ一点です。床の上で転倒した場合、頭頂部に近い場所を打つことはないでしょう。しかし、脚立の上から落下したのなら、何の不思議もないことになります」

「……続けて」

純子の声が、俄然《がぜん》、熱を帯びてきた。グラスを傾ける角氷の音。

「話は変わりますが」

「どうして、変えるのよ？」

「介護ザルを使った犯行を疑ったとき、空調用ダクトの中を調べましたね。あのとき、妙なことに気づきませんでしたか？」

純子の抗議を無視して、径は続けた。

「妙なこと？　わからない……何？」

「設備機械室の空調用ダクトの中は、すっかり埃《ほこり》で覆われていました。天井裏と同様、ほとんど掃除されることのない場所ですから、当然かもしれませんが、ところが、社長室の空調用ダクトは違いました。少なくとも、目の届く範囲はきれいでした」

「そういえば、聞いたような気はするけど、わたしは直接見たわけじゃないから。でも、それが重要なことなの？」

「前社長が横領した金は、宝石か何かに替えて、空調用ダクトの奥に隠してあったんじゃないかと」

「あ。そうか」

純子は、はっとしたようだった。

「簡単に隠せる天井裏と比べると、ダクトの中は盲点になりやすいと思います」

「たしかに、可能性は、充分あるわね」

「だとすると、事故が起こったときの状況は、おぼろげに想像がつきませんか？」

「……ええと」

また、グラスを傾ける音。

「実は、私は今、社長室にいます」

口に含んだ液体を噴き出して、噎《む》せる音が聞こえた。

「……さっき、この部屋って言ったときに、おかしいと思ったわ」

純子が、恨めしげに言った。

「不法侵入の現行犯ね。残念だけど、わたしとしては通報しないわけにはいかないわ」

「なぜですか？　私は、どこの社長室とも言っていませんよ？」

「それは、そうだけど」

「ところで、あの社長室で天井を見上げると、吹き出し口は部屋のほぼ中央に位置しています。応接セットのガラステーブルは、それよりやや東寄りです」

「だから？　……あ。ちょっと待って。そうか、わかった！　前社長が、ダ……」

「空調用ダクトに隠してあった宝石を取ろうとしているとき、何かの理由でバランスを崩し、真っ逆さまに落ちれば、ガラステーブルで頭を強打してもおかしくないんです」

径は、純子を遮って正解を言わせなかった。

「しかし、ちょっと待って。変じゃない？　睡眠薬のことはどうなるの？　薬をのんで朦《もう》朧《ろう》としているときに、わざわざ、そんな危ない作業をするかしら？」

「ええ。ですから、睡眠薬は、誰かにのまされたものでしょう」

「誰かにって？」

「すべて憶測にすぎませんが、たとえば穎原雅樹なら、食後のコーヒーに薬を混ぜることは簡単だったはずです」

「何のために？　だって、前社長が死んだのは、事故なんでしょう？」

「彼は、ハゲタカ・ファンドの代表者と会う予定でした。社長に無断の行為だったとすれば、昼寝の間にすませるのは一計でしょう。その考えをさらに進めると、睡眠薬で確実に眠ってもらった方が、何かと好都合かもしれません」

「うーん。ありえないとは言わないけど。……それで、知らずに薬をのまされてた前社長が、何かの理由で、急に宝石を取り出そうと思った。ところが、薬のせいで平衡感覚がおかしくなっていたため、落下した」

純子は、言葉を切った。どうやら、チョコレートをツマミに水割りを飲んでいるらしい。

「だとすれば、潁原雅樹は、傷害致死で立件可能かも……。あ。だけど、さっきの話がまだじゃない。前社長が使った脚立か何かは、どうしてなくなってたの？」

「片づけられたんです」

「誰に？」

「それができた人間は、一人しかいません。潁原雅樹です」

考え込むような間。

「榎本さんは、潁原雅樹擁護派じゃなかった？」

「謀殺に関しては、動機を考えると可能性が薄いと見ました。しかし、スキャンダルを恐れるが故に、前社長の横領を隠蔽《いんぺい》しようとするのは、いかにも彼のやりそうなことです」

「動機は、それ？」

「そうです。前社長が倒れ、天井の吹き出し口がわずかに開いているのを見た彼は、とっさに、何が起きたのかを判断した。そこで、部屋から全員を閉め出して、横領された金を持ち出したんです」

「どうやって持ち出したの？」

「彼は、部屋に入るとすぐに、カーテンを閉めています。たぶん、窓拭《まどふ》きの青年の目を気にしたんでしょう。誰にも見られていない状態になれば、金をいったん副社長室に移して、その後、警察が来るまでの間に、社内の別の場所に隠すこともできたかもしれません。宝石であれば、たいした嵩《かさ》にはなりませんし」

「うーん……でも、それはどうかなあ？　だって、穎原雅樹が最初に社長室に入ったときは、三人の秘書も一緒だったのよ。部屋の真ん中に脚立みたいなものがあったら、目に入らないわけが……そうだ。窓拭きの子は、どう？　彼は、穎原雅樹が入る前に、窓の外から現場の状況を見てるんだから、そんなものがあれば、強烈に印象に残ってるはずよ」

「部屋の隅の方にあったとすれば、誰一人気づかなくても無理はありません。彼らの視線は、入り口近くにある死体に集中していたはずですから」

「隅？　どうして？　踏み台だったら、吹き出し口の真下にないと変でしょう？」

「前社長が踏み台に使うとしたら何なのか、想像してみてください」

再び、間。グラスの氷が触れ合う音。

「ルピナスV？」

「たぶん、ものすごく上りにくいと思うんですが」

「そうか。ロボットに、わざわざ自分自身を持ち上げさせるのも、面倒だろうし。あ……わかった！　社長の椅子ね？」

「そうです。踏み台代わりには、ちょうどいい高さでしょう。六本脚ですから、まず転倒することはありません。ただ、キャスターがついているのが、くせ者です。ぐらぐら揺れるため、事故の一因になった可能性もあります」

「でも、社長の椅子だとしたら、どうだっていうの？」

「転落の瞬間、前社長が椅子を蹴《け》り、その反動で部屋の隅まで滑っていったんじゃないでしょうか。穎原雅樹は当然、この椅子も、本来の位置に戻しておいたでしょう。前社長は、何のために踏み台を使ったのかと、いらぬ詮索《せんさく》は受けたくなかったでしょうからね」

純子は、黙り込んでしまった。そのまま、一分近くたっても何も言わないので、心配になる。

「青砥先生？」

「そうか。真相は、そんなに、つまらないことだったのね……」

「まだ、これが真相かどうかはわかりません。ただ、可能性はあるというだけです」

「ありがとう」

思わず、胸の奥が熱くなるような声だった。

「とんでもない」

「榎本さんのおかげよ。これで、冤罪《えんざい》を防ぐことができる。被疑者があんな人間でもね。心の底から感謝してるわ」

「まあ、後は青砥先生の腕しだいですね」

「そうね。……依頼人には、榎本さんが真相を発見したということで、五十万円を支払うよう言っておくわ」

「それは、助かります」

「でも、榎本さんには、五十万円なんて、たいしたお金じゃないでしょう?」

「そんなことはありませんよ」

「お店も順調みたいだし、羨《うらや》ましい限りだわ。わたしなんて、車のローンで、ふうふう言っちゃってるから」

「じゃあ、そのお金で、食事でもどうですか?」

「ええ?」

「何でも、ごちそうしますよ」

「わたしを、誘ってくれてるの?」

「そうです」

「どうして?」

径は、大きく息を吸った。

「最初に」

「何?」

言葉を続けようとしたとき、窓の外で木枯らしの音が高まり、それに混じって、かすかな音が聞こえた。

径は反射的に、音のした方を見た。

「もしもし？　榎本さん？」

どういうことだろう。

径は、怪訝《けげん》に思って、立ち上がった。音を立てた物体に向かって、ゆっくりと近づいていく。

「どうしたの？」

径は、手を伸ばした。触覚はときに、視覚よりはるかに雄弁である。

そんな馬鹿な。なぜ、こんな。しかし、これは……もしかすると。

次の瞬間、すべての手懸かりが、稲妻のように一本の線につながった。

まさか。そんなやり方がありうるのか。

常識では、とても考えられない。だが、もし、これが意図的なものだとすれば、それ以外の解釈は、ほとんど……。

「榎本さーん。聞こえてるー？」

径は、携帯電話に向かって囁《ささや》いた。

「さっき言ったことは、全部、忘れてください」

「……えっ？」

純子の声が低くなった。

「ちくしょう。まさか、こんなことを本気でやるとは。ふざけやがって……」

自分の声が、荒々しく昂《たか》ぶっていくのを感じた。

「こいつは、デッド・コンボだ！」

「榎本さん？　いったい、何？　どうしたの？」

「失礼しました」

径は、ようやく気息を整える。

「事故だとは、まったく、とんだお笑いでした」

「え？　どういうこと？」

「これは、まぎれもない、計画殺人です」

純子が息を呑《の》む気配が聞こえた。

「それも、およそ、信じられないような方法を使った」

II 死のコンビネーション

1　ハイエナ

椎名章《しいなあきら》は、見えない扉を探していた。

これまでの人生は、すべて、何かの間違いとしか思えない。自分には、もっとふさわしい世界があるはずだと思う。どんなに絶望的な事態も、章は堪え忍んだ。けっして自暴自棄になることはなく、常に冷静に状況を見渡して、少しでも状況を改善しようと懸命になって努力した。だが、その結果、否応《いやおう》なく気づかされたことは、自分と自分が望む世界の間は、透明だが恐ろしく強固な壁によって、隔てられているということだった。

どこかで、突破を果たさなくてはならない。

それが、結論だった。壁のこちら側を百年這《は》い回ったところで、どこにも行き着くことはできない。だとすれば、壁を打ち砕いて風穴を開けるか、ごく一部の人間だけが発見できる見えない扉の所在を探し当てて、ここから向こう側の世界へ脱出するよりない。

それができなければ、自分の人生は、永遠に宙ぶらりんのままだ。

章は、見えない扉を見つけるためなら、いかなる手段をも辞さず、どんなリスクも厭《いと》わないという覚悟を固めていた。

自分には、困難に挫《くじ》けない根性と、計画し、実行する能力がある。向こう側の世界にさえ行くことができれば、社会の階梯《かいてい》を、遥《はる》かな高みまで攀《よ》じ登っていく自信があった。

人生のスタートで躓《つまず》いたのは、自分の責任ではない。原因は、自分が生まれるずっと以前に存していた。親が子供を選べない以上に、子供は親を選べないのだから。

父親の椎名光晃《みつあき》は、世間から食い物にされるために生まれてきたような人間だった。生きていれば、今年で四十六歳になるはずだが、たぶん今頃は、山奥にでも埋められて、土壌バクテリアの培養器と化しているか、重しを付けられて沈められた海底で、シャコやヒトデの宴会場になっている可能性の方が高いだろう。

後になって父親のことを思い出したときも、章には、何の感情も湧かなかった。知力も意志力もなきに等しく、頭を占めているのは目先のちっぽけな快楽だけ。今日の行動が明日どういう結果をもたらすかということさえ、想像できない。そんな人間が旧家の跡取りとして多額の資産を受け継ぐことは、けっして弱点をカバーすることにはならなかった。食えない男として知られていた祖父の清春《きよはる》が死んだとたん、金の臭いを嗅《か》ぎつけた捕食者が群がり集まってきたのも、当然の成り行きだったのだ。

椎名家の資産は、光晃が相続した時点で、家屋敷と、小さな山林、田畑、骨董品《こっとうひん》、有価証券などを合算して、三億円以上はあっただろう。それが、わずか一年足らずで完全に食い尽くされてしまい、あとに残ったのは、膨大な借金だけだった。

当時、章は高校生で、捕食者たちが椎名家の財産を攻略した手口について知ったのは、父親が書いた日記を読んでからのことだった。

まず最初に現れたのは、資産運用のアドバイザーと称する、商品先物会社の人間だったらしい。

銀行員のようなダークスーツを着た男たちは、投資に関するアンケートと称して家に上がり込み、ひたすらお世辞と追従で光晃を籠絡《ろうらく》した。これまでの人生で、一度も人から褒められたという経験がなかった光晃は、春のヒバリより高く舞い上がったに違いない。

アドバイザーたちは、持参した大吟醸酒を光晃に飲ませると、アタッシェ・ケースの中から、印刷された資料を取り出したらしい。難解なテクニカル・タームが鏤《ちりば》められた説明は、おそらく光晃には、1パーセントも理解できなかっただろう。だが、男たちが口を揃えて光晃の理解力と洞察力を褒めちぎるうち、わからないとは言いづらくなり、理解しているようなふりをせざるを得なくなっていた。もしかすると、自分でも理解しているかのような錯覚に陥っていたのかもしれないが。

男たちが帰った後には、酔っぱらって熟柿《じゅくし》のような顔色と吐息になった光晃と、先物取引の契約書の控えが残された。品目は、白金族のレアメタルである、パラジウムとロジウムだった。もっとも、たとえ、スペシウムとクリプトナイトに投資するように勧められていたとしても、光晃にとっては、たいした違いはなかっただろう。

光晃と照子《てるこ》は、その後、お定まりの夫婦喧嘩《げんか》になった。照子は、自分に諮らずに多額の投資をしたことを責め、光晃は、「男の仕事」に口出しするなと怒鳴りつけた。光晃が心おきなく怒鳴ることができる相手は、後にも先にも、照子と、幼い頃の章の二人だけだった。

結局、照子は、新しい着物を買って貰《もら》うという約束で、矛を収めた。信用取引の仕組みがわかっていれば、そんなに簡単に妥協はしなかったことだろう。二人とも、証拠金の額と投資金額が違うことすら理解していなかったに違いない。

そして、投資は、成功した。

世界のパラジウムの産出量の70パーセントを占めるロシアが、およそ予測不可能なタイミングで供給の蛇口を開けたり締めたりするたびに、世界の先物市場は、いいように翻弄《ほんろう》されてきた。光晃が投資を始めた頃は、パラジウムは長期にわたって、じわじわと値を上げていたのだが、またしても、ロシアからの供給不安説がささやかれ、市場の急騰によって、先物はかなりの利鞘《りざや》を稼いだ。

こうして、椎名光晃の短い黄金の日々が開幕した。スーツ姿の男たちは、連日、椎名家を訪れるようになり、光晃の水際だった勝ちっぷりを褒めそやし頭脳の明晰《めいせき》さを賞賛した。やがて、どんちゃん騒ぎの酒宴になだれ込み、真っ赤な顔をした光晃は、お大尽気分でご祝儀をばらまいた。馬鹿騒ぎは光晃が完全に正体をなくす深更まで続いた。

草食獣がサバンナで瀕死《ひんし》の状態になると、まず、望遠鏡のような視力を持つハゲワシやハゲコウが舞い降りてくる。それを見たジャッカルが駆けつける。最後に、けたたましい笑い声を上げながら、ブチハイエナが馳《は》せ参じると、

光晃の投資自体は順風満帆だったものの、判断力という面では脳死同然なことは、あっという間に近隣に知れ渡ったらしい。遠くの親戚《しんせき》や近くの他人たちが、大挙して顔を出すようになり、夜ごとの宴席を盛り上げた。

章は、一度だけ、高く積み上げた座布団の上に祭り上げられている光晃の姿を見たことがあった。痩《や》せて尖《とが》った貧相な肩をそびやかし、ますます日本猿そっくりに目の回りを赤くしながら、牢名主《ろうなぬし》のごとく座敷を睥睨《へいげい》している姿は、奇異というのを通り越していた。しかも、ときどきバランスを失って転げ落ちるところは、大喜利でもやっているのかと疑わせる。光晃がじたばたともがいていると、全員が飛んできて助け起こし、元通り、座布団の山の上に鎮座させるのだった。

アルコールの作用に加え、何度も頭を打ってパンチドランカーのようにふらふらになった光晃は、お銚子《ちょうし》を手に入れ替わり立ち替わり現れる親族友人たちの求めに応じ、借金の保証人になってやったようだ。

そして、ついに真打ちであるブチハイエナ登場となる。気前よく、次々に保証契約を結んでくれる光晃に「敬意を表して」、金融業者たちがやってくるようになったのだ。

最終的に、椎名家という餌場を仕切ることになったのは、二人の闇金業者だった。

小池健吾《こいけけんご》は、堅太りの身体をダブルのスーツに包み、密生した剛毛をジェルでオールバ

ックに固めていた。丸顔の色白で、満面に笑みを浮かべているときには漫才師のような愛《あい》嬌《きょう》を漂わせていたが、誰からも見られていないと、大きな目には猛禽《もうきん》のように鋭い眼光が宿った。

対照的に、青木哲夫《あおきてつお》は面長で、日焼けしてどす黒い顔色だった。カッターで切ったような細い目からは、まったく感情が読み取れず、黒い埴輪《はにわ》を思わせる。

二頭のブチハイエナはおとなしく座って、獲物の喉笛《のどぶえ》に食らいつくチャンスを辛抱強く待ち続けていた。そして、彼らは、それほど長く待つ必要はなかった。

光晃の歴史的ビギナーズラックにケチを付けたのは、疑念による方針転換だった。過去三年以上にわたって一本調子にパラジウムが上げ続けてきたため、商品先物会社の人間も、そろそろ相場の天井が近いはずだと判断したらしい。

光晃もまた、計算上の利益が膨らめば膨らむほど、不安に駆られ始めていた。彼の理解では、相場は丁半博打《ばくち》と同じようなものだったから、あまりにも丁ばかり続けて出ると、半に張りたくなるのが人情である。

両者の判断が一致して、光晃は先物を手仕舞い、単なる皮算用ではない金額が、実際に預金通帳に振り込まれた。父親が一代かけて殖やした財産より多額の金を、わずか数週間のうちに得たのである。

のちのちまで、章の記憶に鮮明に残されたのは、光晃が、座敷机の上で、ガラス玉のようなものを熱心に調べている姿だった。ガラス玉はどれも、異様に強い光を放っていた。

思わず出した章の手は、父親によって、こっぴどくはたかれた。

「阿呆《あほ》か！　触ったらあかん。これみんな、ダイヤモンドやぞ！」

それから、にんまりと笑って、「これだけで、一財産や。いつかは、おまえのもんになるからな」と言う。章はというと、猫に小判、豚に真珠というのはあるが、猿にダイヤモンドとは言わないのかなと考えていた。

光晃は、生涯で最初で最後の、得意の絶頂にあった。

それだけの儲《もう》けをもたらしてくれた商品先物会社の社員への信頼も、絶大なものがあった。光晃は、彼らの言うがままに、今度はパラジウムの先物を売りに回った。しかも、前回買ったときとは、一桁《けた》違う金額で。

ところが、予想に反して、パラジウムは、いつまでたっても、だらだらと上げ続けた。

アドバイザーたちは、慌てて椎名邸を訪れた。そして、追加証拠金を支払わなければ決済しなくてはならず、莫大《ばくだい》な損が発生すると告げた。真っ青になった光晃に、今度は一転して、甘い口調で囁《ささや》きかける。だいじょうぶ。もう少しの辛抱です。市場は必ず反転します。世界的に見ても、パラジウムの需要が、短期間にそんなに伸びるわけがありません。このチャートを見てください。歴史的に見て、パラジウムとプラチナの価格はほぼ連動してきましたが、見てください。九七年のパラジウムの急騰以来、乖離《かいり》幅《はば》が大きくなっているんです。ほどなく調整局面がやってくるのは必至でしょう。パラジウムは必ず下げに転じます。そうなったら、こっちのものです。今までの損は、十倍になって戻ってきます。

どうか、ここは一つ私を信じて任せてください。この前も、そうして勝ったじゃないですか。ここで止めたら、丸損ですよ。ここさえ凌《しの》ぎきれば、勝利はこちらのものです。この前どころじゃない、濡《ぬ》れ手で粟《あわ》の大儲け。それがもう、すぐ目の前、手を伸ばせば届くところまで来てるんですよ。

光晃は、手持ちの現金をかき集めた上、かなりの有価証券類を処分して、追い証を支払った。

それから、再び彼らがやってきて、前回とまったく同じ口上を述べるまでには、一週間とかからなかった。光晃は、残っていた株式を売り払ったが、とうてい足りない。不動産を担保に銀行から借金しようと考えたが、急場にはとても間に合いそうもなかった。

そこでついに、それまで末席に控えていた闇金の出番がやってきた。小池は、ゼロ・ハリバートンのアタッシェ・ケースに札束を詰め込み、椎名邸に乗り込んだ。商品先物会社の社員と小池らに挟まれて、責め立てられた光晃は、借用書に署名捺印《なついん》した。このときの金利は、トウゴ（十日で五割）やトナナ（同七割）といった闇金ならではの超暴利ではなく、法定金利の三倍ほどの『良心的な』ものだったようだ。

しかし、その後待っていたのは、坂道を転がり落ちるような過程だけだった。パラジウムの上げは止まらない。追い証に次ぐ追い証で、借金は膨れ上がっていく。破滅の足音は、すぐ間近まで迫っていた。

決着は、椎名光晃や闇金業者のみならず、先物会社の社員でさえまったく予想できなかった意外な形で訪れた。

東京の先物市場は、パラジウムのストップ高が八日間続いたことから、実質的な『強制解け合い』に踏み切ったのである。これは、このまま放置すれば、売り方の投機家が破産し、自殺者が続出しかねないという理由から、売り方、買い方の双方に、強制的に決済を強要するという措置だった。

まるで、急な坂道をまっしぐらに転げ落ちていく途中に、深い穴がぽっかりと口を開けて待っていたようなものだった。強制解け合いなどという措置は、戦争でも起こらない限り国際的にも例がなく、いち早く仕手情報をつかんで買いに回っていた大商社だけが、ノーリスクで儲けを確定させることができたために、各方面から批判が集中した。

しかし、椎名光晃にとっては、結果的に、破産寸前でからくも助かったということは否定できない。光晃には、莫大な損を承知で決済に踏み切る決断はできなかっただろうし、椎名家の全財産をもってしても、実際に相場が反転する翌年までは、とうてい、持ちこたえられなかったはずだから。

光晃は、泣く泣く、不動産のほとんどを売り払って決済を行った。さらに、小池から借りた高利の借金を返済しようとしたのだが、ハイエナたちは、巧みな連係プレイでそれを阻止した。現金がなくなったら当面の生活費はどうするんですかと、お為ごかしで攻める。金がないのは顔がないのと同じ、もう一度男になるためには『勝負金』が必要でしょうと、焚《た》き付ける。最後は、前の借金よりずっと有利な条件で借り換えられるからと、言葉巧みに翻意を迫った。

光晃は、結局、借金のうち半額だけを返済し、残りは青木哲夫から借り換えることにした。年利にしてほんの数パーセント、有利な条件で。

これで、椎名家に残された財産は、家屋敷と蔵の中の書画骨董《こっとう》だけだった。後者には、有名画家の軸や、銘刀、楽焼きの壺《つぼ》などが含まれていたのだが、これらも、危うく詐取されるところだった。

相場の急上昇で、光晃がノイローゼ寸前に追い込まれつつあったとき、どこから嗅《か》ぎつけたのか、陰陽師《おんみょうじ》の装束を着た男が椎名家を訪れて、現在の苦境はすべて先祖の悪行に起因する悪因縁の結果であると説いたのである。椎名家を地獄に引きずり込もうとしている奔流を止め、すべての状況を好転させるためには、霊的なパワーの器となる壺を床の間に飾るしかない。しかも、もし現金で購入する余裕がなければ、これも人助けであるから、蔵の中にある古道具と物々交換してもいいと申し出たのだった。

気持ちが弱り、藁《わら》にもすがる思いになっていた光晃は、危うくその申し出に飛びつきかけたのだが、急を聞きつけた小池らが駆けつけ、白の束帯に身を包んだ陰陽師をメルセデスのトランクに押し込むと、いずこかへ連れ去ってしまった。

財産の大半を失ってから、光晃は失意の日々を送っていた。そんな中、小池らは極秘の情報を持ってきてくれた。さる大物相場師が、中堅食品メーカーをターゲットに一世一代の仕手戦をもくろんでいるのだという。尻馬《しりうま》に乗る、いわゆる提灯《ちょうちん》買《が》いをするだけで、最低でも三倍になるのは確実という美味《おい》しい話だった。

だが、相場というものに恐怖心を抱いてしまった光晃は、ジェットコースターに懲りた猿のように、せっかくの話にも、いっかな乗ろうとはしなかった。すると今度は、気晴らしのために、光晃を連れ出してくれた。

メルセデスでドライブをして着いた先は、なぜか、雑居ビルの中にある喫茶店だった。薄暗く、あちこちで壁紙が剝《は》がれかけているような店だったが、テーブルがすべてゲーム機になっているところがレトロで、不思議な懐かしさを感じた。青春の一時期、光晃はインベーダーゲームに熱中したことがあった。一日十二時間以上、夢中になってプレイし続けていた記憶が甦《よみがえ》る。

だが、その喫茶店にあったのは、昔懐かしいシューティングゲームではなかった。画面に表示されているのは、五枚のトランプである。どうやらポーカーゲーム機らしい。横を見ると、百円玉を入れる代わりに、紙幣の挿入口が付いている。周りを見ると、数人の客が、一心不乱にゲームに集中している。

小池らは、店長と何かを話し込んでおり、手持ち無沙汰《ぶさた》だった光晃は、一ゲームだけ、ポーカーで遊んでみることにして、千円札を入れた。

最初に配られたカードは、Kのワンペアだった。何の期待もせず、三枚をチェンジする。すると、信じられないような幸運に恵まれた。Kが一枚と、Qが二枚やってきたのだ。フルハウスの配当は、九倍である。瞬《またた》く間に、八千円の儲けだった。

次は、すったところで痛くも痒《かゆ》くもない。すると、いきなりAのスリーカードが来た。この時点で、三倍返しは確定である。二枚のチェンジは実らなかったものの、これで一万円の浮きだった。三ゲーム目は、ハートが四枚とスペードが一枚。迷わず、スペードを捨てた。心臓が早鐘を打つ。そして、配られた札は、何とハートのAだった。

余勢を駆って、ダブルアップゲームに挑戦する。次に配られるカードが、7より上か下かを当てれば、点数が倍になるのだ。光晃は、深く考えることもなく、『上』を選択しかけたが、寸前になって思いとどまった。ここへ来る途中、車の窓から、『下出質店』という看板を見たことを思い出したのだ。

『下』だ。『下』が『出』る。天啓のような閃《ひらめ》きは、いつしか確信に変わった。そして、画面上でめくられたカードは、まさしく光晃の正しさを実証する、4だった。

久しく忘れていた勝利の感覚に、全身の血が熱く滾《たぎ》っていた。光晃は、周囲のことをすべて忘れ、ポーカーゲームに没頭した。この日は、不思議なくらい勝負勘が冴《さ》えわたっていた。ひょっとしたら来るんじゃないかと思ったカードが、ことごとく的中する。連戦連勝だった。その日、帰る頃には、十万円近い荒稼ぎをしていた。

章が、猿芝居の経緯を知ったのは、約一ヶ月ぶりに帰宅して、光晃が事細かに付けていた日記を読んでからのことだった。

出発する前に、何となくごたついているらしいことは知っていたが、まさか、破滅が、これほどの急ピッチで迫りつつあったとは、夢にも思っていなかった。

だが、家に帰ってみると、椎名家は事実上破産して、『私的整理』の真っ最中だった。運送会社の社員たちが、高価な家具調度類を運び出し、頰のこけた人相の悪い男が、傷を付けるなと大声で叱咤《しった》している。

光晃も照子も、姿が見えなかった。家の中を順番に見て回ったが、どこもかしこも引っかき回され、金目のものはことごとく略奪されていた。父親の部屋の床には、引き出しの中身などがぶちまけられていたが、机は姿を消していた。

章は、散乱した紙の山から、光晃の日記帳を発見した。そこには、ポーカーゲームにのめり込み、しだいに負けが込むようになってから、ずるずる借金を重ねていった経緯が書き連ねてあった。

借金の額が危険水域に入って数日後、光晃が保証人になった契約の債務者がいっせいに姿を消し、過酷な取り立てが始まったらしい。日記は、二日前で中断していた。最後のページには、章に当てたメッセージが書かれていた。

「おまえのおとんなあ、とうとう借金で首が回らんようなって、飛びよったんや」

茫然《ぼうぜん》としていた章が目を上げると、目の前に小池が立っていた。足音も立てずに入ってきたらしい。ダブルの背広に身を包み、袖口《そでぐち》からは金のブレスレットとロレックスが覗《のぞ》いている。

「今どこにおるか、知らへんか？」

章は、首を振った。

「ほっとくとな、何しでかすかわからへんのや。だいぶん、思いつめとったみたいやから

な。ひょっとしたら、自殺するかもしれんぞ。わしらにも責任あるし、何とか、そうなる前に見つけたいんや。どや？　ほんまは、知っとんのやろ？」

「知りません」

「おう、この餓鬼！」

闇金業者は、たちまち焦《じ》れて、ヤクザの地金を剝《む》き出しにした。

「隠しとったら、為んならんど。おとんがおらんかったら、借金は全額、われが背《せ》たろうんやで」

金のライターでタバコに火を点《つ》けると、畳の上に灰を落とす。

「われのおかんも、とっとと離婚して、実家に逃げ帰りよったわ。まあ、それで逃げ切れる思うんが、メンタの浅墓《あさはか》さやがな」

いっそう凄《すご》みを増した目で、章を見る。

「何べんも言わすなや。おとんの逃げた場所や。聞いとるやろが？　はよ、うたわんかい」

「俺は、聞いてません」

「何やと？」

「今、帰ってきたとこですから」

小池は、煙を吐き出しながら目を細めた。

「そういや、われ、しばらく見んかったのう。どこ行っとったんや？」

「予備校の合宿です」

「ほうか。そら、暑いのに、ご苦労さんやのう。まあ、こうなったからには、進学はあきらめてもらわんならんけどな」

小池は、にやりと笑った。

「まあええ。ここはもう、われの家とは違うんやけどな、しばらくタダで置いたるわ。ホームレスが入ってこんよう、あんじょう見張っとけや」

畳の上で踵《きびす》を返しかけ、小池は振り返った。

「われのおとんはのう、ごっつい借金残してくれたんや。親の借金は、子が返すのは当然やからの。われも飛ぼうとか、しょうもないこと考えんなや」

章の目を覗き込んでいるのは、人間ではない、虎のような猛獣の目だった。

「まじめに働いて返したら、五、六年で済む話や。まだ、若いんや。人生、なんぼでもやり直しきくやろ。そやけど、もし飛びやがったら、容赦せんで。うちと提携してる組織は、日本中にあるからな。遅いか早いかだけで、見つかったら、どこまでも追いかけて、最後にはガラ押さえる。そのときは、泣き言は聞かんど。即、われの腎臓《じんぞう》と角膜で回収さして貰《もら》うで」

章は、小池が姿を消すまで、微動だにしなかった。背中や腋《わき》の下に、じっとり冷や汗をかいていた。この男は単なる闇金業者ではなく、本物のヤクザだと直感した。単なる脅しではない。間違いなく、言ったとおりのことをやるだろう。

章は、日記の最後のページを破り取ると、裏表紙に挟み込んであったプラスチックのカードを抜き取り、そっと家を滑り出た。

逃げ出すしかない。そのことに疑いは持たなかった。このまま家でぐずぐずしていたら、しながら、まだ満足していない。奴らは、椎名家の全財産を手中にしながら、まだ満足していない。このまま家でぐずぐずしていたら、タコ部屋かマグロ漁船に放り込まれるか、もしかすると、もっと悲惨な運命が待っているだろう。

だが、警察に訴えたところで、本気で動いてくれるとは思えなかった。今までに奴らが行ったのは、正当な債権回収だと言われれば、それまでだろう。本当に怖いのは、その後である。警察が、無期限に身辺警護をしてくれるはずもない。

すぐにでも、逃げ出したいという衝動に駆られた。このまま電車に飛び乗って、まっすぐ、行けるところまで。あのヤクザから、一刻も早く、少しでも遠ざかりたかった。

だが、自分がそうしないだろうこともわかっていた。

小池は、すぐに自分を拉致《らち》監禁しようとはしなかった。どうせ逃げる勇気はないと、高をくくっているのか、それとも、どこへ逃げても、すぐに見つけられるという自信の顕《あらわ》れなのか。

どちらにしても、あの男は、早晩、自分を過小評価していたことに気づくだろう。どんなことをしても、必ず、逃げ切ってみせる。

とはいえ、闇雲に逃げても、必ず、どこかで行き詰まってしまうはずだ。逃亡を成功させるためには、最初に、しっかりとしたプランを立てる必要があった。

章は、私鉄に乗って隣町へ行くと、ときどき利用している図書館へ行って、未成年者が夜逃げして自活するためのハウツー本を探した。すぐに、ぴったりの本が二冊見つかった。走り読みしてわかったのは、自活するには、何よりもまず、身分を証明する物が必要だということだった。それがなければ、まず、まともな仕事に就くことはできないし、住む場所を確保することも難しいというのだ。

かといって、本名で生活するのは、あまりにも危険すぎる。どこで、奴らの耳にはいるかわからないし、うっかり何かに名前が記録されてしまったら、インターネットの検索エンジンなどで釣り上げられてしまうかもしれない。

さらに本を読み進むと、暗澹《あんたん》たる気分になった。

日本の役所には、プライバシーという高級な概念は理解できないのか、住民票は『公開』が原則となっている。不正な目的による請求は拒否するとはなっているが、まったく本人確認をしない以上、空文でしかない。戸籍も事実上同じであり、何か異動があったら、たちどころに奴らの知るところとなってしまう。

本名への未練は、とりあえず捨てるしかないだろう。

ハウツー本には、最低三ヶ月かけて準備をしろと書かれていたが、とても、そんな余裕はなかった。明日にでも、拉致されるかもしれないのだ。どこかに隠れるにしても、この町にとどまれる猶予は、せいぜいが二、三日だろう。その間に、奴らの知らない他人名義の身分証明書を手に入れて、できるだけ遠くへ逃げるしかないのだ。

章は、原付運転免許の取得方法を解説した本を見つけて、借りることにした。家出の指南書には、もう一つ、気になることが書いてあった。家を出て自活するには、最低でも、四十万円は準備する必要があるというのである。

人目のないコーナーで所持金を確認する。二万円と少ししかなかった。これでは、遠くへ逃げれば、交通費だけでなくなってしまう。その後の生活の目途はまったく立っていないし、頼れるような親戚《しんせき》や知人は、一人も思い当たらなかった。

光晃が残した唯一の財産（遺産？）である、クレジットカードを取り出して、つくづくと眺める。メッセージにあった、四十万円のショッピング枠が残っていることを祈るしかないが、これを持って逃げるのが賢いやり方とは思えない。使った場所が特定され、こちらのヒントを与えてしまう可能性があるし、そもそも、このカードが有効である期間は、そう長くはないだろう。

だとすれば、今のうちに、換金性が高く、できるだけ持ち運びに便利な品物を購入するしかない。

しかし、失踪《しっそう》のためのハウツー本にも、そこまでは書かれていないため、どんな物を選んだらいいか、見当もつかなかった。

章は、机に座ると、ノートパソコンにPHSカードを差し、クレジットカードのショッピング枠を現金化する方法を、ネット上で検索してみた。

当時はまだ、ショッピング枠でキャッシングをする業者はおらず、金券を買うくらいしか、方法は見つからなかった。だが、クレジットカードを使って、回数券や、高速券、図書券などを大量に買う客は、警戒されることがわかる。

何か、他のものはないだろうか。今度は書架の間を巡り、必要な情報が載っている本がないか探してみる。

皮肉なことに、一番役に立ってくれたのは、闇金業者の手口を解説した本だった。

彼らがカードのショッピング枠を現金化するときは、昔から、18Kの喜平ネックレスを買うことが多いという。特に、造幣局の刻印保証検定マークが入っているものには、金のインゴットに準ずる流通性があるらしい。

最近では、むしろ、換金の手間がかからない、売れ筋の家電製品の方が人気があるようだったが、持って逃げることを考えると、こちらの方法は使えない。

章は最後に、友人知人に送るメールをノートパソコンで作ると、先ほど抜き出した原付免許取得の本を借り出して、図書館を出た。

駅のトイレで、ボストンバッグに入っていた原色のアロハシャツに着替え、安物のサングラスをかけた。ムースで頭髪を逆立てると、日焼けしていることも手伝って、十八歳という年齢は隠せそうだった。

貴金属店に入る。とにかく、堂々としていることだ。チンピラに見えたとしても差し支えないし、たとえカードが無効になっていたとしても、それで警察に通報されることはない。

四十万円のショッピング枠を考えると、100gのネックレスを三本購入するのがぎりぎりだった。嗄《しわが》れた作り声で注文すると、章はカードをカウンターに置いた。予備校の英文法の教師にそっくりの女性店員が、カードをリーダーに通している間、喉《のど》がからからになり、心臓は今にも爆発しそうだった。

さいわい、カードには何の問題もなかったようだ。汗ばんだ手を、こっそりシャツで拭《ぬぐ》ってから、光晃の筆跡を真似てサインする。

これに度胸をつけて、今度は近くの金券ショップに入ると、残りのショッピング枠をぎりぎりまで使って、図書券を二万円と少し購入した。

これで、ある程度の資金は確保することができた。私鉄に乗って自宅の最寄り駅に戻る。今はまだ、土地鑑のある場所を離れられない。

家からほど近い場所にある、寂れた神社に行く。子供の頃は、よく遊んだ場所だった。人気のない境内で、苔《こけ》むした湿り気のある空気を吸うと、心の底からほっとする。朽ちかけた拝殿の裏に回って、戦利品を確認した。

それは、ただの金属の鎖にすぎなかった。鉄や銅と比べて、少し重いというだけの。だが、鏡面仕上げから生まれる山吹色の輝きは、魂を吸い寄せるようだった。チェーンの周囲には、オーラのような光背がたゆたっている。

章は、生まれて初めて所有する金に、すっかり魅せられていた。黄金をめぐる血塗られた歴史も、今なら理解できるような気がする。

章は首を振った。今は、金に執着しているような余裕はない。章は喜平ネックレスを包み直し、パスポートと一緒に、石垣の隙間に押し込んだ。無価値になったカードは、名前や番号が完全に読み取れなくなるまで石で叩《たた》き潰《つぶ》して、草むらに投げ捨てる。

家に帰ると、ちょうど引き上げるところらしく、小池のメルセデスが門を出てきた。章はとっさに、大きな木の陰に隠れてやり過ごす。一瞬だけ、運転席の小池の姿が見えた。くわえタバコで、いかにも上機嫌なようだ。車が十字路を曲がって完全に見えなくなるまで、章は動かなかった。

さらに一分待ってから、門を入る。玄関は、『共生ファイナンス・管理物件』という張り紙で封印されていた。破り捨てたいという誘惑に駆られたが、もちろん、そんな勇気はない。裏手に回って、捻子《ねじ》締まり錠が壊れている便所の窓から潜り込む。

家の中は真っ暗で、そこら中にゴミが散乱していたが、家具がほとんど運び出されたせいで、がらんとしていた。

灯《あか》りを点《つ》けようとして、照明器具がすべてなくなっていることに気づいた。ハイエナたちは、そんなものまで見逃さなかったらしい。ブレーカーを見る限り、電気はまだ止められていないようだが。どうしたものかと思案していると、ボストンバッグの中に小さなペンシルライトが入っていることを思い出した。

　暗闇の中で、小さな光の円だけを頼りに作業をしていると、まるで、自分が泥棒になったような気がした。商品価値のない物がそこら中に放り出されているので、勝手知ったる自分の家でも、何度も躓《つまず》きそうになった。

　処分しなければならないのは、自分に関する個人情報が詰まった書類である。手紙やアドレス帳、卒業アルバムなどは、すべて、シーツにくるんだ。中でも重要なのは、写真類だった。人捜しには、これほど大きな威力を発揮するものはない。アルバムだけでなく、散乱している写真や、現像済みのフィルムも、すべて攫《さら》った。

　それから、常に持ち歩いていたノートパソコンをコンセントと電話線に接続すると、さっき作ったばかりのメールを、知り合い全員にBCCで送信した。簡単に事情を説明し、電話や郵便物などは闇金業者が自分を捜す手がかりになり、迷惑をかける可能性があるので、今後は一切の連絡を絶ってほしいと依頼する文面だった。

　シーツにくるんだ荷物を持ち、章は家を出た。生まれ育った家を、これで永遠に後にするわけだが、何の感慨も湧いてこなかった。とにかく、安全な場所に逃げなければならない。今は、そのことしか考えられない。

　月明かりを頼りに野原を横切ると、小川のせせらぎが聞こえてきた。急斜面を下ると、河原に大きな石が円形に積んであった。昼間、物好きなハイカーがバーベキューでもしたのだろう。

章は、家から持って出てきた写真や手紙類を石の竈《かまど》に入れた。夜風で、二、三枚が飛びそうになったので、重しに別の石を置いた。

ジッポのライターで火を点ける。炎は、赤々と大きく燃え上がった。思ったより火勢が強かったので、少し慌てるが、すぐに下火になった。火がほとんど消えると、焼け残った紙をひっくり返して、再度火を点ける。思い出がすべて灰になるまで、十分とかからなかった。後に残ったのは、小学校と中学校の卒業アルバムの表紙だけだった。まだ熱いので、靴の先で蹴《け》り出してから、端っこを摘《つま》み、川の中に放り込んだ。二枚の板きれのような物体は、石にぶつかりながら、ゆっくりと下流へと流れ去っていった。

次は、何とかして、今晩一晩の宿を見つけなければならない。最悪の場合、野宿も覚悟していたが、明日は、できるだけ小ぎれいな恰好《かっこう》をしている必要があったから、できるなら、ちゃんとした屋根の下で眠りたかった。明け方まで自宅に戻っているという選択肢もあるが、あまりにも危険すぎる。

思いつくのは、一人しかいなかった。夏休み中だから、どこかへ旅行に行っている可能性もあるが、在宅していることを祈りながら、月明かりの砂利道を歩いた。

鈴木《すずき》家の灯りは消えていたが、犬小屋には、チャッピーがいた。ということは、家族で旅行に行っているのではない。チャッピーは、章の臭いに気づき、物憂げに頭を上げて尻尾《しっぽ》を振ったが、すぐにうたた寝に戻った。

章は大きな枇杷《びわ》の木に登り、指関節で英夫《ひでお》の部屋の窓を叩いた。十秒ほどすると、灯りがついて、ガラス窓が開く。

「何や、章か」

「こんな時間から、寝とったん？」

章は、枇杷の木から窓に乗り移りながら言った。

「ちょっと仮眠しとっただけや。今朝は五時起きで、ツーリング行っとったからな」

英夫は、大きな欠伸《あくび》をした。

「今晩、泊めて」

「なんで？」

「ちょっと、今、家の方、具合悪いし」

「ふーん。まあ、今日は法事で、家誰もおらんからな。かまへんで」

英夫は、鷹揚《おうよう》にそれ以上詮索《せんさく》しなかった。

「助かるわ」

英夫は台所に行き、日本酒の一升瓶を持って上がってきた。湯呑《ゆの》みに注いで酌み交わす。

「何か、あてはないんか？」

「ない」

「乾きもんとか？」

「ない」

「するめとか？」

「詳しく追及しても、ないもんはない」

英夫は、日本酒を水のように飲み干して、お代わりを注ぐ。

「おまえ、いっつも、あてなしで一升くらい飲んでたやないか」

「それは、職員室で飲んだときだけやろ？」

中学生の頃、深夜、職員室に忍び込んだことを思い出す。わずか四、五年前のことなのに、遠い昔のことのように感じられるのは、なぜだろう。

「……あいつら、職員室に酒なんか隠しやがって。一滴残らず、飲んだったな」

英夫は、にやりと笑った。

「おまえが飲み過ぎて、担任の机にゲロ吐くから、バレたんやないか」

そのため、職員室に侵入者があったことは発覚したものの、結局、犯人はわからずじまいだった。

「おう、吐いた、吐いた」

英夫は愉快そうに言う。

「思いくそ、吐いたった。あれ、臭い取れへんかったやろうな」

「まあ、横着なことしとった罰やけどな」

章と英夫は、定期考査のテスト問題を問題集から丸写ししていた担任教師に鉄槌《てっつい》を加えるために、職員室に忍び込んでは、問題文が意味不明になるよう書き換えていたのだった。

「そやけど、学校に侵入する準備に、俺は一週間かけたんやぞ」

章は、ぼやいた。

学校の窓に赤外線センサーが取り付けられていることを知った章は、毎晩、夜中に学校へ行っては、わざとセンサーを反応させたのだった。そのたびに非常ベルが鳴り響き、周辺の家から苦情が出る。たび重なる『誤作動』に業を煮やした学校が、センサーのスイッチを切るようになるまで、ちょうど一週間だった。

「そうやったな。ほんまに、ようやるわ。おまえは、泥棒の資質充分や」

もしかすると、これからは本当に、そういう才能も必要になってくるかもしれない。章は茶碗酒《ちゃわんざけ》を呷《あお》った。

「昨日まで、予備校の合宿やったんやろ？」

英夫が訊《き》く。

「うん。朝から晩まで、勉強漬けや」

「ほんまか？　俺なんか、まだ、何もやってへんぞ」

「まあ、二浪はできへんからな」

「それでも、そこまでせんでも、ええんちゃう？　おまえ、もともと頭ええんやし。小学校のときのＩＱ、県で一番やったやんけ」

「あんなテストでは、ほんまの頭の良さは、測られへんて。もともと、ＩＱ100前後を測定するために、考えられた問題やからな」

雑談をしながら、章はずっと別のことを考えていた。身分を借用するターゲットとしては、鈴木という超メジャーな名字は、理想的である。『鈴木英夫』でも、日本にはかなりの数がいるはずだ。

だが、やはりだめだ。英夫は、来年、どこかの大学に入り、四年後か五年後には就職するだろう。一時もじっとしていない性格だから、その間も、活発に活動するはずだ。どこかで、『鈴木英夫』がバッティングした場合、いくらありふれた名前でも、常に同姓同名で通用するとは限らない。誰かに不審を抱かれて戸籍を照合されたら、即アウトなのだから。

別のターゲットを見つけなくてはならない。ありふれた名前と汚れていない戸籍を持ち、できれば成人で、しかも、社会的には休眠状態にある人間の。

そんな都合がいい人間がいるだろうかと思ったとき、うっすらと記憶をよぎった名前があった。

「なあ、中学ん時、二コ上で、佐藤《さとう》いう人おったやろ？」

「佐藤？　そんなん、ババほどおるやん」

鈴木という名字の人間が吐くセリフではないが、まさに、その点が好都合なのだ。

「いじめで不登校になって、ずっと引きこもりやってる。この近くやったと思うけど」

「あー。佐藤学《まなぶ》？」

「そう、それ。最近、見たことある？」

「なんで？」

英夫は、怪訝《けげん》な顔をした。

「いや、今日、見かけたような気がしたから」

あわてて、ごまかす。

「えっ？　どこでや？」

「図書館」

英夫は噴き出し、顔の前で手を振った。

「ちゃうちゃう。別人や」

「なんでわかる？」

「もう、四、五年、部屋から一歩も出てないっていう話やで。何か、ゲームに嵌《はま》っとって、一日中、コントローラー握りしめてるから、手と一体化しつつあるらしいけどな。ソフトは、口から入ればOKみたいや。そうや、PS2の新作ソフト、やったか？」

英夫の話は、後半から、まったく耳に入らなくなっていた。

見つけた。これこそ、理想的なターゲットだ。佐藤姓は鈴木よりさらに多く、日本で一番多い名字だと聞いたことがある。しかも、自分とは直接の接点は、まったくない。どんなに優秀な探偵でも、手繰りようがないはずだ。

章は、すっかり自分の考えに没頭していたので、英夫が繰り返し発した言葉に意識を刺激されて、ようやく我に返った。

「え？」

「やから、三島沙織《みしまさおり》や。どうすんねん？」

「どうするって？」

英夫は、呆《あき》れ顔になった。

「聞いてなかったんか？　おまえ、沙織が好きやったんとちゃうんかい？」

ぐさりと心を抉《えぐ》られたような感じだった。今になって、ようやく、自分自身のアイデンティティを捨てるというのがどういうことか、わかったような気がする。

それは、沙織への思いも含め、自分の愛するものすべてに対する決別を意味するのだ。

「俺から、返事しとこうか？　沙織の方はけっこう、おまえに気ぃあると見たけどな」

「いや、自分で言うわ。明日にでも、会いに行くから」

「おう。頑張れや」

そう言いながら、英夫は眉《まゆ》を寄せた。

「おまえ、何か、心配事でもあるんか？」

「え？　いや、別に……」

しまったと思った。英夫はデリケートな性質ではないが、表情を見て不審に思ったらしい。

「ややこしいことやったら、俺に言うてみ。何でも、すぱっと解決したるで」

英夫は立ち上がり、ベッドの枕元に置いてある日本刀を取って、抜刀した。

「おい……ちょっと」

英夫は、二、三度縦に素振りをくれると、抜き身をバットスイングのように振り回した。

「わ。危ない。やめろ！」

英夫は日頃から、泥棒が入ってきたら二等分にすると公言していた。こいつなら、やりかねないと思う。昔から、体力と体格に優れていただけでなく、血の気が多いところがあり、ガールフレンドにからんだ地回りを半殺しにして、警察に勾留《こうりゅう》されたことさえある。

闇金のことを相談したい気持ちもあったが、万一、英夫が暴走して、逮捕されたりヤクザに殺されたりしたらと考えると、何も言えなかった。

そんな章の心を読んだように、英夫は、キャップ付きの万年筆のようなものを投げてよこした。

「やるわ」

「何や、これ？」

「キャップ、開いてみ」

言われるままに中を見ると、ペン先の代わりに小型のナイフが仕込まれていた。

「護身用や。そんなんでも、いざとなると、けっこう役に立つで」

いかにも経験者という口ぶりだったが、いったい、これが、どういうときに役に立ったのだろうか。章は、しばらくためらっていたが、せっかくの厚意なので受けることにした。

今後、どういう事態が降りかかってくるかわからない以上、転ばぬ先の杖《つえ》ということもある。

「ありがとう。借りとくわ」

「返さんでええしな」

それからしばらくは、とりとめのない四方山話《よもやま》をして、一時過ぎに座布団を敷いて就寝した。

だが、様々な思いが頭の中を駆けめぐり、章は、ほとんど一睡もすることができなかった。


翌朝、章は、鈴木家を出ると、うろ覚えの記憶を頼りに佐藤家を探した。築年数は古いが百坪近くある大きな家なので、すぐに見つけることができた。

表札の名前と電柱の番地をメモすると、公衆電話ボックスに入り、電話帳を調べた。思ったとおり、電話帳には、正確な住所と父親の名前が載っていた。

佐藤家は、古くからある家だから、本籍地も住所と同じに違いない。欲しかった情報は、これで、ほとんど手に入ったことになる。

次に文房具屋に行き、『佐藤』というプラスチックの三文判を買う。それから、隣のDPE屋で、免許の申請のための写真を撮った。

それから、役所へ行って、所定の手数料を払い、佐藤学の住民票を五通と戸籍抄本を発行してもらう。請求者を本人ということにしたので、請求理由を書く必要はなかった。本人であるかどうかの確認も、まったくなされなかった。戸籍抄本のおかげで、欲しかった最後の情報、佐藤学の生年月日を知ることができた。

時計を見ると、すでに十一時を回っていた。本当は、今日中に原付免許の試験を受けに行きたかったのだが、今から行ったのでは、午後の試験の申請には間に合わない。

章は、人気のない公園へ行き、ブランコに腰掛けて、昨日借りた原付免許取得のためのハウツー本を熟読した。ざっと目を通しただけでも、楽勝に思えたが、今回に限っては、どんなことがあっても、絶対に落ちるわけにはいかない。今日までの人生で、これほど真剣に勉強をした経験はなかった。

ふと空腹を覚えて時計を見ると、一時過ぎになっていた。章はパン屋に行って、一番安い、袋入りのスティックパンを買った。何か飲み物も欲しかったが、水で我慢することにした。この先、どういう事態を凌《しの》がなければならないかわからないし、現金は何より貴重になる。

スティックパンを齧《かじ》りながら道を歩いていて、背後に足音と視線を感じた。

はっとして振り返る。そこにいたのは、闇金業者ではなかった。

「椎名先輩」

三島沙織が、かすかに微笑みながら、ゆっくりと近づいてくる。

「合宿から帰ったんですね。何してるんですか、こんなとこで？」

章が手にしたパンを見ながら、可笑《おか》しそうに言う。

「いや。ちょっと、昼飯」

「パンだけ？」

「ダイエットしてるんや」


章は、懸命に動揺を隠そうとしたが、英夫と違い、沙織は簡単には騙《だま》されそうになかった。


「何か、あったんですか？」

眉をひそめ、心配そうな声になる。

「何もないよ」

「でも……」

「何もないって、言ってるやろ」

沙織に背を向ける。これ以上、うまく表情を繕える自信がなかった。

「あのね。鈴木先輩から聞いてませんか？　あたし、みずきと沖縄に旅行に行く約束してたんやけど、みずきが急に、彼氏と一緒に行きたいって言い出して。それで……もし」

章は、沙織の言葉を途中で遮った。

「俺、これからちょっと、忙しなるから」

「そう」

しょんぼりした声が聞こえた。

「明日は、時間ある？」

「忙しいって、言ってるやろ」

章は、後ろ髪を引かれる思いを振り捨てるように、早足で歩き出した。沙織は、追ってこなかった。しばらく行ってから、そっと振り向くと、立ちつくしている姿が目に入った。

彼女と直接言葉を交わすのは、それが最後になった。

その日はぶらぶらして過ごしたが、小池らに出くわす可能性があるので、人通りの多い場所や家の方には、極力、近づかなかった。

夜は公園で野宿した。もう一晩だけ、英夫に泊めてもらうことはできただろうが、さすがに不審を抱かれるはずだった。

翌朝は、まだ暗いうちに目が醒《さ》めた。無数の鳥の囀《さえず》りが、周囲の空間を満たしている。時計を見ると、まだ、五時前だった。

ラジオ体操をして、不自然な姿勢で寝ていたために強張《こわば》った筋肉をほぐす。水道で口を漱《すす》ぎ、顔を洗う。空腹を紛らわすために、生温《なまぬる》い水を腹いっぱい飲んだ。

二日間着っぱなしだったTシャツなどは、ひどく汗臭くなっていたが、ボストンバッグに詰め込んで持ち帰った汚れ物を、日中、公園の水道で洗濯して木の枝にかけてあった。触ってみると、もう、すっかり乾いていた。

服を着替え、荷物をまとめると、駅まで歩き、始発電車に乗る。待たされながら、電車を乗り継ぎ、運転免許試験場の最寄り駅に着いた。朝のラッシュアワーには間があり、周囲は閑散としていた。

どうしようもないくらい空腹を感じたので、早朝営業の喫茶店で、コーヒーにトースト、茹《ゆ》で卵、野菜サラダが付いたモーニングサービスを頼んだ。スポーツ紙とコミック雑誌を読みながら、時間を潰《つぶ》す。ぼおっとしていると、ときどき、沙織の顔が浮かんできた。そのたびに、これからのことに意識を集中し直さなければならなかった。

やがて、まわりが出勤前のサラリーマンで混み合うようになると、章は店を出た。

バスに乗って、運転免許試験場に行く。申請書に、住所氏名、本籍地などの必要事項を記入する。ばれるはずがないと思っていても、他人の名前を騙《かた》るのは、どきどきした。最後に、昨日撮った写真を貼付する。

申請書と住民票を窓口に出して、受験票を受け取り、学科試験を受ける。勉強したのはわずか半日だが、ほぼ満点ではないかと思う。合格者の発表までは、ひどく手持ち無沙汰《ぶさた》だったが、当然のことながら、電光掲示板に自分の番号が現れた。簡単な試験にもかかわらず、落ちている人間も、けっこう多かった。

申請書に収入印紙を貼り、免許証用の写真を撮影して、講習会場へ向かう。かつて、友達の原付を無免許で乗り回していたことがあったので、スタートも、コーナリングも、難なくこなせた。あまり上手《うま》いと、かえって不審を買うかもしれないので、一度だけ、わざとエンストさせて見せる。

講習が終わると、安全運転と事故のビデオを見せられた。あとは待つしかなかったが、ほどなく、免許証ができあがった。

佐藤学。二十歳。住所も本籍地も、自分のものではなかった。だが、貼付されているのは、まぎれもなく、自分の写真である。

嵐の海に翻弄《ほんろう》される漂流船からの、必死の投錨《とうびょう》。これが、今後、自分を社会に繫《つな》ぎ止めてくれる、唯一の命綱だった。

思ったより簡単に運転免許証を取得できたので、少々気が弛《ゆる》んでいたのかもしれない。神社に行って、石垣の隙間からパスポートと喜平ネックレスの包みを回収して、駅に向かう途中、後ろから近づいてくる車の音には、まったく気づかなかった。

車が止まり、ドアが開く音がした。飛び出してくる足音に、はっとして振り返った時には、すでに遅かった。

「この餓鬼が。ようも舐《な》めた真似さらしてくれたな！」

万力のような力で、二の腕をつかまれる。目の前には、ダブルの背広に力士のような堅太りの身体を包んだ小池の姿があった。

「飛ぼうとしたらどうなるか、言うといたはずやな？　おう？」

「すみません」

章は、必死に声を絞り出した。

「逃げる気じゃなかったんです。ただ、ちょっと」

小池は、凄惨《せいさん》な笑みを浮かべた。

「ただ、ちょっと、プチ家出か？　通用する思うか？　まあ、それでも、遠くへ行かんかったんは、情状酌量したろうやないか。そやけど、おのれは、ブチ殺されてもしかたのないことをしやがったんよ。餓鬼の分際で、金貸しから銭かすめ取りやがって。おう？　知っとるか？　ヤクザにはな、少年法はないんじゃ！」

絶体絶命だった。必死に、窮地を逃れる手段を考える。

「金って、何のことですか？　俺、知りません」

「知りません？　ほほう？　われ、この期に及んで、まだシラ切りくさるか！」

鳩尾《みぞおち》を膝《ひざ》で蹴《け》り上げられ、章は崩れ落ちた。腹を押さえて、黄色い胃液を吐く。苦痛に耐えながら、昼以降、何も食べてなくてよかったという、奇妙な考えが浮かんだ。

「昨日やな。われが、あのボケが隠し持っとったカードのショッピング枠、すっからかんになるまで使い切りやがったんは。しかも、喜平チェーンとは、おもろい真似さらすやないか。おら！　ネタは上がっとんや。白状せんかい！」

どうして、こいつは、昨日使ったばかりのクレジットカードのことを知っているのだろう。カード会社なら、リアルタイムで使用状況を把握しているはずだが……。

「カードはどこや？　ん？」

「捨てました」

「何やと？　そんな言い訳が通るとでも」

「本当です。ショッピング枠がなくなったんで、持っててもしかたがないと思って、石で砕いて捨てました。そこの神社です」

小池は、一瞬、恐ろしい目で章を睨《にら》み付けたが、にやりと笑った。

「まあええわ。たしかに、もう枠はないからな。それより、今後の返済計画について相談しょうか。ちょっと遠いんやがな、事務所まで来てくれるか？」

章は黙ってうなずいたが、そのとき決心していた。このままメルセデスに乗って、ヤクザの事務所まで連れて行かれたら、もう、終わりだ。逃げるとすれば、今しかない。

しかも、小池は一人だった。まだ、天には見捨てられていないのかもしれない。

「われ、まだ運がええんやで。見つかったんがワシやのうて、青木やってみい。あら、極悪非道なんちゅうもんやないからな。今頃、どんなことになってるか」

小池は、章の腕をつかんだまま、メルセデスの助手席のドアを開けた。

相手の両手が塞《ふさ》がっている今が、チャンスだった。

章は、胸ポケットから、英夫に貰《もら》った仕込みナイフを抜き取り、親指でキャップを弾《はじ》いて捨てた。

キャップがアスファルトに転がる音を聞いて、小池は、不審の目を向けた。

「ん？　何や……」

逆手に握り直したナイフの刃を、両手が塞がっている小池の左腿《もも》に、力まかせに突き刺す。

小池は、獣のような声で喚《わめ》いた。

二度、三度。

とうとう、左腕をつかんでいる鋼のような指が弛んだ。そのまま、身を翻して逃げようとしたとき、いったんは倒れかけた小池が、かろうじて右足で踏ん張り、章の襟をつかんだ。

「この餓鬼！　ぶち殺す……！」

鬼のような形相だった。

章は恐怖に竦《すく》み上がった。次の瞬間、何も考えずに、握りしめたナイフを小池の顔面に突き立てていた。

小池は絶叫し、ナイフを振り払おうとした。その結果、ナイフはますます深く傷口に食い込んで、脂肪層と筋肉を切り裂きながら、頬骨から顎《あご》の骨を擦《こす》った。

章は、五、六歩、後ずさった。

小池は、路上に四つん這《ば》いになって、顔を押さえている。指の間からは、大量の鮮血が噴き出し、アスファルトに滴っていた。

逃げろ。早く、逃げろ。

固く強張った右の拳《こぶし》をこじ開けると、血で汚れたナイフが鉛直に落下する。

重傷を負った小池から目をそらし、走り出した。膝から下にまったく力が入らず、まるで、悪夢の中での逃走劇のようだった。

背後から、ぞっとするような声が響いてきた。瀕死《ひんし》の獣のような途切れ途切れの呪詛《じゅそ》は、これまでに小池が発した、どんな脅し文句より恐ろしかった。

振り返るな。逃げろ。逃げるしかない。それ以外に、生き残る途《みち》はない。

恐怖が酸欠をもたらし、身体から力を奪う。それでも、章は駆け続けた。

まるで、狼の群れに追いかけられる兎のように。

2　ダイヤモンド

ハイウェイバスの中で、章は、ようやく落ち着きを取り戻した。だいじょうぶだ。見つかるはずがない。今の自分には、別人の名前があるのだから。

自分に向かって、いくらそう言い聞かせても、窓の外に広がる闇の中に、あの連中の仲間が潜んでいるという、不条理な感覚は消えなかった。

俺は死なない。生きてやる。どんなことがあっても、生き抜いてやる。

頭の中で、呪文《じゅもん》のように繰り返す。

人生をあきらめるのはたやすいだろうが、リセット後の二度目はない。今は最悪のときでも、いつか、必ずチャンスが巡ってくるはずだ。それまでは、どんなことをしても、耐え抜かなくてはならない。

幸いというべきだろうか、東京駅に着いた瞬間から、押し寄せてくる大小様々な問題に対処しなければならなくなり、恐怖は、いつの間にか念頭から追い払われていた。

まず、その晩、寝る場所を確保しなければならなかった。さらに、所持金が乏しいことを考えると、早急に、喜平ネックレスを現金化しなければならない。

まず、夕刊紙などの求人広告をチェックして、パチンコ店で住み込み店員の口を得ることにする。

最初に面接に行った店では、夏休み中ということがマイナスに作用し、家出少年ではないかと疑われたようだ。

ここで、佐藤学名義の免許証を見せれば、二十歳という年齢から、何の問題もなく採用されたはずである。だが、章が名乗ったのは、クラスメートの名前を組み合わせた、吉田誠という偽名だった。免許証は、今の自分にとっては、最後の切り札だ。中長期的に働ける職場のために取っておかなければならない。それに、パチンコ屋のように失踪者《しっそうしゃ》が最初に就業しやすい場所は、ヤクザや闇金の連中と、つながりがある可能性もある。

一軒目と二軒目の店では門前払いだったが、三軒目に訪れた場末にある店では、ほとんど詮索《せんさく》されることもなく簡単に採用された。その理由は、すぐにわかった。労働条件が劣悪な上に給料が安く、従業員が居着かないのだ。

章は、住み込みの寮と称する、朽ちかけた四畳半に入居した。午前零時を過ぎてから部屋に戻って、さらに大きな問題があることがわかった。部屋に置いてあった荷物の位置が、微妙に変わっているのである。本名のパスポート、佐藤学名義の免許証、喜平ネックレスは、肌身離さず持っていたので、被害はなかった。だが、ここに長居することは危険だと、直感する。すぐにでも出て行きたかったが、一週間我慢して、最初の給料を受け取った。

素直に骨身を惜しまず働いたので、しだいに信用されるようにはなっていたが、惜しい信用ではない。わずかな給料を手にすると、章はあっさりとパチンコ屋を後にした。

その間、質屋などを回り、喜平ネックレスを現金化できる場所を探してあった。どこも、こちらの足元を見たらしく、買い叩《たた》こうとしてきたが、ようやく、相場の七割ほどで買い取ってくれる店を見つけた。だが、用心して、売るのは一本にとどめた。一度に何本も売ると、要らぬ注目を受けることになりかねないし、当座を凌《しの》ぐには一本でも充分だからだ。

だが、一本だけしか売らなかった本当の理由は、黄金を手放すのに忍びなかったからかもしれない。三本あったチェーンが二本になっただけで、まるで自分の肉体の一部を売り渡したような、喪失感に耐えなければならなかった。

このとき、章は、仕事と住居を一度に手に入れようとする安易なやり方には、落とし穴があることに気がついていた。まず、拠点を定めて、信用を得るための地ならしをしてからでなければ、ろくな仕事には就けないのだ。

だが、その住居が難問だった。章は、ほとんど入居者がいない廃墟《はいきょ》のようなアパートであっても、保証人がなければ貸してくれないことを知った。それだけ、家賃の滞納や踏み倒しが増えているのだろう。保証人の代行をする業者もあるらしかったが、得体の知れない人間に存在を知られたくなかったし、そもそも、そんなところに使える無駄金はない。

ようやく、解答が見つかったのは、パチンコ屋を出る前日のことだった。希望する物件を見つけられなかった章に、親切な不動産屋が、外人ハウスの存在を教えてくれたのである。

それまで名前を聞いたこともなかったが、外人ハウスというのは、本来、日本にやってくるバックパッカーなどのための施設だったらしい。今は、ゲストハウスなどと通りのよい名で呼ばれているところが多いが、都内各所にあって、保証金二万円と月額六万円ちょっとの家賃で、流し、冷蔵庫、テレビ、エアコンまで完備した部屋が借りられる。共用部分には、シャワーや、トイレ、洗濯機なども付属している。保証人も身元を証明する書類も、一切不問というところが、ありがたかった。

章は、北池袋《きたいけぶくろ》にある『フリーダム・ハウス』という外人ハウスを選んだ。入ってすぐにわかったが、最近の不況を反映してか、日本人の入居者の割合が増えているようだった。ここでは、佐藤学の名前で申し込みを行う。

住居ができると、外人ハウスの住所と原付免許を使って、PHSを契約する。かける相手もいない現状では、分不相応な贅沢《ぜいたく》で痛い出費だったが、就職のためにはしかたがない。電話がなく連絡も付かなければ、まともな会社は雇ってくれないからだ。最近では、固定電話を持たない若者が増えているから、特に不審には思われないだろう。

次に、原付免許の住所を外人ハウスに変更した。取得後三度目の誕生日までに、更新の手続きが来るが、更新通知は、当然ながら、本物の住所に送られる。いつ来るかわからないものを、郵便受けから盗み取るのは不可能だ。

したがって、通知は東京の自分の住所に送られるようにしなければならないのだ。免許証の住所を変更するためには、こっそり郷里に戻って、佐藤学の住所をいったん東京に異動させなければならないかと危惧《きぐ》したが、実際には、拍子抜けするほど簡単だった。免許証と写真、それに新住所宛に送られてきたPHSの請求書を警察に持参するだけで事足りた。

最後に、新住所の記載された原付免許と三文判を使って、銀行口座を開設した。

翌日、章は文房具屋で履歴書を買い、適当な経歴を記入すると、職探しのために都内を歩き回った。

ハローワークにも行ってみたが、不況とあって大勢の人でごった返しており、なかなか適当な仕事は見つからないだろうと悲観していた。だが、ダメもとで求職票を出したところ、幸運の女神が微笑んだ。外人ハウスから二駅という場所にある工務店を紹介され、面接を受けることができたのだ。

工務店の社長は、安西《あんざい》という五十年配のいがぐり頭で、実直そうな人だった。章は、若さと健康、やる気を前面に出しながら、さりげなく、素直さと頭の良さ、一般常識をアピールした。これまでに職歴がない点がネックになりそうだったが、章はあえて、ぼろが出そうな話は作らず、高校を卒業した後、仕事が決まらなかったのでフリーターをやっていたが、将来に不安を感じるようになったからと説明した。

安西社長も、章の話を百パーセント信じたわけではなかっただろう。だが、とりあえずは見習いとして採用してくれ、その日から働くことになった。

安西工務店は、最近流行《はや》りのリフォーム全般を引き受けていたが、最も得手としていたのはガラス工事だった。十年以上前から、防音性能の向上や結露防止を謳《うた》い文句に、窓やサッシのガラスをペアガラスと呼ばれる二枚ガラスに取り替える工事に力を入れてきた。ところが、最近は、窓から侵入する泥棒の横行で、防犯合わせガラスの需要が急速に高まり、あっというまに、こちらの方が稼ぎ頭になってしまった。

章は、先輩社員に連れられて、店舗や顧客宅を回り、ガラス工事の手伝いをした。サッシからガラスを外し、アタッチメントで厚さを調節してから新しいガラスを嵌《は》め、シーリング材を充塡《じゅうてん》し、固定する。店舗などの大型のガラスは、相当な重量になるため、二人がかりで巨大な吸盤を使って運ばねばならず、常に緊張を強いられた。だが、できあがりを見ると、これまでに経験したことのない達成感が得られた。

章は安西工務店で、約二年働いた。その間、板ガラスの切断や加工を学び、サッシや窓枠の加工技術も習得した。暇なときには、工務店に置いてあるガラス・ハンドブックを熟読し、ガラスという物質の持つ奇妙な性質に興味を惹《ひ》かれた。

そもそもガラスは、常識的には固体だが、結晶を作らず、原子の配列が不規則なために、途方もなく粘度の高い液体と見なすべきらしい。

だが、その性質は、液体のイメージとは対極にある。モース硬度でいうと、鉄が4・5なのに対し、普通のガラスが5・5前後、石英ガラスに至っては7と、きわめて硬い物質である。それなのに、いとも簡単に脆性《ぜいせい》破壊を起こしてしまうのだ。

ガラスが破壊されるメカニズムには、二種類あるようだ。小さな範囲に強い衝撃が加わって生じるヘルツ破壊と、広い範囲に大きな圧力がかかったときに起きる曲げ破壊である。前者の対策としては、物理強化や化学強化などの手段で、ガラス自体の剛性を高めるしかない。一方、二枚のガラスの間に特殊な樹脂膜を挟んだ合わせガラスは、後者への抵抗力を増すばかりか、対貫通性能も大幅にアップすることができるという……。

章は骨身を惜しまず働いたため、最初は雀の涙だった給料も、技術の習得に比例して、そこそこの額に昇給してもらえた。酒やタバコ、ギャンブルといった無駄遣いはまったくしなかったため、わずかながら貯金もできた。

また、正社員になったことで、正式に健康保険に加入することができ、身分証が一枚増えた。

本物の佐藤学は、父親が加入している健康保険に家族として登録されているだろうから、厳密には、重複加入ということになる。だが、たぶん、そこまでチェックできるシステムはないだろうと思った。万一、バッティングしたとしても、同姓同名で誕生日が同じケースもあるはずである。

とはいえ、発覚を防ぐためには、極力、保険証を使用しないに越したことはなかった。さいわい、気を張っていたためか、安西工務店で過ごした二年間で、一度、軽めの風邪を引いただけだった。

章が安西工務店を去る決断をしたのは、二年ぶりに英夫の携帯電話にかけたのが、きっかけだった。

「章か？　おまえ、今、どこやねん？」

　英夫が叫び、章は公衆電話の受話器を耳から遠ざけた。

「東京。それ以上詳しいことは、言われへんけど」

「なんでや？」

「いろいろ、差し障りがあるんや」

「差し障りって、何かややこしいことか？　あの後な、おまえの居場所知らんかって、ヤクザみたいな奴が、うちにも押しかけてきたぞ。知らんって言うても、しつこう脅し文句並べよるから、親父が切れて警察に電話したら、やっと帰りよったけど」

「悪い。迷惑かけたな」

「そんなんは、ええけど」

「来たん、どんな奴やった？」

「忘れたけど、パンチパーマの貧相なおっさんと、もう一人は、金髪の若い奴やったと思うわ」

　どうやら、小池本人や、青木ではないらしい。手下がいるということは、けっして朗報ではないが、本人たちが出張ってきていないということは、英夫を本気で疑ってはいなかったということだろう。

「それより、今、どうしてんねん？」

「何とか、やってる。……おまえの方は？」

わ」
「まあ、高校三年分の勉強を一からやりなおすんやから、三年は必要やろう。……そういや、三島沙織も今、東京やで。やっぱし、賢い子ぉは違うな。志望校に現役で受かった
英夫は、気分を害したふうもなく答えた。
「順調に、三浪目に突入や」

「へぇ」

かすかな痛みのような感覚を覚える。もう、自分とは何の関係もない名前ではあったが。

「携帯の番号、聞いてるんや。言おうか？」

章の返事を待たず、英夫は手帳か何かを引っ張り出して、十一桁《けた》の番号を読み上げた。

章は、メモすることもなく、黙って聞き流した。

「そうや。おまえの家、取り壊されとったぞ。知っとったか？」

「ああ……」

予想は付いていた。

「あっ。思い出した。うちにヤクザが来た後、たまたま、おまえの家の前通りかかったら、今度は、別口のヤクザがうろうろしとったんや。家の跡地を見てたら、おまえのこと根掘り葉掘り訊《き》かれたわ。もちろん、知らんとは言うといたけどな」

「それ、どんな奴やった？」

「ひとりは、顔を包帯でぐるぐる巻きにした小太りの男や。そいつがごちゃごちゃ聞いて

きよったんやけど、ワニみたいな目ぇしとったわ。めちゃめちゃ、しつこそうな奴やったな。連れの方は、黒いハニワみたいな気色《キショ》いおっさんやった。……気ぃつけた方がええぞ。あいつら、相当ヤバいわ」

小池が生きていたのは少々ほっとしたが、執念深く自分を追い続けているらしいのがわかって、気持ちが重く沈んだ。いつになれば、奴らはあきらめるのだろうか。「ヤクザには時効はないんじゃ」と嘯《うそぶ》く、小池の声が聞こえるような気がする。

「そいつに名刺渡されたんやけど、こっちの電話番号は、別にいらんやろ？」

「いるか」

章は、苦笑した。

「そやけど、この、共生ファイナンスたらいうヤクザの事務所も、東京なんやな」

思わず、絶句した。小池がべたべたの大阪弁で喋《しゃべ》っていたため、てっきり大阪の会社だとばかり思い込んでいたのだ。まさか、はるばる東京から出張ってきていたとは、夢にも思わなかった。

「それ、住所どこになってる？」

「あー。豊島《としま》区池袋……」

英夫が読み上げた住所に凍り付いた。地図で確かめずとも、外人ハウスから、直線距離で一キロと離れていないのがわかる。これでは、自ら虎口《ここう》に飛び込もうとしていたに等しかった。今まで、一度も奴らと遭遇しなかったのは、幸運だったのかもしれない。

もちろん、東京では、たとえ至近距離で生活していても、めったに出会わないものなのかもしれない。だが、知ってしまった以上、恐怖は際限なく膨らんでいった。いっそのこと東京を離れようかとさえ考える。

だが、完全に自分の存在を埋没させることができるのは、東京のような大都市の人混みの中だけであり、その意味では、大阪や横浜といえども地方都市にすぎない。

隠れ蓑《みの》としての都市の規模は、物理的な距離ではなく、人口だ。東京は多数の街の集合体であり、ターミナルが違えば、千キロ隔たっているのと変わらない。この際、奴らに偶然出くわす可能性など、無視すべきだろう。

「なあ、あの包帯のおっさんやけど、ひょっとしたら、おまえがやったんか？」

「ああ」

章は認めた。

「俺がやったナイフでか？」

「そうや」

「おまえも、やるやんけ」

英夫は笑った。

「ナイフは、そのとき落としたけどな」

「そうか。護身用に持ち歩くんやったら、長めのドライバー買い。顔切るんやったら、マイナスでもええけど、やっぱし、どこでも刺せるプラスの方が実戦的かもしれんな。職質されても、日曜大工でとかバイクの調子がとか、ごまかせるし。家に置いとくんやったら、ほんまはポン刀がええんやけど、手頃なんは鉄パイプかな。握りやすい細めがお薦めやけど、口径のわりに厚みのある重い奴やないとあかんぞ。一撃で、戦闘力奪っとかんとな」

章は、英夫の勧める通り、鉄パイプを常備しておこうと思った。喧嘩《けんか》名人の言葉には、それなりの説得力がある。

「そんなもんで殴ったら、相手は死なんか？」

英夫は笑った。

「それやったら、俺のまわりは今頃、死体の山や」

「そういや、不思議やな。おまえにどつかれた奴、なんで一人も死なんかったんやろう？」

「そんなん、気ぃつけてるからに、決まっとるやんけ。頭シバいたら一発で死ぬから、肩をやるんや。鎖骨が折れたら、たいがいの奴はギブアップや」

「それでも、向こうは動くやろ？　間違って、頭に当たらんか？」

「それには、コツがあるんや」

英夫は、自慢げに言った。

「相手がよう動く奴の場合は、こっちは、頭を狙って打ち下ろすんや。そうすると、向こうが避《よ》けて、だいたい、ちょうどええとこに当たる」

「……コロンブスの卵やな」

どんなに無茶苦茶な行動指針を採用していても、神に祝福されて、大過なく人生を送れる人間は、いるものらしい。

「それより、何かあったら、また電話してこいや。できることとあったら、力んなるで」

「うん。また、何か頼むかもしれん」

章は、その日のうちに不動産屋へ行った。別の外人ハウスに移るつもりだったが、二年前とは違い、しっかりした職に就いているので、保証人がなくてもアパートを借りることができた。

新住所は渋谷区の笹塚《ささづか》だった。引っ越しが完了すると、すぐに安西工務店を辞めた。社長を始め、同僚たちは彼を引き留めようとしたが、ちょっと事情があってと口を濁すと、もともと訳ありなのを察していたのか、それ以上何も言わなかった。

笹塚に移ってからは、外出時は、以前にも増して緊張するようになった。いつしか、黒縁の伊達《だて》眼鏡をかけ、キャップを目深に被《かぶ》る習慣がつく。

さいわい、次の職探しは、すぐに候補が見つかった。渋谷ビルメンテナンスという会社が清掃員を募集していたのだが、特に、ハイグラウンド・スタッフという、ゴンドラやブランコに乗ってビルの窓の外側を拭《ふ》く仕事は、時給がよかった。ガラスのクリーニングは安西工務店でも何度もやらされていたので、手際には自信があった。

応募すると、簡単な研修の後、いきなり現場に連れて行かれた。社名の書かれた青いつなぎを着て、ヘルメットを被り、腰には命綱の付いた安全帯を巻く。二十階以上あるビルの屋上に上り、ゴンドラに乗って、ビルの壁面を下りていった。洗剤に浸したシャンプーというモップでガラス表面の汚れを浮き上がらせ、スクィージというワイパーのようなヘラで刮《こそ》げ取るのである。

だが、最初のうちは、簡単なはずの作業も思うにまかせなかった。高所恐怖症ではないつもりだったが、50mを超える高さで直接外気に触れているだけで、緊張が手を強張《こわば》らせる。さらに、足元が妙にゆらゆらと頼りないばかりか、風が吹くたびにゴンドラが大きく揺れる。となりに乗っている先輩社員から何度も叱咤《しった》されたが、とてもガラス拭きに集中できる状態ではなかった。

その日は、作業予定時間を大幅に超過して終わった。章は、全身に汗をびっしょりかいて、事務所に戻ってきた。てっきり、クビになるかと思っていたが、採用だった。後で聞いたところでは、最後まで音を上げなかった根性を買われたらしい。

翌日から、ハイグラウンド・スタッフとしての仕事が始まった。最初の三日間は恐怖との戦いだったが、いったん高所に慣れてしまえば、しだいにコツをつかむことができた。

都内の十二階建て以上のビルには、たいてい、屋上に常設型のゴンドラが備えられている。大きなビルでは、壁面にゴンドラを滑らせる溝が切られているのだが、ほとんどのゴンドラは、単に屋上からぶら下げているだけである。したがって、一番怖いのは風で、強風時には作業を見合わせることになっているが、それまで無風か微風だった日でも、突風が吹いたために、ゴンドラが大きく煽《あお》られ、肝を冷やすことがあった。

だが、一番厄介なのは、ゴンドラが設置されていない、中途半端な高さのビルである。窓を拭くためには、屋上から登山用のザイルを垂らし、先端にあるブランコに腰掛けて壁面を下りなければならないのだ。命綱は別に付いているとはいえ、並大抵の恐怖感ではなかった。しかも、そのくらいの高さのビルは、メンテナンスのことなど念頭にないデザイナーが変に凝った作りにしていることも多く、壁面が傾斜していたり、窓の上に邪魔な庇《ひさし》があったりして、よけいな緊張を強いられた。

だが、よく言われるように、一番怖いのは下り始めで、壁面を向いてガラス清掃に専念し始めれば、邪念は自然に消えていった。

章は、ビルの窓拭きという仕事に全精力を傾けた。迅速で丁寧な仕事が、自分の価値を増し、結果として安全を高めてくれるのだ。汚れを拭《ぬぐ》い去った後で美しく輝く窓ガラスは、新しい人生の象徴のように見えた。その働きぶりは、自然に会社にも認められ、いつのまにか、アルバイトや新入社員を指導する、最も信頼の厚い社員の一人になっていた。

だが、無我夢中の日々が過ぎ、仕事が軌道に乗って少し余裕が生まれると、皮肉なことに、将来に対する様々な恐れが渦巻き始めた。

自分は、佐藤学として、新生活をスタートさせた。だが、これは、あくまでも、緊急避難であり、仮の人生にすぎない。

そもそも、佐藤学という身分自体、いつまで安泰かは、まったく予想がつかない。本物が、郷里でずっと引きこもりを続けてくれていればいいが、何かのきっかけで、社会復帰しないとも限らない。普通免許を取得しても、特に問題はないだろうが、万一、原付免許を取ろうなどと考えれば、すでに取得されていることが明らかになってしまう。あるいは、本人が生活保護を申請したり、死亡したりしても、深刻な齟齬《そご》が生じる。現在、自分に支払われている給与は、佐藤学の住民票をベースにしているからだ。

かといって、勝手に住民票を動かすこともできない。手続き自体は簡単だが、誰かに気づかれるのは時間の問題だからだ。

夜逃げを計画したときは、将来、闇金業者たちが摘発されれば状況が変わるから、郷里に帰って、椎名章に戻れる日が来ると思っていた。しかし、現状を考えると、楽観はしていられない。

もし、椎名章という名前を永遠に捨てなければならないとしたら、新しい戸籍を金で買うしかない。それには、かなりまとまった金が必要になるはずだ。

要するに、金さえあれば、どんな問題もすべて解決する。

いや、そもそも、すべてを捨てて逃げ出す必要などなかったのだ。

金さえあれば。

金さえあれば……。

その光景を目撃したのは、まったくの偶然からだった。

その日は日曜日で、章が先輩スタッフの運転する車で、六本木センタービル、通称ロクセンビルに着いたのは、午前十時過ぎだった。

警備員室で鍵《かぎ》を受け取り、屋上へ行って、いつも通り、ゴンドラの作業前点検を行った。最初は、給電設備だった。キャブタイヤケーブルの被覆に損傷がないか、プラグやコンセントにひび割れや欠損がないか、接続状態が適正かを調べ、漏電遮断器が機能しているかどうかチェックする。次は、走行路。さらに、台車とワイヤロープ。最後は、台車と作業床のスイッチ、インターフォンの点検と続く。

章が忠実にマニュアル通りの手順を踏んでいる間、もう一人のスタッフは、おざなりにゴンドラを調べるふりをしていた。窓拭き用のゴンドラは、通常、二人乗りのものが多いが、ロクセンビルでは一人乗りで、作業は一人でやることになる。もう一人は、ゴンドラの真下に人が来ないよう注意するほか、非常の場合に備えて、台車の側で待機することが仕事だった。

先輩社員と組んだ場合、章は、ほとんど窓拭きの担当に回った。貸しを作っておいた方が得策だと思ったのと、普通免許がないために、運転をしてもらう負い目があったからである。

点検が終わり、章の乗ったゴンドラは建物の北側をゆっくりと降下した。最上階の一番西にある窓の前で止まる。窓ガラスは、ディーゼル車の粉塵《ふんじん》などでかなり汚れていた。シャンプーで、窓ガラスに洗剤の泡を塗布し始めたとき、おやと思った。

最上階北側にある窓はすべて、ブラインドではなく、高級そうな厚手のカーテンが設《しつら》えてあった。それが、日曜日だというのに開け放たれている。ドレープカーテンばかりか、レースのカーテンも。

部屋の中に人影が見えた。大きな机の向こうに、男が座っている。白髪の老人だった。ミッキーマウスを思わせる巨大な耳。ピンセットを持って、何かの作業に熱中しているようだ。

日光が遮られて、わかったのだろう。老人ははっとしたように目を上げ、こちらを凝視した。章は、こんなときに同業者なら誰でもやる、ごまかし方をした。

まるでマジックミラーのように、外から中はまったく見えないふりをして、窓拭きの作業を続けたのである。シャンプーで窓ガラスを撫《な》でて泡で覆い、スクィージで四辺から中に向かって泡を寄せていき、最後は、くるりと丸めるように掻《か》き取る。

老人は無表情なまま、机の上のリモコンを取り上げて、こちらに向けてスイッチを押した。すると、電動式のカーテンが左右から閉まり、章の視界を完全に塞《ふさ》いでしまった。

章は、別の窓に移ってからも完璧《かんぺき》に演技を続け、いつも通りの手順で清掃を行った。だが、その間、頭の中では、別の思考がフル回転し続けていた。

ほんの一瞬だったが、老人が机の上に広げていたものが、網膜に焼き付いていたのだ。

黒っぽいベルベットのような布の上で輝く、無数の星。ガラス玉に似ているが、異様なほど強烈な光芒《こうぼう》を放っていた。老人は、その物体をピンセットで摘《つま》んで、白磁のコーヒーカップに落とし込み、ペンライトで横から光を当てていた。

章は、過去に一度だけ、これとよく似た光景を見たことがあった。父親が、座敷机の上で調べていたガラス玉も、やはり、同じような強い光を放っていた。

「阿呆《あほ》か！　触ったらあかん。これみんな、ダイヤモンドやぞ！」

父親の声が甦《よみがえ》る。

そうだ。あれと同じ光だ。老人が見ていたのは、間違いなく、ダイヤモンドだろう。

あの老人は、宝石商で、売り物のダイヤを鑑定していたのだろうか。そう考えても、特に矛盾はないように思えた。だが、そのとき、記憶の片隅から一つの映像が甦ってきた。

以前、このビルの窓を清掃したときのことだ。

やはり、この部屋の中に同じ老人がいた。あれも、たしか日曜日だったのではないか。間違いない。平日は人通りが多くて危険なので、このビルの窓の清掃を行うのは、ほとんどが休日だ。

休みの日に、オフィスの部屋で一人、ダイヤモンドを眺める老人。それが何を意味しているのか、すぐにはわからなかった。

作業が完了して、ゴンドラの鍵を警備員室まで返しに行ったときに、ビルのディレクトリを見て、最上階のテナントを確かめた。

ベイリーフ㈱。同じ会社が、最上階から三つのフロアを占めている。だとすれば、あの老人は、社長か会長という立場の人間に違いない。

仕事が終わってから、章はインターネットカフェに行った。プロバイダーに支払う金を節約しているため、自前ではネットに接続できない。ベイリーフという名前の会社を検索してみると、似通った名前がいくつかヒットしたが、ロクセンビルに入っているのは、介護サービスでは最大手の一つとされている企業であることがわかった。近々、東証の二部に上場を控えているらしい。

代表取締役社長の名前は、穎原昭造となっている。顔写真も載っていた。白髪で中高の、紳士然とした面だった。何より、分厚くて大きな耳が特徴になっている。あの男に間違いなかった。

それにしても、キナ臭さを感じる。介護業界に関する知識はまったくなかったが、常識で考えても、ダイヤモンドとは何の関係もないだろう。会社のまっとうな資産とは考えにくいが、個人の持ち物だとしても、とんでもない価格になるだろう。普通は、銀行の貸金庫に入れるか自宅で保管するはずで、いくら社長室でも、会社に置きっぱなしにしておくとは思えない。

整理のために、会社に持ってきたとも考えにくかった。これだけ治安が悪くなって、ひったくりや強盗が横行しているのだから、なるべく持ち歩くのは避けるのが普通だろう。しかも、そうまでして、休日の会社にダイヤを持ってくる必要があるのだろうか。

おそらく、と章は考えた。あれは、表沙汰《おもてざた》にできない性質の資産なのだ。会社の資産を横領したか、脱税で浮かせたものだろう。ドラマや小説に登場するマルサ、国税庁の査察を警戒して、自宅を避け会社に隠匿しているに違いない。

だとすれば、高齢にもかかわらず、頻繁に休日出勤をしていることもうなずける。ダイヤのことが、心配でたまらないからではないか。

今度は、ダイヤモンドの鑑別法について検索してみた。結果は、予想通りである。

ダイヤを模造品と区別する古典的な方法に、水滴を垂らして盛り上がり方を見るというのがあるが、それでは見分けられないイミテーションも存在するらしい。その場合、検体を白いコーヒーカップに入れて、横から光を当てるのだという。ジルコニアなどは分光して虹色《にじ》が出るが、本物のダイヤでは、白い光しか見えないということだった。

章は、コーヒーを飲みながら、様々に思考をめぐらせる。

自分があれを目撃したのは、ロト6に当たったくらい、ラッキーな出来事だったのかもしれない。だとすれば、これを生かさない手はない。あのダイヤを、ほんの一部でも、自分のものにできたら。そうすれば、人生は劇的に変わる。常に物音に脅え、逃げまどう生活からは、卒業できるのだ。

うまく盗み出せれば、表沙汰にできない性質の資産だけに、訴えられないかもしれない。章は、これまでに読んだり映画で見たりした、ミステリーの知識を総動員して考えた。

あるいは、もっとスマートなやり方としては、目撃したことを国税庁か警察に告げると脅迫すれば、ある程度の利益が得られるかもしれない。

だが、と考え直す。まず、盗み出すこと自体、至難の業だ。ビルの内部に侵入するのも難しいし、ダイヤの隠し場所もわかっていないのだ。おそらく、ちょっとやそっとでわかる場所には置いてないだろう。それに、盗まれたことがわかった場合も、金額を考えると、あっさりあきらめるとはとても思えない。

誰もその存在を知らないはずの、ダイヤを盗まれた。社長は、記憶をひっくり返して容疑者のあたりを付け、最後にはきっと、窓拭《まどふ》きをしていた人間に見られたことを思い出すだろう。そうなったら、警察には頼れなくても、別の筋の人間を使うのではないか。

章は、小池と青木を思い出した。あの連中より数段恐ろしい連中が、血眼になって自分を捜し回る姿が、目に浮かぶ。

一方、脅迫するというのも、現実味がなかった。ダイヤモンドを別の場所に移してしまえば、何の証拠も残らない。しかも、穎原社長は、脅迫者の口を塞ぐには、買収より暴力の方が確実だと考えるかもしれない。

……とはいえ、ダイヤは、もう、あの部屋にはないだろう。

そう考えて、自分を納得させる。

徹底して用心深い人間であれば、他人に見られたと思えば、当然、隠し場所を変えているはずだ。残念ながら、今回目撃したことが役に立つことはないだろう。

章は、それっきり、ダイヤのことは放念していた。しかし、その一月後、再びロクセンビルの窓を拭きに来たときに、事態は急展開した。

十二階の窓を拭きながら、章は怪訝《けげん》に思った。ガラスが、さほど汚れていないのだ。

窓ガラスに目を近づけてみる。

違う。

ガラス工事の経験がなければ、たぶん、気づかなかったに違いない。だが、この前来たときとは、明らかに異なったガラスが嵌《はま》っているのがわかった。

窓ガラスを窓枠に固定している、シーリング材を見る。人差し指の先で、擦《こす》ってみた。間違いない。まだ真新しい。しかも、どうやら、サッシごと入れ替えてあるらしい。

だが、いったい、なぜだろう。分厚いビルの窓ガラスは、めったなことでは破損しない。

指関節で窓ガラスを叩《たた》いて、音をチェックした。相当な厚さであることがわかる。しかも、響きが途中で吸収されるような感じだった。安西工務店での経験のおかげで、正体の見当はついた。

新しいガラスは、厚さ２cm強もある防犯用合わせガラスなのだ。中間膜が何ミルあるかにもよるが、おそらく、大型のハンマーで強打しても、打ち破ることは困難だろう。

ビルの窓を拭きながら、観察を続けると、やはり、最上階の窓だけが、すべてガラスを入れ替えてあることがわかった。

ダイヤを目撃した社長室に来ると、部屋には、白髪の穎原昭造の姿はなかった。だが、前回同様、カーテンは開いており、机の上には使いかけの湯呑《ゆの》みが置いてある。この日も休日だったが、社長は出勤しているらしい。

章の頭脳は、再び、フル回転を始めた。

穎原社長は、いったい何のために、窓ガラスを防犯用合わせガラスと入れ替えたのか。

ダイヤを、自分に見られたからだろうか。

いや、そうも考えにくい。本当に見られたと思ったなら、ダイヤの隠し場所を変えるのではないか。その場合は、窓ガラスをいじる必要などないはずだ。

だとすると、あのときの芝居が奏功したのかもしれない。穎原社長は、窓の外から目撃されたとは思っていない。だが、ゴンドラが窓の外に下りて来るのを見て、泥棒が窓から侵入する可能性に思い至ったのだ。そのため、打ち破りがほとんど不可能に近い厚さを持つ、防犯用の合わせガラスを導入した。

つまり、ダイヤモンドは、まだ、あの部屋の中にある。

その結論は、寒気のするような感覚をもたらした。

あの部屋に侵入し、ダイヤを見つけ出すことさえできれば、盗《と》れる。確実に、盗み出すことができるのだ。

小粒のダイヤなら、ゆっくり時間さえかければ、換金することは不可能ではない。

どうせ、自分は逃亡中の身だ。重ねて追われることになっても、たいした違いはないだろう。身を隠すノウハウは、すでに身に付けている。

その日、章は、込み上げる興奮と武者震いを同僚の目から隠すのに、たいへんな苦労をしなければならなかった。だが、その苦労は、これまでとは違い、苦痛とは対極にあるものだった。

計画の第一段階は、ビル内に侵入することである。そのためには情報を収集する必要があったが、幸運なことに、章の勤める渋谷ビルメンテナンス㈱は、六本木センタービルの管理も請け負っていた。

章は、不自然に思われないよう気を配りながら、柿沼《かきぬま》という担当者に近づいた。最初は雑談を交わす程度だったが、そのうち、仕事帰りに何度か一緒に酒を飲むようになった。柿沼は三十代前半で、酔っても仕事以外の話題がない無趣味な男だった。おかげで章は、たやすく、ロクセンビルのことを聞き出すことができた。

柿沼の話では、最近、ベイリーフの社長室の窓を外部から空気銃で狙撃《そげき》されるという事件があったらしい。犯人は不明だったが、社長以下、役員の身の安全を考え、最上階の窓はすべて防犯用合わせガラスに取り替えたのだという。費用に関しては、すべてベイリーフが持つという条件だったために、ビルのオーナーも承諾したのだろう。

章は、狙撃事件について聞けば聞くほど、眉唾《まゆつば》だという気がしてきた。動機についても、方法も、今いちはっきりしない。ひょっとすると、すべては社長の自作自演で、窓ガラスを入れ替える口実に過ぎなかったのではないか。

さらに、深く探りを入れてみると、セキュリティを強化する措置は、他にも施されていることがわかった。まず、エレベーターに暗証番号を設定して、その番号を押さない限り、かご室が最上階には止まらないようになっているという。また、社長室のある廊下の突き当たりにはCCDカメラが設置され、警備員室から二十四時間監視を行っているということだった。

侵入は、当初考えていた以上に、困難に思えてきた。窓を破壊するのはきわめて困難なばかりか、はっきりとした痕跡《こんせき》を残してしまう。したがって、最上階のフロアを通って社長室に入るしかない。エレベーターの暗証番号も難物だったが、どうすれば監視カメラの裏をかけるのかなど、想像もつかなかった。

だが、章は、目の前にぶら下がった千載一遇のチャンスを見送るつもりはなかった。裏を返せば、この二つの関門さえクリアーすればいいということだ。侵入してからは宝探しになるが、宝石店であれ、大富豪の邸宅であれ、獲物の金高に比べてこれほど警戒が薄い場所は、他にありえないだろう。

章は、ささやかな預金を全額引き下ろすと、虎の子である喜平ネックレス二本も質屋で換金した。軍資金は、全部で百万円ほどになった。定職がある今、サラ金に行けば、多少は借りられることはわかっていたが、借金だけは、どうしてもする気にはなれない。つまり、使える額は、後にも先にも、これっきりということになる。一円の無駄もないように、有効活用しなければならない。

まず、古着屋で、上下で五千円のスーツとワイシャツ、ネクタイ、革靴を買った。眼鏡を取って、髪を七三に分け、サラリーマンのようないでたちで、仕事のない平日に数回にわたってロクセンビルを訪れる。これだけの変装が充分に功を奏し、顔なじみの警備員にさえ、一度も見咎《みとが》められることはなかった。

もちろん、最上階には入れないが、一階から十一階までを仔細《しさい》に観察し、写真を撮影した。受付が目の前にあり、誰かが応対に出そうになったときには、階を間違えたふりをするか、さっさとトイレに向かえば、その場をごまかすことができた。

その結果、少なくとも、二階から十一階までは、エレベーターやトイレなどの位置が共通なのはもちろん、他の間取りも、まるっきり同じであることがわかった。内階段を使って、各階のドアを調べてみたが、思った通り、すべてオートロックになっている。

アパートに帰ると、章は最上階の間取り図を作ってみた。最上階の窓を清掃したときの記憶を総動員して、視界に入ったものを書き込んでいく。社長室と他の役員室や、秘書室、廊下の位置関係から、監視カメラのある場所も、おおよそ見当がついた。

だが、こうなると、どうしても一度、中に入ってみたくなる。渋谷ビルメンテナンスは、ビル内の清掃も請け負っているので、担当者に頼んで、一度だけ仕事を代わらせてもらおうかとも考える。

しかし、章は熟慮して、このアイデアを捨てた。誇り高いハイグラウンド・スタッフが、わざわざビル内の清掃を志願する説得力のある理由が、どうしても思いつかなかったのだ。後々、不審を招くような行動は避けなければならない。

その代わりに、章は、頻繁に秋葉原《あきはばら》を訪れるようになった。防犯ショップなどで、監視カメラなどについての知識を広げ、必要な機材を調達するのが目的である。

やがて、次のロクセンビルの清掃日が訪れた。章は、入社して日の浅い新人と組むことになった。警備員室で三本のキーを受け取り、屋上へ行って作業前点検を行う。

窓拭《まどふ》きを担当させた新人が、ゴンドラに乗って降下している間に、章は、スポーツバッグを持って内階段を下りる。最上階のドアに耳を当て、人の気配がしないことを確認してから、マスターキーを差し込んだ。

シリンダーは回転した。やはり、このマスターキー一本で、ビル内の鍵《かぎ》はすべて開くらしい。もう一度、ドアに耳を当ててから、念のために、そっとドアを開けてみた。

ドアを閉めて施錠すると、一階へ下り、外へ出た。地下鉄のトイレで、つなぎの制服からスーツに着替える。タクシーで渋谷まで出て、あらかじめ休日も営業していることを確認してあった鍵屋で、ロクセンビルのマスターキーを複製した。

再び、つなぎの制服を着て、ビルに戻る。ゴンドラの位置を見ると、窓拭きは、思ったより進んでいなかった。入り口で警備員に会釈したが、仕事中に何度も出入りするのは普通のことなので、特に怪しんだ様子もない。

エレベーターで十一階まで上がり、内階段で屋上へ行く。台車のインターフォンで、奮闘中の新人を呼び出した。

「おーい。どんな具合？」

「はあ。すみません。思ったより、時間かかっちゃって」

暑さで相当バテているらしい声が答えた。遮るもののないゴンドラの上では、直射日光が何より堪《こた》えるのだ。

「あわてんでいいから、丁寧にな」

章は、真新しい鍵を弄《もてあそ》びながら言った。ここまでは、驚くほど簡単だった。あとは監視カメラだが、これは、どうしても一度実物を見てみる必要がある。

最初の侵入を決行したのは、翌日の晩だった。

夕刻、背広を着て大型のカバンを手にした章は、正面玄関からビルに入り、人の出入りが少なく、テナントに見つかる恐れもほとんどない八階でエレベーターを下りた。そこから内階段を上って、屋上へのドアを複製したマスターキーで開ける。

章にとっては、勝手知ったる場所だった。夜中まで、ここで時間を潰《つぶ》さなくてはならない。隠れる場所も、あらかじめ決めてあった。常時出しっぱなしになっている、ゴンドラの中だ。

防水シートの隙間から、狭苦しい金属の箱に潜り込むと、章は目を閉じた。

いろいろなことが、頭をよぎる。故郷の家のこと。両親のこと。英夫のこと。そして、沙織のこと。ほんの二、三年前の出来事が、遠い昔のように感じられた。

安っぽい電子音が響く。章は目を覚まし、腕時計のアラームを止めた。いつの間にか、眠っていたらしい。

文字盤のライトを点《つ》けると、液晶は午前一時を表示していた。いよいよ、活動の時間だ。

ゴンドラを出ると、身体を屈伸させ、ゆっくりとストレッチを行う。それから、屋上のドアを開け、階段を下りて最上階に向かった。

役員専用のフロアに、こんな時間まで人が残っていることはないだろうと思ったが、一応、鉄扉に耳を押し当てて中の様子を窺《うかが》ってから、ドアを解錠した。

暗闇の中、神経に障る金属音が響き渡る。章はしばらくの間、息を殺していた。それから、そっと鉄扉を開ける。最上階のエレベーターホールは内階段以上に暗く、章は濃密な闇を透かして、奥の様子を窺った。

この暗さでは、普通の監視カメラは役に立たない。赤外線を使った暗視カメラというものもあるが、価格が高いわりには映像は不鮮明である。柿沼から聞いた話が正しければ、代わりに、安価なセンサーライトを取り付けてあるはずだった。

人体から発する36・5℃前後の赤外線の波長は、6〜14μmである。この波長だけを透過するフィルターをつけたセンサーは、人体などの生物の熱に選択的に反応することになる。

センサーが6〜14μmの赤外線を感知した場合、ライトが点灯する。一方、夜間はアラーム録画モードにしてあるハードディスク・レコーダーの方も、同様なセンサーを備えており、こちらは、同じ赤外線を感知して録画を開始するのだ。同時に、警備員室では、警報が鳴り響く。

章は、銀色の着ぐるみのような物体をカバンから取り出した。頭、胴体、両手両脚の六つのパーツからなっており、隙間にはアルミテープを何重にも巻いて、完全に密閉した。

着ぐるみの材料は、アルセポリだった。これは、アルミ蒸着フィルム、ワリフ（強化繊維の不織布）、ポリエチレン発泡体の三層構造からなるシートで、身体から発する熱、赤外線を完全にブロックしてくれる。足下はゴム長靴で固め、手には耐熱作業用のアルミ手袋を嵌《は》めることにしたが、最も苦労したのは、覗《のぞ》き穴の部分だった。外からは可視光線を導き入れつつ、内からは赤外線が漏れ出さないようにしなくてはならない。秋葉原で買ってきたセンサーライトで実験を繰り返した結果、直径1㎝ほどの穴を一個開け、内側に天体撮影用のIR《赤外線》カットフィルターを装着することで、ようやく難題をクリアーできた。

だが、実験では成功していても、いざ本番となると、不安に心臓が高鳴るのを感じる。センサーの感度は、製品によってまちまちだからだ。

エレベーターホールを横切ると、暗い廊下をゆっくりと進んだ。すでに、闇に目が慣れてきているため、廊下の突き当たりは明るく感じた。非常口という緑色の表示と、ドアの小窓から射し込む月明かりで、暗いレンズ越しでも、周囲の様子ははっきりと見える。非常口の上にある、監視カメラのシルエットを確認する。その下側には、センサーライトの丸い影もあった。

だが、ライトは点灯しない。成功だ。章は、小さくガッツポーズをした。

見えない光を感じる一つ目の怪物《キュクロプス》、地獄の門番のすぐ鼻先で、暗く危険な地下牢《ダンジョン》を無事通過した。勇者は、ついに宝物庫の入り口に立ったのだ。

章は、手袋を嵌めた手で、社長室のドアノブを回した。だが、開かない。鍵がかかっているのだ。マスターキーを鍵穴にあてがってみたが、入らなかった。ここだけは、別の鍵を使っているらしい。

思わず、舌打ちしたくなった。本職の泥棒であれば、ピッキングなどの方法で解錠できるのだろうが。

もし、鍵は社長しか持っていないとすれば、入手するのはとても無理だろう。一瞬、ドアを破壊して入ろうかという考えが頭をかすめたが、自制する。

あわてるな。まだ、ダイヤの隠し場所も、確認できていないのだ。侵入の痕跡《こんせき》を残していいのは、いよいよ最後になってからだ。

額を、一筋の汗が伝った。秋の夜とはいえ、サウナスーツを着ているようなものだから、暑いのはあたりまえだった。ぐずぐずしていると、着ぐるみ自体が暖まって、赤外線を放射するようになる。

とりあえず、並びにある副社長室、専務室のノブを回していったが、両方とも、しっかり施錠されていた。どちらも、マスターキーでは開かない。

途方に暮れ、凶暴な怒りが込み上げてきた。真剣にドアを破壊しようかとも思ったが、思い直して、廊下の反対側にある秘書室を調べてみる。クロークの横にあるドアには鍵がかかってはいたものの、こちらはマスターキーで開けることができた。

秘書室に入ってドアを閉めると、アルミテープを剝《は》がして着ぐるみの頭部を取り、こもった熱気を解放する。

壁際には、コピー機やキャビネットが並び、中央には、三つの机が島を作っている。ペンライトの明かりで、机の引き出しを順に確認していった。

最初の机の天板下の引き出しを開けると、プラスチックのトレイの中に、小さな鍵《かぎ》が転がっていた。マスターキーとは、微妙に形状が違う。

よく似た鍵は、二番目、三番目の机でも見つかった。重ねてみると、どれも鍵山の形が同じである。どうやら、三つの部屋の鍵は同じものを使っているらしい。

監視カメラに対して全幅の信頼を置いているせいか、鍵の管理が杜撰《ずさん》だったのは、ラッキーだった。これでは、わざわざマスターキーとは異なった鍵を付けている意味が、ほとんどない。

再び、着ぐるみの頭部を装着して、社長室のドアに向かう。

暗闇の中で、小さなシリンダーは音を立てて回転した。指先に鮮やかな勝利の感触を残して。

宝物庫の扉は開いた。あとは、宝物を手にするだけだ。

しかし、肝心のダイヤモンドの在処《ありか》は、いっこうにわからなかった。

考えてみれば、当然のことかもしれない。穎原社長は、何より、国税庁の査察を恐れていたはずだ。そう簡単に発見されるような場所に、隠すわけがない。

社長室の中にあるのは、大型の机、革張りの椅子、東側の壁面の三分の一を占めるキャビネット、休憩か仮眠に使うようなカウチ、ソファとガラステーブルからなる応接セット、それに、小型のフォークリフトのような奇妙な機械だけだった。

アルミ手袋を精密作業用のゴム手袋に替えて、章が調べたのは、マホガニーのような重厚な天然木の机だった。天板は畳二畳分くらいあったが、無垢《むく》の一枚板らしかった。引き出しの中をあらためてから、隠されたスペースがないか探るために、ペンライトを口にくわえ、スチール製の巻き尺を差し込んで寸法を測った。

しかし、結果は空振りだった。引き出しの内寸と外寸の差は約1㎝しかなく、これは板厚分だろう。板を刳《く》り貫《ぬ》いてある可能性もあったが、とても大量のダイヤを隠せるとは思えない。念のため、板の表面をまんべんなく十円玉で叩《たた》いてみたが、どこも緻密《ちみつ》な木質の音しかしなかった。

次は、キャビネットである。かなりの奥行きがあって安定感は充分だったが、ご丁寧に、耐震用のベルトで壁に固定してある。

上部の飾り棚には、装飾品と書籍がほぼ互い違いに並んでいた。まず、本を一冊ずつ抜き出して、ぱらぱらと早めくりしてみた。異状はない。分厚い革装の洋書も多かったが、とてもダイヤを隠せる余地はなかった。

装飾品も、一つ一つ手に取ってみた。高さ60㎝ほどのクリスタルガラスのトロフィーが目を引いたが、体積は充分でも、内部にダイヤを隠すことはできない。たとえ透明な液体を満たしてダイヤを入れたとしても、屈折率が高いダイヤモンドが、外から見えなくなることはありえないからである。

下部にある開き戸と引き出しも検分したが、収穫はなかった。巻き尺で測ってみると、こちらは、あちこちにデッドスペースがあるようだった。どこかに隠し引き出しがあるかもしれないと思って、表面を舐《な》めるように精査してみたが、扉は発見できなかった。どんなに巧みな木工技術を駆使しても、継ぎ目まで完全に消し去ってしまうのは不可能である。もちろん、塗料やニスで塗り固めてしまえば、わからないかもしれないが、それでは、二度と出し入れすることができない。

ここまで来ながら、最後の扉が見つからないことに、章は焦りを感じ始めていた。天井を見上げたとき、空調の吹き出し口が目に飛び込んできた。もしかして、これか。空調の吹き出し口の真下に椅子を運んで、蓋《ふた》を持ち上げてみるが、何も見つからなかった。

空調ダクトに隠すというのは、安易すぎるような気もする。マルサが入ったら、見つからないとは思えない。だが、ここからは見えないくらい奥に隠してある可能性はないだろうか。

章は、ペンライトで真っ暗なダクトを照らした。左方向に、かなり奥まで直線が続いてから、右に折れているようだ。隠すとすれば、その向こうだが、人間が通れる大きさではないので、何らかの装置が必要となるはずだ。

そう思って、ペンライトで空調ダクトの底を照らし、失望に襲われた。うっすらと積もった埃《ほこり》が、見渡す限り続いているのだ。

この埃は、少なくとも半年間は乱されていないだろう。だとすると、ここには、ダイヤは隠されていない。もう一度、仕切り直しだった。

カウチを調べていた章は、再び腕時計のアラームで我に返った。午前四時三十分。活動を開始してから、三時間半が経過していた。あと一時間ちょっとで夜が明ける。タイムアップだった。

章は、再度銀色の着ぐるみで完全武装すると、社長室を出た。ドアは元通り施錠し、監視カメラの前を横切った。もう一度秘書室に入ってコピー機の電源を入れると、鍵の形を両面からコピーする。サイズが正確とは限らないので、縮倍率を対照するために、自分の部屋の鍵もコピーしておく。

コピーした鍵は元通りに机の中に戻し、十二階のフロアから内階段を上がって、屋上に隠れる。

こうして最初の侵入は終わった。翌朝、章は通勤してきた人々の出入りにまぎれ、ロクセンビルを後にした。

「どうしたんすか？　佐藤さん」

後輩の藪達也《やぶたつや》に声をかけられて、章は、一瞬我に返った。

「何、ぼけっとしてんですか？」

「ぼけっとなんか、してるか。考えごとや」

章は、藪の鳩尾《みぞおち》を手刀で突く真似をする。藪は、「おっと。すみません」と言い、大げさに両手を広げて飛び退いた。ゴムでくくった長髪が揺れる。

藪は、現在はフリーターだが、高校時代は体育会系だったらしく、年長者には、それなりの敬意を払う習慣がついている。もっともそれは、章が佐藤学として年齢を二十三歳に詐称しているためであり、実際には、同い年の二十一歳なのだが。

章は、また頬杖《ほおづえ》をついた。

「何、考えてんですか？」

「日本経済の先行きについて」

……ダイヤは、いったい、どこにあるのだろう。このところ、寝ても覚めても、考えるのはそのことばかりだったが、いっこうに答えは見えてこなかった。

「先輩、なんかおかしいっすよ」

「学も、ようやく、恋でもしてるんじゃねえの？」

二人のやりとりを聞きつけた佐竹《さたけ》が、面皰《にきび》の跡が夏ミカンを思わせる顔に笑みを浮かべて言った。高卒の二十六歳だが、渋谷ビルメンテナンスの正社員で、近々、結婚する予定になっていた。相手は、福祉事務所に勤める二十二歳の女性で、何度も見せられた写真が真実を写しているとすれば、およそ佐竹とは釣り合わない美人である。

「え？　マジで、恋してるんすか？」

藪が、目を丸くした。

「アホか」

章は、軽く一蹴《いっしゅう》する。

「この生活のどこに、出会いがあるというんや？」

「美優《みゆ》ちゃんなんか、どうすか？」

「まだ、十六やないか」

「もう、充分、大人でしょう。けっこう、巨乳だし」

藪は、事務室にいる美優に聞こえないよう、小声で言った。

「俺は、えぐれてる方が好きなんや」

藪は、眉《まゆ》をひそめる。

「前から、変人とは思ってましたけど」

ダイヤの隠し場所については、もう一つ、考えておかなければならないことがあった。

「学。洗濯機、どうする？」

佐竹が尋ねた。新婚家庭には、彼女が欲しがっていたドラム式を買うんだと自慢していた。

「……はあ。やっぱり、欲しいっすわ」

「でも、相当ガタが来てっぞ。一応は全自動だけど、もう、二十年落ちくらいだからな」

「いやあ、俺には、充分ですよ」

「まあ、見た目じゃないし、一応、ちゃんと動くからな。こっちは、粗大ゴミに出すよりはいいし。でも、どうやって持ってく？」

「それですねえ、問題は」

幸せいっぱいの佐竹は、鷹揚《おうよう》にうなずいた。

「いいよ。暇なとき、車で持ってってやるよ。本当のこと言うと、夜中に、どっかへ捨てに行こうと思ってたからな。それよりかは簡単だ」

「すみません。助かります」

章は、笑顔で応じながら、頭の中では、これで問題の一つは解決したなと考えていた。

二度目の侵入は、ちょうど一週間後の月曜日だった。コピーのサイズがほぼ正確だったおかげで、鍵《かぎ》の複製は比較的楽だったが、盗聴に必要な機材を入手するのに、少々手間取った。

鍵を複製する際には、市販されている雑誌の特集を参考にした。まず、東急ハンズで、鍵山が刻まれていないブランクキーを買ってくると、コピーした陰影に合わせてヤスリで削り、刻み目を作っていった。ヤスリは、油目という最も目の細かいものを使い、丸ヤスリで溝を深くし、平ヤスリで表面を滑らかにする。後は、根気だけの問題だった。

苦労させられたのは、盗聴用の機材だった。問題は、持ち主を特定できないように闇で転売された、プリペイド式携帯電話だったが、これも、ネットで根気よく探すことにより、首尾よく入手することができた。

夕刻、ロクセンビルに入った章は、前回と同じ方法で、深夜、社長室に忍び込んだ。自作した合い鍵は、再度ヤスリで微調整する必要もなく、実にスムーズに社長室のドアを開いて、章を招き入れてくれた。

章は、新品のプリペイド式携帯電話二台と、携帯電話用集音器《オート・ボイス・キャッチャー》を取り出した。

一台の携帯電話は、あらかじめ改造して、ケーブル状の外部アンテナを直結してあった。尻《しり》の外部接続端子には集音機を連結して、長寿命のバッテリーと繋《つな》がった充電器の中に収める。

天井にある吹き出し口の蓋を開け、化学ぞうきんでダクトの内側まできれいに拭《ふ》き取ると、携帯電話と充電器、バッテリーをダクトの曲がった部分の奥に、両面テープで貼り付けた。コードでつながった集音器は、吹き出し口の蓋に近い位置で、ダクトの側面に留める。アンテナは、渦を巻くように蓋の内側に固定した。

蓋《ふた》を閉めてみると、下から注意して見ても、細工はわからなかった。

無線式の盗聴器を仕掛けた場合、電波を受けるためには、すぐ近くで待機していなければならない。しかも、どんな周波数を使ったとしても、盗聴波を傍受されて発見される危険性がある。

だが、携帯電話を使ったシステムなら、日本中どこからでも吹き出し口裏の番号にかければ、集音器が呼び出し音を鳴らさずに自動で着信し、周囲数メートルの音声を拾ってくれるのだ。盗聴波を出していない以上、盗聴発見業者にも探知は不可能だし、携帯電話の電波にはスクランブルがかかっているため、第三者に傍受される心配もない（とされている）。

吹き出し口は、日頃、まったく掃除されない場所であるのは明らかだった。それでも、偶然見つかる可能性はゼロではないが、集音器は秋葉原で普通に売られているものだし、プリペイド式携帯電話は二台とも、架空名義で契約され、何度も転売を経てきたものだから、発見されて、通話記録を調べられたとしても、こちらの身元までたぐられる心配はない。

問題は、吹き出し口の裏まで携帯電話の電波が届くかどうかだったが、外部アンテナの効果で、かけてみると、簡単に着信した。多少、風の音が入るが、部屋の中の音声も、まずまず鮮明に聞こえるレベルだ。

盗聴のお膳立《ぜんだ》てを整えると、前回に引き続き、捜索にかかった。残っているのは、大きな革張りの椅子とカウチ、応接セットのソファ、それに、介護介助ロボット『ルピナス

V』だけだった。

　椅子、カウチ、ソファは、どれも同じ結果だった。革の継ぎ目はしっかりと縫製されており、中にダイヤを隠すことはできても、出し入れするのは困難である。ソファにはファスナーも付いていたが、余分なものを入れられるスペースはなかった。

　最後に残ったのは、ロボットだった。壁のコンセントに繋がった充電器と、後部端子で接続されている。わざわざバッテリーパックを取り外さなくても、充電できるようになっているのだろう。前部にある二本の平べったいアームで、老人など介護の必要な人を抱え上げて、運搬する仕組みらしい。

　ベイリーフ社のホームページによれば、ルピナスVは、介護者の肉体的負担を減らすために開発された画期的ロボットであるとのことだった。第一号機フクシアIから通算して、七台目の試作機であり、300kgまでの重量を保持、運搬できる上に、安全性プログラムによって、究極の安全性を実現した……。

　だが、ロボットの中にダイヤを隠すというアイデアが、章にはぴんと来なかった。物を入れられるとすれば、本体中央部と下部にある鍵のかかった扉の中だろうが、おそらく、基板やモーターの入っている中枢部であり、設計上、それほど余分なスペースがあるとは思えない。ロボットは一応完成品だとしても、メンテナンスなどのために、技術者が中を見ることもあるのではないだろうか。

　その上、隠し場所としては、何の意外性もない。かりに国税庁の査察が入ったとすれば、この中も確実に調べられることだろう。また、産業スパイが侵入した場合は、ロボット本体か中にある基板を盗もうとする可能性もある。つまり、ダイヤをこんなところに隠すメリットは、ほとんど存在しないのだ。

にもかかわらず、章は、このロボットに、妙に引っかかるものを感じていた。単に、他はひと通り調べ尽くしたからということではなく、何かが変だという気がしてならない。不審の正体ははっきりしなかったが、もう少しだけ調べてみることにした。

ロボット本体には、火災報知器のような赤色の緊急停止ボタン以外、スイッチ類は付いていない。有線のコントローラーもない代わりに、上部に受信機が付いており、後部に無線操縦の送信機がぶら下がっている。

以前、英夫が、ラジコン飛行機にひどく凝っていた時期があり、章も何度か借りていじった経験があった。プロポと呼ばれる送信機から電波を送り出すと、それを本体にある受信機が受けて、サーボかアンプに伝える。信号はそこで電流に変換され、飛行機のモーターを動かすのである。

ルピナスVの送信機も、汎用《はんよう》のプロポがそのまま使用されていた。各部を動かす周波数バンドは、ラジコン・ヘリ並みの十チャンネルもあって、地上・水上用として割り振られている27MHz帯の、26・975MHzから、27・195MHzまでだった。

少々の音は外には漏れないはずだったが、ロボットを動かすには、勇気が必要だった。電源を入れると、低いモーターの唸《うな》り声とともに、ロボットの上部にあるモニターが点灯し、低く柔らかい女性の声が響いた。

「わたしは、介護支援ロボット、ルピナスVです。被介護者の移動、車椅子への乗せ替え、入浴介助などの機能があります。現在、充電率は100パーセントです」

章は、プロポのスティックに指を載せ、慎重にルピナスVを動かした。かすかな音とともに充電器を離れると、ロボットはゆったりとしたスピードで部屋の中を進んだ。動作が速くないこともあって、前進、後退、旋回等は、すぐにコツを摑《つか》むことができた。アームの操作も、それほど難しくはない。これなら、エアコン並みに単純なリモコンでも用は足りるはずだ。あえて、ラジコン飛行機のようなプロポを使っているのは、プロトタイプとして過酷な実験を行う都合上かもしれない。

ひと通りの操作方法を確認してから、元通りに充電器と接続して、電源を切った。

このロボットが鍵を握っているように感じたのは、単なる気のせいだったのだろうか。依然、頭の中にはもやもやしたものが渦巻いていたが、時計を見ると、今回も、あと数分で時間切れだった。

章は、部屋の中に侵入の痕跡《こんせき》を残していないことを確認してから、社長室を撤収し、屋上へと引き上げた。結局、二度目の侵入でもダイヤの在処《ありか》をつかむことはできなかったが、盗聴のための布石は、打つことができた。焦るなと、自分に言い聞かせる。

あの部屋には、必ずダイヤモンドがあるはずだ。そのことに、疑いはない。ただ、隠し場所の扉が死角か盲点に入っていて、自分の目には見えていないのだ。

ポーの『盗まれた手紙』を思い起こす。もしかすると、ダイヤへの扉は、あまりにも大っぴらに、堂々とさらけ出されているが故に、見えないのだろうか。

それとも……。

3　計　画

翌日から、章は、仕事をしている間中ずっと、何キロも離れている社長室の盗聴に精を出した。

本来、清掃用のゴンドラに乗り込んでいるときは、携帯電話などの私物は、いっさい持ち込み禁止だった。数十メートルの高所から落とした場合は、百円ライターでさえ致命的な凶器になりかねないからだ。

だが、章は、プリペイド式携帯電話を制服の内側にテープでしっかりと固定し、襟から出したイヤホンで音声を聞くようにしていた。これなら、はたからは、ラジオを聞いているようにしか見えない。もちろん、それとて規則に違反していることには変わりないが、日頃の信用がものをいってか、特に咎《とが》め立てする人間はいなかった。

ほとんどの時間、社長室からは、何の音も聞こえてこなかった。無人であるか、一人で執務している時間が長いためだろう。本当は、音声をキャッチすることによって、向こうから電話をかけてきてくれるようなシステムが望ましかったのだが、贅沢《ぜいたく》は言えない。無音の状態が続けば、しばらく通話を切り、時間をおいて再びかける。バッテリーの容量は充分あるはずだったから、章は、辛抱強く電話をかけ続け、ひたすら耳を澄ませた。

やがて、努力が報われる瞬間がやってきた。社長室で、社長と呼びつけられた社員とのやりとりをキャッチできるようになったのだ。

「何だ、これは？　こんなんじゃ、だめだ、だめだ、だめだ！　最初から全部、やり直させろ」

「報告書は、初めに結論を書けと言ってる。いったい、何べん言ったらわかるんだ？」

「どいつもこいつも、使えん奴ばかりだ！　我が社には、まともな人材は一人もおらんのか？」

怒鳴り声の方がよく聞こえるということもあるが、ほとんどの会話は、社長の一方的な叱責《しっせき》に始まり、罵倒《ばとう》に終わっている印象があった。最初のうちは、章も、よほど無能な社員が揃っている会社なのだろうかと訝《いぶか》っていたが、徐々に、原因は社長の側にあるらしいことがわかってきた。どうやら、穎原社長は、口を極めて社員を罵《ののし》ることが経営者の仕事であると、固く思い込んでいるらしい。

会社の公益性と崇高な理念を大上段に振りかざして、相手を追い込むのも、いつものことだった。

「我が社には、無駄に使っていい金など、一銭もないんだぞ。わかってるのか？　すべて、現場で、介護さんたちが尊い汗を流していただいた、血の滲《にじ》むような報酬の一部を、分けていただいとるんだ。小倉！　おまえは、介護さんたちに対して、申し訳ないとは思わんのか？」

『介護さん』というのが、この会社での介護士に対する呼び名らしい。会社の金を（おそらくは）横領し、大量のダイヤを隠匿している人物の発言とは、とても思えなかった。

女性秘書たちを除くと、社長が頭ごなしに怒鳴りつけない人間は、社内に二人しか存在しなかった。副社長と専務である。

専務は、社長の忠犬ハチ公らしく、絶対に機嫌を損ねない話術の巧みさには、感心するほどだった。

対照的に、副社長は強気で、ときには正面切って社長とやり合うことも辞さないが、よほどの実力者なのか、会話の端々からは、社長も一目置いている様子が窺《うかが》えた。

一度、この二人の間で、きわめて興味深い会話が交わされたことがあった。

「……もう少し、ご自愛なさった方がいいと思いますが」

イヤホンを付けると、副社長の渋い声が耳に入ってきた。

「家でおちおちなんか、してられるか」

「しかし、ここ二ヶ月ほどは、一日も休まれてないんじゃ」

「自分の身体は、自分が一番よくわかっとる」

「今が、大切なときです。もし、社長が倒れるようなことがあれば、上場が白紙に戻りかねません。カイトウ手術をしてから、半年しかたっていませんし」

カイトウ手術とは何のことだろうと、章は思った。ぴったりする漢字が思い浮かばない。

「だいじょうぶだと言っとるだろう。頭を開けたとはいっても、騒ぐような手術じゃなかった。もう、すっかり回復しとるし、おかげで脳卒中の心配もなくなって、すこぶる快調だ」

カイトウ手術とは、開頭手術のことだと、ようやく合点がいった。引き続き会話を聞いていると、どうも、未破裂動脈瘤《みはれつどうみやくりゆう》というものをクリップで留める手術だったらしい。手術自体は簡単なものらしいが、頭蓋骨《ずがいこつ》を鋸《のこぎり》で切っているだけに、転倒して頭を打ちでもしたら危険だと、副社長は心配しているらしい。このときも、結局、社長が折れ、次の日曜日は休むということになった。

章は、イヤホンから聞こえてくる音声に、ひたすら耳を傾け続けた。そのうち、穎原社長の執務のリズムがわかってきてからは、より効率的に盗聴ができるようになった。

出社は、だいたい午前九時半から十時の間だった。専属の運転手が、社用車で迎えに行っているらしい。

社長が社に現れると、伊藤という名前の秘書が、霊芝茶《れいしちや》とお絞り、それに、全国紙五紙の朝刊の切り抜きを持ってくる。

切り抜きと手紙類、その日決裁すべき書類に目を通しているうちに、午前中は終わる。この間は、紙をめくる音とお茶を啜《すす》る音くらいしか聞こえてこないので、あまり盗聴の甲斐《かい》がない。

正午になると、たいてい、久永という専務を伴い昼食に出る。仕事が立て込んでいる場合は、仕出し弁当を取ることもある。弁当を食べる場所は役員会議室らしい。会議室の中での様子はわからないが、食後に必ず、秘書が淹《い》れたコーヒーを飲むようだ。ブルーマウンテンがお好みで、副社長はブラックだが、社長と専務は、砂糖とミルクをたっぷり入れる。

コーヒーを飲んだ後、社長は、部屋のカウチに横になって昼寝をするのが常だった。眠るのなら、カフェインを含んだコーヒーなど飲まなければいいと思うのだが。昼寝は、通常、三十分から一時間ほどだったが、疲れが溜《た》まっているときなどは、それ以上に及ぶこともあるようだった。

目を覚まして元気を取り戻すと、社員を個別に呼びつけて、叱責を行う。相手によって、あからさまな罵倒だったり、ねちねちとした皮肉、嫌みだったりと使い分けているが、どうやら、最も相手にこたえるやり方を選んでいるらしかった。

午後から夕方にかけては、社長室に来客を迎えることもあった。来春、株式の上場を控えているということで、主幹事である小川証券のほか、銀行の融資担当者、提携を検討中の介護サービス会社のトップ、業界紙や雑誌の記者などである。

ここで、ようやく、章の中でずっと燻《くすぶ》っていた事柄に対する、一応の答えが得られた。すなわち、なぜ、社長室に介護ロボットを置いてあるのかという疑問である。

来客の前で、穎原社長は、必ずと言っていいほど、ルピナスVのデモンストレーションを行った。

開発担当者である岩切という課長か、若手の社員が呼ばれ、ルピナスVを操縦して介護の実演を行う。ロボットのアームで運ばれるのは、ダミー人形であることが多かったが、まれに若い女性社員が起用されることもあった。

ルピナスVは、技術力の象徴であり、会社のマスコットでもあるのだろう。株式を上場する際は、投資家に対して投資家向け広報活動というプレゼンを行うらしいが、そこでも、ルピナスVを主役にすることが計画されているらしい。

そういう位置づけなら、防犯合わせガラスと暗証番号に守られ、最もセキュリティが高い社長室にルピナスVを置くというのも、肯《うなず》けなくもないのだが。

だが、章が、社長室に介護ロボットが置かれている、真の理由に気がついたのは、盗聴を開始してから二週間目のことだった。

その日の午後、穎原社長は伊藤秘書に、一時間は絶対に誰も取り次ぎがないよう厳命した。その直後、社長室の鍵《かぎ》をかける音が聞こえた。

慣れた手さばきで、シャンプーとスクィージを扱いながら、章は、思わず耳をそばだてた。

すでに、昼寝の時間は終わっている。一人で部屋に籠《こ》もらなければならないような仕事があるとも、思えなかった。

いよいよ、その瞬間がやってきたのだろうか。手がかりは、音だけである。章は、どんなにかすかな音も聞き漏らさないようイヤホンを嵌《は》め直し、ズボンのポケットの中でレコーダーのスイッチを入れた。

その直後、携帯電話を経由して耳朶《じだ》に伝わってきたのは、意外な音だった。蜂の羽音のような低いモーターの作動音。まさかと思う。だが、続いて聞こえてきたのは、低く柔らかい女性の声だった。

「わたしは、介護……ボット、ルピ……です。被介護……車椅子へ……、……介助などの機能が……。現在、充電……パーセ……です」

か細く聞き取りにくいが、疑う余地はない。穎原社長は、ルピナスVを起動したのだ。

だが、いったい、何のためだろう。社長室で一人になったのは、隠し場所からダイヤを取り出すためではなかったのか。

ぬか喜びだったかと思い始めたとき、木が擦れるような音と、重いものを床に放り出す、どすんという音が聞こえてきた。

何の音だろう。章は、作業の手を止めて、目を閉じた。

さらに、ルピナスVがゆっくりと移動する音。止まった。今度は、アームの高さを調整している。

まるで家鳴りのような、みしみしと木が軋《きし》む音。そして、過負荷がかかっていることを思わせる、モーターの不安定な唸《うな》り声。

章は、聞こえてくる音を元に、頭の中で情景を組み立てようとした。だが、どうしても、パズルのピースがうまく嵌《はま》らない。あの部屋にあるもので、こんな音を立てる可能性があるのは、いったい、何だろう。

モーター音が急に小さくなる。軋みもやんだ。

携帯電話の通信状態が悪くなったのかと思ったが、違った。代わって、小さな音が耳の中で響いた。かすかな衣擦れ。咳払《せきばら》い。どっこいしょという声。

続いて、木の表面を爪で引っ掻《か》くような音が聞こえてきた。

もしかして、隠し扉を探っているのか。今度こそ、イメージが明確に焦点を結んだ。扉はたぶん、穎原社長からは見えない位置にある。手を伸ばし、懸命に探っているらしい。

そして……開いた。

穎原社長は、一仕事終えたような、大きな溜《た》め息《いき》をついた。部屋を歩く足音。椅子を引き、座る。机の上に何かを載せた。壊れ物を扱うように、この上なく慎重に、丁寧に。机の引き出しを開けた。何かを取り出す。軽いが、金属のような硬質の音。ピンセットだろうか。

何かに取り憑《つ》かれたような、老人のつぶやき声。

「六百と……十七、十八、十九。ん？　十七、十八、十九……十七、十八……やっぱり十九か」

やった。章は右の拳《こぶし》を握りしめた。間違いない。ついに、穎原社長が隠し場所からダイヤモンドを取り出すときの音声を捕捉《ほそく》した。

隠し場所は、もう一度聞いてみないことには、はっきりしない。しかし、現時点でも、ひとつだけ判明したことがあった。介護ロボットを社長室に置いている本当の理由である。ルピナスVは、ダイヤを隠し場所に出し入れするのに必要だったのだ。

それは、どこなのか。そして、あのロボットは、いったい、どんな役割を果たしているのだろう。

何度も繰り返し聞くうちに、最後の扉が開く音は、頭の中で完璧《かんぺき》に再生できるまでになった。だが、その正体は、なかなか見えてこない。

たぶん、隠し扉があることは間違いないだろう。家鳴りのような軋みは、章の脳裏で、漆喰《しっくい》の粉を振り落としながら、社長室の壁全体がゆっくりと動く映像へと姿を変えていた。

だが、現実に、そんなに大仕掛けの隠し扉が存在しうるだろうか。ベイリーフ社はロクセンビルを所有しているわけではなく、一テナントにすぎないのだ。それに、工事が大がかりになればなるほど、秘密を保持するのが難しくなるだろう。

仕事中は、あのときの音を再生し、聞いている時間が長くなった。穎原社長の動向も気になったが、バッテリーの残量に限りがある以上、無駄な盗聴は控えなければならない。かといって、バッテリーを交換するために頻繁にロクセンビルに侵入するのも、危険が大きすぎる。章の心づもりでは、次回、三度目の侵入で、最後にしたかった。

とにかく、まず、ダイヤの隠し場所を見つけなければならない。

その日、章はゴンドラに乗って、オフィスビルの窓ガラスを拭《ふ》いていた。なだらかな曲面を持ったシームレスのガラスには、ロクセンビルとは比較にならないコストがかかっているだろう。

ブラインドは上がったままだった。丸見えの室内も、普通の企業とはかなり様子が異なっている。床には柔らかなクリーム色の絨毯《じゅうたん》が敷き詰められ、天然木のパーティションで仕切られている。ところどころに置かれた巨大な観葉植物の鉢が、スペースの贅沢《ぜいたく》な使い方を象徴していた。

雰囲気からすると、外資系の企業なのだろうか。背の高い男が、大股《おおまた》に目の前を横切った。派手《はで》な青いストライプのワイシャツに、黄色いネクタイを締めている。襟元には金属のピンが通っており、サスペンダーのようなリストバンドで袖《そで》をたくし上げていた。いまだにドブネズミスタイルが多数派の一般サラリーマンとは、似て非なる人種という印象だった。

男は、窓を拭いている章には、目もくれなかった。無視しているという感じではない。はなから、まったく目に入らないようだ。

パーティションの向こうから、上品な薄紫色のスーツをまとった女性が現れた。彼女の顔を見て、はっと章の手が止まった。

三島沙織。まさか、そんなはずはない。髪型も違うし、何より彼女はまだ大学生のはずではないか。だが、全身から受ける雰囲気は、きわめて似通っていた。

女性は青いワイシャツの男に微笑み、何事か話しかけた。二人は、女性の手にしている書類挟みを見ながら、顔を寄せ合い、笑顔で会話を交わす。二人とも、ほんの三、四メートルしか離れていない場所にいる章のことは、一顧だにしなかった。

章は、スクィージを使って窓の泡を掻き取ると、ゴンドラを降下させた。女性の顔が視界から消える刹那《せつな》、しっかりと確認することができた。

違う……別人だ。三島沙織ではない。

あたりまえだ。

章は、動揺した自分を嗤《わら》った。だが、なぜか気分が沈んで、それ以降は、窓拭きの作業にも、ICレコーダーの音にも、まったく集中できなかった。

あらためて、自分が失ったものの大きさを、思い知らされていた。

沙織や英夫が住む世界は、この窓の中だろう。そして、自分の世界はここ、窓の外なのだ。

これまでの人生のすべての経緯は、何か、とんでもない間違いとしか思えない。自分には、もっとふさわしい世界があるはずだと思う。この窓の内側にあるオフィスのような。

ここまで、どんなに絶望的な事態にも、泣き言一つ言わずに堪え忍んできた。けっして自暴自棄にならず、常に冷静に状況を判断し、少しでも状況を改善しようと努力を続けてきた。

だが、その結果、否応《いやおう》なく気づかされたのが、自分と自分が本来あるべき世界との間は、透明だが恐ろしく強固な壁によって、隔てられてしまったということだった。

どこかで、突破を果たさなくてはならない。壁のこちら側を百年這い回っても、どこにも行き着くことはできない。だとすれば、壁を打ち砕いて風穴を開けるか、ごく一部の人間だけに発見できる見えない扉の所在を探し当てて、ここから向こう側の世界へと脱出するよりない。

それができなければ、自分の人生は、永遠に宙ぶらりんのままだ。

この場所で。

強風が吹きすさぶ、地上数十メートルの垂直の崖《がけ》で。

事務所に帰ってからも、抑鬱《よくうつ》的な気分は持続していた。経理のおばさんに、具合でも悪いのと尋ねられ、ちょっと風邪気味でとごまかす。

早く帰りたかったが、こんな日に限って、よけいな仕事を頼まれる。応接室の模様替えをするので、手伝って欲しいといわれ、しかたなく家具を動かした。葡萄茶《えびちゃ》色のソファは合成皮革で、観葉植物のクワズイモも、さっき窓越しに見たものとは比較にならないみすぼらしさだった。

「あーあ。跡ついちゃってるな」

所長が、色褪《いろあ》せた絨毯の上にくっきりと付いた、ソファの足の型を見て言った。

「そのうち、消えますすよ」

章は、モップの柄で絨毯を擦《こす》ったが、安物の絨毯は毛羽立って、よけいに見苦しくなっただけだった。

ようやく仕事を終えると、徒歩でアパートまで帰る。俯《うつむ》いて考え事をしながら歩いていたために、顔を上げたとき、ぎょっとした。

玄関のそばに、人相のよくない男たちが三人、たむろしている。引き返そうかと思ったが、すでに、男の一人がこちらを見てしまっていた。捕食者に特有の、粘り着くような視線で。

自分の不注意を呪いながら、章はまっすぐ歩いていった。男たちには目もくれずに、玄関から入ろうとする。

「おう、兄ちゃん」

後ろから声をかけられた。万事休すか。章は肚《はら》を決め、ゆっくりと振り返った。

「9号室の斉藤さん、どこ行ったか知らねえかな?」

頭を五分刈りにした、目つきに険のある男が尋ねた。

「知りません」

「まさか、隠してるわけじゃねえよな?」

「付き合いないんでね」

吐き捨てるように言うと、そのままアパートに入る。男も、それ以上は追及してこなかった。

よかった。別口だった。部屋に入ると、安堵《あんど》が込み上げてきた。

斉藤というのは、口をきいたこともないが、五十がらみで、口髭《くちひげ》を生やした顔色の悪い男だった。やはり、借金の取り立てに遭っているのか、あるいは別の筋なのか。どちらにしても、自分には何の関係もない話だ。

無関係とわかった瞬間に、何の恐怖も感じなくなっていた。さっきの連中も、どう見ても堅気ではない。だが、小池や青木に比べれば、迫力不足も甚だしい。どうやら、奴らのおかげで、少々のことでは動じなくなっているようだ。

鍋《なべ》に水道の水を入れ、コンロにかけながら、思わず口元に笑みが浮かんだ。

ガスコンロに点火し、洗って伏せてあったラーメン鉢を取る。

出前をする子供の絵のついた、インスタントラーメンの袋を開けた。

取り出した乾麵《かんめん》が、手の中で砕け散った。

ふざけやがって。

突如として込み上げてきた凶暴な怒りに突き動かされ、章は鉄パイプを摑《つか》んで玄関を飛び出した。自分が何をしようとしているのかすら、はっきりしない。ただ、全身にアドレナリンが駆けめぐり、憤怒に身を任せている感覚は、むしろ爽快《そうかい》だった。

だが、アパートの入り口に来て、章は立ち止まった。荒い吐息をついて、鉄パイプを降ろす。

さっきの男たちの姿は、すでになかった。

いったい何をやってるんだ、俺は。

章は、のろのろと踵《きびす》を返した。

何を考えている。さっきの男たちも社会の屑《くず》だが、俺には縁もゆかりもない連中だ。本気で奴らに襲いかかるつもりだったのか。馬鹿か。自殺したいのか。

章は部屋に戻った。誰にも見られなかったのは、ラッキーだったと思わなければならない。

湯は、まだ沸騰していなかった。だが、すでに食欲は失《う》せている。章はガスを止めた。

怒りは、消滅したわけではなかった。それは、暴発の危機こそ免れたが、まだ心の中で沸々と煮えたぎっている。

拳《こぶし》で壁を殴った。二度。三度。ぴりぴりとした痛みが、なぜか心地よかった。

俺は、ダイヤを手に入れたら、どうしようと思っていたのだろう。

少し前までの自分自身の心の動きが、まるで理解できなかった。

本気で、小池らのところに金を返しに行こうと考えていたのだろうか。

あの外道どもの前に跪《ひざまず》き、許しを請うために。

金とは力そのものではないか。そんな単純な事実に、どうして、今まで気づかなかったのだろう。六百十九個のダイヤモンドが意味するものは、今までは想像もできなかったくらい巨大な力だというのに。

だったら、奴らに金を払う代わりに、的にかけてやればいい。

奴らの首に、懸賞金をかけてやる。兵役のある国から来た人間を雇って、懸賞金と帰りの航空券を提供してやれば、奴らの脳みそに鉛の弾を埋め込むことも厭《いと》わないだろう。あるいは、爆弾を作って、手下もまとめて吹き飛ばしてやってもいい。今の時代、金さえあれば、材料はいくらでも手に入るし、作り方もネットで調べられる。手先になる人間も雇える。要するに、方法は無数にあるのだ。

俺の人生に土足で踏み込み、めちゃめちゃに壊した奴は、当然の報いを受けなければならない。

やられた以上、必ず、やり返してやる。それも、最適なタイミング、最適な方法で。俺に恨みを抱かせたことを、死ぬほど後悔させてやる。

章は、薄暗い六畳間に大の字になった。何度も繰り返し、奴らへの復讐《ふくしゅう》を思い描く。血《ち》腥い《なまぐさい》空想に飽きると、ようやく、当面の問題に頭を切り換えた。

すると、狐につままれたような気持ちになった。いったい何を迷っていたのか、不思議でしかたがなかった。やるべきことは、どう考えても明らかではないか。

ダイヤを盗み出した後で、あのジジイの口を封じておけばいいのだ。

俺が疑われることは、考えられない。警察には動機がわからないからだ。

そして、あのジジイさえいなくなれば、もはや、誰一人、ダイヤを取り戻しに来る人間はいない。それどころか、ダイヤの存在自体が、永遠の秘密になるだろう。

まあ、万が一、ダイヤがあったことがバレたとしても、俺が盗んだことは絶対にわからないだろう。

……だが、自分の都合のため、欲望のために、関係のない他人を殺してもいいのか。

心の底で、良心の疼《うず》きを覚える。

何が悪いと、章は開き直った。

世界では、毎日、罪もない人たちが、権力者の都合によって、大量に虐殺されているではないか。あのジジイは、口ではご立派なお題目を唱えつつ、その実、介護ビジネスに寄生して、横領と脱税で私腹を肥やしている。その罪は万死に値するだろう。

裏を返せば、あのジジイが死ねば、世の中は、今より少しはましになる。害虫を抹殺することで、ささやかながら、社会の清掃に貢献することになるのだ。

……生きるべき人間と死すべき人間を、恣《し》意的に選別する権利は、誰にもない。

心の声は、執拗《しつよう》だった。

……どんな理屈をつけたところで、結局のところ、金目当ての殺人ではないか。単なる強盗殺人と、何の変わりもない。いや、最初から殺人を意図しているのだから、それ以下だ。

強い者が弱い者を踏みにじり、殺し、レイプし、奪うのは、この社会だけじゃなく、自然の本質だ。法治国家など、ごく最近唱えられるようになった空虚なお題目、幻想にすぎない。やり方がより巧妙、隠微になっただけで、弱肉強食の原理は永遠で不変だ。

親父は、馬鹿だったから、捕食者に狙われて、貪《むさぼ》り喰われた。俺は、断固として、喰われることを拒否した。喰われる前に喰って、奴らより強大になり、逆に喰い殺してやることに決めたのだ。

……しかし、いかなる理由があっても、殺人は許されないはずだ。

章は、唇の端を歪《ゆが》めた。

俺がやろうとしていることは、たしかに、誰にも許されないことだろう。

だが、よく考えてみると、別に、誰かに許してもらう必要はない。


悪魔のインスピレーションは、何の前触れもなく、立て続けに訪れた。

いつものように、ガラスを拭《ふ》いていると、脳裏に、西日を受けて褪色《たいしょく》した絨毯《じゅうたん》が浮かんだのである。先日、事務所の模様替えを手伝ったときに見た光景だった。そして、そこには、くっきりとソファの足の跡が残っていた。

章は手を止めて、目を見開いた。ようやく理解できたのだ。ダイヤを隠してあるからくりが。

残されている可能性は、それしかないではないか。そして、そう仮定しさえすれば、説明がつく。なぜ介護ロボットを、社長室に置いてあるのか。そしてなぜ、ダイヤを隠している扉の姿が見えないのか。

興奮のあまり、右手に持ったスクィージを取り落としてしまった。スクィージは、窓とゴンドラの間の隙間に滑り落ち、カールコードでぶら下がった。

落ち着け。スクィージを引っ張り上げながら、自分に言い聞かせる。決めつけるのは早計だ。もう一度侵入して確認してみないことには、何とも言えない。本当に、そこに隠し扉があるのかどうか。

だが、それは、すでに確信になっていた。そこが隠し場所だとすれば、あらゆる事実にぴったりと符合する。

気が逸《はや》り、今晩すぐにでも社長室に侵入し、ダイヤを見つけ次第、盗み出すべきではないかと思う。変に時間をおけば、状況が変わって、せっかくのチャンスが失われてしまうかもしれない。

しかし、肝心の穎原社長を殺害するプランは、まだ固まっていなかった。今晩、ダイヤを盗んだとして、運がよければ、数日間から一、二週間は発覚しないかもしれない。だが、穎原社長が、明日、ダイヤを確認しないという保証はないのだ。

ダイヤの入手と、穎原社長の殺害は、なるべく間をおかずに行わなくてはならない。

しかし、殺害の実行方法を考えてみると、これは相当な難題だった。まず、どこで殺すべきなのか。自宅の位置は確認できていないし、あの用心深さからすると、それなりのセキュリティ機器は備えているだろう。通勤には運転手付きの車を使っているから、その途上でというのは、まず無理だ。

となると、ロクセンビルの中でということになるが、深夜、誰もいないときならともかく、日中、誰にも見られずに侵入して、社長を殺害して脱出するのは、ほとんど不可能だ。

監視カメラが作動している時間帯には、赤外線をブロックする例の手口も使えない。

章は、スクィージで窓ガラスの汚れを含んだ泡を掻《か》き集めながら、無意識に、部屋の中を透かして見た。

ごく普通のオフィスだ。グレイの事務机を集めた長方形の島には、一台ずつパソコンが載っており、それを監督する位置に、管理職用のひとまわり大きな机と椅子が置かれている。

その光景に、ベイリーフの社長室が重なった。

あの椅子にターゲットが座っていたとしたら、どうだろう。もし、この場にいながら殺害することができれば、完璧《かんぺき》な密室殺人であり、確実に容疑の圏外に立つことができる。

窓の外からの遠隔殺人。その方法は、一つは容易に思いついた。常時社長室の中に置かれている、ルピナスVを使うのだ。分厚い合わせガラスも電波は素通しだし、操縦は汎用《はんよう》のプロポで行えるようだから、コントローラーを入手する苦労もない。

さらに、穎原社長の習慣も、非常に好都合だった。昼食後、部屋で仮眠を取っているときであれば、簡単に殺害できるだろう。強力な睡眠薬を一服盛っておけば、途中で目覚める心配もない。

しかも、穎原社長には、もう一つの脆弱性《ぜいじやく》がある。開頭手術を受けているのなら、普通の人間より打撃に弱いはずだ。相手の弱点を徹底的に利用するなら、撲殺を選ぶべきだろう。

しかし、そこまで来て、計画は暗礁に乗り上げていた。

ルピナスVを使って人間を撲殺する方法が、どうしても発見できないのだ。

動作速度がきわめて緩慢な上、ホームページによると、安全性に関するプログラムを内蔵しているらしく、ターゲットに激しい衝撃を加える手だてが、まったく見つからない。

プラス思考で考えるなら、もし、ルピナスVを使って容易に撲殺ができるとしたら、容疑は当然、こちらにも向くだろう。それが、不可能に見えるからこそ、疑われずにすむともいえる。

だが、肝心のトリックを思いつかなければ、すべては画餅《がへい》でしかなかった。

章は、窓ガラスに手を置いた。

人生における重大問題が、まるで精密な呪いがかかっているように、必ず同じところに戻ってくるのは、どうしたことだろう。

透明だが、とてつもなく強固な壁。ここを突破する方法を、見えない扉を発見しなければ、一歩も前には進めないのだ。

苛立《いらだ》ちが込み上げ、拳《こぶし》でガラスを突く。ごつんという鈍い音がした。

その瞬間、脳天を、落雷に打たれたようなショックが走り抜けた。

まさか。

嘘だろう。

本当に、そんな方法があるのか。

両手をガラスに押し当て、茫然《ぼうぜん》として凝視する。

……おそらく、可能だろう。あの部屋の窓は、頑丈きわまりない、防犯用の合わせガラスだ。

胸苦しくなってきて、章は、大きく深呼吸をした。

しかし、本当にそんなことができるのか。

悪魔が小耳に吹き込んだアイデアは、瞬《また》く間に大きく膨らんで、明確な犯行計画のイメージを作り上げる。

いや、やれる。

これなら、うまくやりさえすれば、充分、撲殺可能だ。

窓ガラスを殴った音を聞きつけたらしく、猫背の男が顔を上げて、黒縁の眼鏡の奥から、こちらに不審げな視線を投げかけていた。

章は、偶然ぶつかったふうを装って、ゴンドラを降下させた。

ついに、解答を発見した。これまで自分の人生に立ちはだかってきた、透明で強固な壁が、今度は自分を守る防壁となって働いてくれるのだ。

警察とて、しょせんは官僚組織だ。毎日、決まりきった手口の犯罪ばかり大量に処理していれば、思考回路も硬直化しているだろう。こんな方法を、彼らに思いつけるわけがない。

自分が疑われることは、万に一つもないはずだ。

その日、章は初めて仮病を使い、事務所を早退した。

図書館に籠《こ》もって、計画を細部まで煮詰めていく。様々な問題が浮上してきたため、翌日からは、溜《た》まった休暇を取って、ひたすら、問題解決のために脳漿《のうしょう》を絞った。

アイデアを多角的に検証し、何かヒントが見つかると、書籍やネットで情報収集をする。

丸三日を費やして、計画を、ほとんど完成形まで練り上げることができた。もちろん、まだこれでも、完璧ではない。特に、凶器の処理には、大きな問題が残っていた。

だが、その点については、目を瞑《つむ》ってもいいかもしれない。いくら考えても、有効な解決策は浮かばないし、無制限に時間をかけるわけにはいかない。

犯行の全体像を把握されないかぎり、凶器を発見されることもないのだから。

それよりも、厄介な問題が、手つかずのまま残っていた。

殺害実行時に、穎原社長は、完全に人事不省でなければならない。そのためには、昼食後、強力な睡眠薬を服用させる必要がある。

どうやって一服盛るかも難題だったが、どんな薬を選び、どうやって入手するかが、先決だった。

ネット上で情報収集すると、一般に睡眠薬として処方されている、ベンゾジアゼピン系の薬では、効果が不充分だと判明した。

服用後、完全に意識を失ってしまうほど作用が強いのは、麻薬か、強力精神安定剤か、あるいは、バルビツレートと呼ばれる、ひと昔前によく使われた睡眠薬くらいしか見当たらない。

麻薬類は論外だった。穎原社長の死後、血中からそんなものが出てきたら、たちまち大騒ぎになる。強力精神安定剤も、同様である。

そうなると、選択肢として残るのは、バルビツレートだけである。これは、バルビツール酸を含有する鎮痛・睡眠薬の総称だが、睡眠障害に悩んでいる個人が、ひそかに入手して使っていたとしても、おかしくないかもしれない。

とりあえず、バルビツレートに分類される薬品を調べてみた。バルビタール、アモバルビタール、フェノバルビタール、ペントバルビタール、セコバルビタール……。

中で、最初に目を引いたのは、アモバルビタールだった。

イソミタールという製剤名で知られる薬で、主に、催眠鎮静剤、抗不安剤として使われるが、用量の安全域が小さく、薬物依存に陥りやすいため、最近ではあまり処方されない。

不眠症の治療に用いられる量は、一日にわずか0.1～0.3gだという。何かに混入するなら、少量ですむ方が望ましい。

念のため、致死量も調べてみた。ドラッグ関連のサイトや、有名な自殺のマニュアル本によれば、1.6～8gというところらしい。毒殺が目的ではないので、投与は1g未満にした方がいいだろう。本人が飲んだというシナリオなのだから、極量の倍、0.6g程度にとどめておくのが無難かもしれない。

形状は白い結晶か粉末状で、臭いはなく、やや苦味があるという。製薬会社のサイトに当たると、製剤の写真も見つかった。きれいな白色の粉末で、一見するとグラニュー糖のようだ。

はっとした。

グラニュー糖そっくりの形状で、無臭。そして唯一の問題点が苦味だとなれば、何に入れればよいかは、自ずから明らかではないか。

カフェインは睡眠薬とは拮抗して働くだろうが、もともと、頴原社長には、コーヒーを飲んでから昼寝をする習慣があるくらいだから、影響は無視できるだろう。

問題は、あっさり解決したかに思われた。あとは、入手方法だけだったが……。

そのとき、章の目は、見落としていた記述を捉えた。

『水には難溶である』

落胆した。砂糖のように溶けてくれないのでは、使えない。コーヒーカップの底に澱となって残る、薬の様子が浮かんだ。

他のバルビツレートもよく似た構造だろうから、軒並み、水には溶けにくいのかもしれない。多くの薬の特性欄をチェックしてみると、その予想は当たっていた。

だが、さらに調べると、バルビツレートにナトリウムを加えた物質は、なぜか水に溶けやすくなることがわかった。

それ以外の特性は、ほとんど変わらないので、計画にはぴったりだった。中でも、アモバルビタールナトリウムと、フェノバルビタールナトリウムの二種類が、理想的な条件を備えていた。

章は、インターネットで、この二つの薬品の入手方法を調べた。国内で入手するのは困難だが、タイの業者のサイトに注文すれば、個人輸入が可能らしい。ただし、このやり方には、リスクがある。代金は前払いなので、騙《だま》し取られる可能性があるし、この二種類の薬は、それぞれ第二種と第三種の向精神薬として規制されているので、最悪の場合、警察か麻薬取締官に摘発されるかもしれない。

考えを巡らせているうち、二年前『フリーダム・ハウス』に住んでいた、翠川亜美《みどりかわあみ》という二十代前半の女性のことを思い出した。自称漫画家だったから、ペンネームかもしれない。顔立ちはどちらかといえば美人の範疇《はんちゅう》だったが、噂では、鬱《うつ》病や境界型人格障害などの心の病気を抱えているらしく、無表情で取っつきにくい印象しか残っていない。

だが、闇金に追われている状況では、周囲の人間は一人でも味方にしておきたかったので、章の方では、なるべく愛想良く接するよう心がけていた。

そのうち、彼女の精神が安定しているとき、たまに世間話をするようになった。話題のほとんどは漫画のことだったが、一度だけ、ピルケースに入った、色とりどりの錠剤を見せられたことがあった。毎日、驚くほど大量の薬を服用しているらしい。

そのとき、彼女は、様々なルートから膨大な種類の向精神薬を入手し、ひそかにストックしていることを仄《ほの》めかしていた。

ピックアップした二種類の睡眠薬は、薬物中毒者に人気が高い薬だから、彼女のコレクション中に含まれている可能性はある。なかったとしても、代わりになる薬が見つかるかもしれない。

外人ハウスは人の出入りが激しいから、もう、どこかへ引っ越してしまっただろうか。

とりあえず、明日にでも訪ねてみようと思った。


「お。もう、風邪治ったの？」

三日ぶりに出社すると、会社の人間が、口々に声をかけてくれた。

「すんません。御心配かけました。ほんまに、たいしたことはないんですけど、ちょっと熱があったんで」

「関西人は、風邪引かないのかと思ってたけど、今回は、重症だったみたいだな」

主任が、笑いながら言う。

「どういう意味ですか？」

「そうだ。昨日、学を捜しに、ここへ訪ねてきた人がいたぞ……」

佐竹の声に、章は凍りついた。

まさか、もう、ここを突き止められたのか。

小池と青木の姿が、明滅した。逃げるか。だが、佐藤学が椎名章であることは、向こうも、確認が取れていないはずだ。

逃げるとすれば、どこへ行くべきか。アパートに帰って、身の回りの品をまとめるのに、二十分とかからない。だが、もう、新しい身分証はない。

それに、完璧な殺人計画……。あれを捨てるわけにはいかない。数億円のダイヤを入手するのは、もはや時間の問題、秒読みに入っているというのに。

「お茶、どうぞ」

アルバイトの美優が、机の上に湯呑《ゆの》みを置く。章は、上の空で湯呑みをつかもうとして、ひっくり返してしまった。

しまった。あわてて、雑巾《ぞうきん》を探す。

「おいおい、どうしたんだよ？　動揺してんのか？」

佐竹が、にやにやしながら言う。

交渉するか。ほんの少しだけ、時間の猶予をくれれば、借金は倍にして返すと言う。いや、だめだ。向こうが応じるとは思えないし、こちらにどんな金策のあてがあるのか、要らぬ詮索《せんさく》を招いてしまう。

章がもたもたしている間に、美優が布巾を持ってきて、机を拭《ふ》いてくれた。

替え玉。

そうだ。それしかないかもしれない。ここへ来たときに、確認していなければ。顔写真は、たしか一枚も残してこなかった。佐藤学の面は、まだ割れていないはずだ。今度来たときに、誰か替え玉を使ってやり過ごすことは、可能だろうか。

「その……来た人ですけど」

章は、懸命に平静な声音を作って訊《き》いた。

「お？」

「どんな人でした？」

「どんなって、なあ……」

佐竹は、なぜか、笑って答えない。

「教えてくださいよ」

「すげえ美女だったな。窓拭きをしている佐藤さんの凜々《りり》しいお姿を見て、一目惚《ひとめぼ》れしました。ぜひ、彼氏になってほしいって」

佐竹は、とうとう、堪《こら》えきれなくなったように爆笑した。

「え？　何だ何だ。本当だと思ったのか？」

藪が、不審の目で、章の顔を覗《のぞ》き込む。

「先輩。もしかしたら、心当たりあるんすか？」

「あるか。ボケ」

章は、ようやく、強張《こわば》った笑みを浮かべる。

「何だよ。本当は、けっこう、遊び人なんじゃねえの？」

「もしかしたら、この三日間は仮病で、デートでもしてたりして」

章は、頭を搔《か》いた。

「おう。実はな、人妻と恋の逃避行で、北海道の温泉巡りしとったんや」

「逃避行って……」

「演歌の世界だな。おまえ、本当は、四十代じゃねえのか？」

どっと笑い声が湧く。

章は、笑顔を浮かべながら、掌《てのひら》にじっとりと汗をかいていることに気づき、誰にも見られないようズボンで拭《ぬぐ》った。


その晩、三度目の侵入を決行した。

やるべき事は、六項目にも及ぶ。時間を無駄にしないために、効率的に動く必要があった。

最初に向かったのは、社長室ではなく、エレベーターの右手にある給湯室だった。

カップボードの最上段には、金の縁取りのあるティーカップや、白磁のコーヒーカップのセットが並んでいた。その次の段には、透明なプラスチックの容器に入ったコーヒー豆があった。それぞれ、『ブルーマウンテン』や『モカ』などと、テプラで印字されたテープが貼ってある。その横には、ドリッパー、フィルター紙、計量スプーン、陶製の角砂糖の容器などが見えた。

三段目の棚には、インスタントコーヒーとクリープの徳用瓶、二十五個入りのティーバッグの箱、袋入りのスティックシュガーなどが置いてあった。その横には、小ぶりのマグカップが並んでいる。ピンクと、白地に花模様、格子模様の三つで、おそらく、三人の秘書のものだろう。

どうやら、上二段に並んでいるのは、社長ほかの役員たちや来客のためのもので、三段目は秘書らが使っているらしい。

その下の、扉のない棚には、コーヒーミルや、細長い口のコーヒー用ポット、エスプレッソマシンなどが、所狭しと並んでいる。

上段にある角砂糖の容器の中を確認すると、一個一個紙で包装された角砂糖が、六つ入っていた。

奥にある紙箱には、さらに、数ダースの角砂糖が詰められていた。入っていた紙を見ると、『三温糖』の角砂糖ということだった。

穎原社長は、コーヒーに入れる砂糖に至るまで、従業員とは差別化を図りたいらしい。

とりあえず、サンプルとして、箱の中から角砂糖を五個、失敬しておくことにした。

それから、銀色の着ぐるみに身を包んで社長室に入る。まず、吹き出し口裏の携帯電話を取り出して、充電器と接続している補助バッテリーを交換した。

次に、西側に一箇所、北側に二箇所ある窓を調べて、正確な寸法を測った。さらに、窓ガラスを固定しているゴムのようなシーリングの端を、目立たないようにカッターで切り取って、ビニール袋に収めた。

四番目に、窓のカーテン用の赤外線リモコンを見つけ出し、カーテンの開閉ができるのを確認する。受光部は窓枠の下にあり、カーテンが閉まると隠れてしまうのだが、レースだけでなく、ドレープカーテン越しでも、問題なく信号を読み取った。

このリモコンが発する信号を、コピーする必要があった。秋葉原で買った赤外線学習リモコンを取り出し、受光部にカーテンのリモコンが送信する赤外線を当てて、開と閉の信号を記憶させる。

学習リモコンからの信号は、本物のリモコンと同様に、機能した。

今度は、コピーした赤外線信号を部屋の反対側に向けて照射し、カーテンを動かせるかをたしかめる。窓の中央部から、反対側の壁の中央よりやや下に向けて照射すると、赤外線信号がうまく反射してカーテンを操作できることがわかった。

今度は、これも秋葉原で購入したラジコン用プロポを使って、介護ロボットの電源を入れる。

モーターの低い唸《うな》り声とともに、ロボットの上部にあるモニターが点灯する。ソフトな女性の声がルピナスVの自己紹介をした。

章は唇を舐《な》め、数種類の動作テストを行った。

結果は、ほぼ予想通りだった。

ルピナスVは、抱え上げた物体を強く何かにぶつけることも、床に落下させることもできなかった。殺人のための機械としては、無能の極《きわみ》である。

だが、そこまでは、予想通りだった。

想定外だったのは、物を持ち上げるときの制約である。アームの先端についた二本のアンテナが、センサーの役割を果たしており、アンテナを手前に折り返さなければ、リフトできないのだ。

つまり、奥行きがありすぎる物体は、持ち上げられないことになる。

章は、眉《まゆ》をひそめた。こんな制約があるとは、思ってもみなかった。

だが、いずれにしても、実際に試してみるしかない。

章は、この晩最後のタスクを実行するため、東側の壁際にある重厚なキャビネットに歩み寄った。最初の侵入の際には、隠し扉を見つけようと徹底的に調べたが、何も発見することはできなかった。

飾り棚にある調度品や書籍はそのままに、下段の四つの引き出しをチェックする。どれにも異状は見当たらなかったが、少し考えてから、一番下の引き出しに手をかける。重い無垢《むく》板でできた引き出しにはストッパーがなく、抵抗なく引き抜くことができた。

章は手袋を脱ぐと、キャビネットにできた空洞の内部を素手で探った。

ここに隠し扉の類《たぐい》がないことは、最初に調べたときに確認してある。引き出しと引き出しの間は、通常、ベニヤのような薄い板で隔てられているだけだ。このキャビネットでは、非常に分厚いしっかりした板が使われていたが、やはり、物を隠せるようなスペースはない。

だが、板を探っていた指先が、かすかなへこみのような痕跡《こんせき》を感じ取った。

ようやく推理が確信へと姿を変えた。

ハンカチで板に付いた指紋を丁寧に拭い去ると、章はルピナスVを動かし、二本のアームを引き出しを抜いた空洞に差し込む。

心配は杞憂《きゆう》だった。ルピナスVはしっかりとキャビネットを保持した。四本の引き出しの奥には縦のスペースがあり、アームが中で返って、上の引き出し部分を抱えることができるらしい。

ルピナスVに、リフトを命じる。

モーターの唸り声が大きくなった。少し心配になるほどだが、一階まで音が届くことはありえない。警備員が巡回に来れば、エレベーターの音が聞こえるから、耳さえ澄ませておけばいい。

やがて、ぎしぎしと木が軋《きし》む音を立てて、キャビネットが浮き上がった。

持ち上げる速度がゆっくりとしており、安定しているため、トロフィーなどの装飾品も、倒れない。

キャビネットは、20cmあまり上昇し、上端が天井に触れて止まった。

章はルピナスVの横に寝そべると、手を伸ばしてキャビネットの真下に手鏡を置き、ペンライトで光を当てる。

あった。よくよく注意して見ないとわからないが、キャビネットの底部に下向きの隠し扉がある。脚の高さは二、三センチしかなく、木製のスカートで隠されているため、重いキャビネットを垂直に持ち上げないかぎりは、底面にある扉を発見することはできないのだ。

見えない扉のからくりは、単純そのものだった。扉は、キャビネットの底面に設《しつら》えられていたのだ。よりよい介護のために、技術の粋を集めて作られたロボットは、単なるフォークリフトかジャッキの代用品にすぎなかった。

章は、手を伸ばして、隠し扉を探った。なかなか開かなかったが、少し離れた場所に、寄せ木パズルのように動く木片があるのを探り当てる。指先でずらすと、掛け金が外れたらしく、扉が自重で開いた。

中のスペースは狭く、袋のようなものがいっぱいに詰まっている。引っぱり出すと、銀色で生地が非常に分厚い。

おそらく、耐火繊維と断熱層の二重構造だろう。穎原社長は、何より火災を恐れていたに違いない。宇宙で最も堅牢《けんろう》な物質であるダイヤモンドも、充分な酸素のもとに高温の炎に曝《さら》されると、燃焼して二酸化炭素の溜《た》め息《いき》に変わってしまう。

空気が入らないようにするためか、マジックテープで厳重に封印された袋の口を開けると、さらに、同じ生地の小袋がいくつか入っていた。

うち六個はかなり膨らんでおり、側面にマジックインキで『100』と書かれている。もう一つの小袋にはあまり中身が詰まっておらず、何も書かれていない。順番に開け、ペンライトで照らしてみる。中には、紙で包まれた物体が詰まっていた。三つの袋からランダムに一つずつ選び、紙を留めてあるセロテープを、あとで元に戻せるように慎重に外す。折りたたまれていた紙は、鑑定書だった。

包まれていたのは、すべて、目も眩《くら》みそうなブリリアント・カットのダイヤモンドである。ライトの明かりを受け、闇に向かって反射する七色の光は、月光のように冷たく冴《さ》えわたっていた。

とうとう、見つけた。

一気に、喜びが爆発するかと思った。今手にしているのは、おそらく、全部で数億円の価値のある宝石なのだ。

だが、心臓こそ高鳴っていたが、意識は奇妙なくらい冴えわたっており、冷静そのものだった。

まるで、ダイヤを手に興奮している自分と、それを他人事《ひとごと》のように冷ややかに見つめている自分の、二人が存在しているかのようだ。

冷静な方の自分は、まだ道半ばにすぎず、けっして事が成ったわけではないと、警告し続けている。問題は、これからなのだ。

最大の難関は、ダイヤを盗み出すことではない。

……もう、いいだろう。充分に有能であることを示したんだから。これらの袋に詰まっているのは、美しい透明な石ころにすぎない。こんな物のために、本気で人殺しをするつもりなのか。

心の中から、第三の自分の、非難に満ちた声が湧き上がった。

だが、ここまで来て、やめるわけにはいかない。それでは、今までやって来たことは何だったのかわからない。

ダイヤを梱包《こんぽう》して袋に戻し、隠し扉の奥に収納した。ルピナスVを使ってキャビネットを着地させ、外した引き出しを元通りに入れる。

社長室を去る前に、もう一度、振り返らずにはいられなかった。

六百十九個のダイヤモンド。いったんこの手に掴《つか》んだ煌《きら》めく未来を、暗闇の中に残して行くのは、まるで、自分の心臓を置き去りにするような気分だった。

たとえ、それが、ほんの一時の別れだとわかっていても。


朝の空気は冷たく、乾燥していた。好天に恵まれた日曜日は、晩秋の行楽日和だった。

朝早く、ほぼ一年ぶりに、『フリーダム・ハウス』を訪ねてみる。住人はみな、寝静まっているか、まだ帰ってきていないらしく、物音ひとつしなかった。

集合メールボックスを開けてみると、翠川亜美に宛てた郵便物が二通あった。彼女は、依然として同じ部屋にいるらしい。よほど居心地がいいのかもしれないが、おそらくは、経済的な理由だろう。二年前も、彼女は、ひどく経済的に逼迫《ひっぱく》していた。

一通の封書は、中堅出版社の社名入り封筒に入っていた。自称漫画家というのは、あながち妄想でもないのかもしれない。もう一通の封筒には、差出人の名前がなく、『親展重要』というスタンプが押してある。

それが何であるかは、すぐにぴんと来たが、確認するため、どうしても郵便物の中身を見ておきたかった。今日中に返せばいいだろう。章は、二通の封筒を拝借し、その足で買い物を済ませておくことにした。

山手線から総武線に乗り継ぐと、急に、家族連れの姿が目立つようになった。章の向かい側にも、中年の夫婦が五歳くらいの幼児を連れて座っていた。幼児はお出かけに興奮しているらしく、電車の座席に土足で上がって、けたたましい奇声を発するが、両親は、にやけた顔で幼児を見やるだけで、まったく注意しようとはしない。

ふと、遠い過去の記憶が甦《よみがえ》った。

どこへ行くときだったかはわからない。幼い章は、両親に挟まれ、靴を脱いで窓の方を向いて座っていた。見るものすべてが珍しく、章は、さかんにあれは何だと指さして質問した。だが、光晃にはほとんど答えられず、不機嫌に黙り込んでしまったし、照子の答えは、子供にもその場凌《しの》ぎや出鱈目《でたらめ》とわかるようなものばかりだった。

早々に見切りをつけた章は、質問をやめて、空想の世界に浸った。

昔から、ガソリン臭いバスより電車が好きだった。今から思うと、規則正しい振動と、目的地までしっかりとレールが敷かれているという安心感が、心地よかったのかもしれない。

なぜか、そのときからずっと、電車に乗り続けているような気がした。子供だったときの自分と、今の自分は、同じ振動に身をゆだねている。

あの頃、十数年の時を経て、殺人の準備のために電車に乗っている自分のことを、想像できただろうか。

千葉よりさらに二駅東で、総武快速を下りる。わざわざ土地鑑のない場所まで出て来たのは、犯行に使う物品は、少しでも遠い場所で購入したかったからだった。それに、都内のホームセンターでは、偶然、安西工務店の人間に出くわす可能性もある。

京成バスに乗ると、目指す大型ホームセンターまではすぐだった。

店は、意外なくらい賑《にぎ》わっていた。プロユースの資材が置いてある専門館に入って棚の間を縫って歩きながら、章はシーリングガンと、シリコン系シーリング材のカートリッジ各種、丸形バッカー、プライマー、ガラス吸盤器、ヘラ、刷毛《はけ》、マスキングテープなど、窓廻《まどまわ》りのガラス工事の資材一式をカートに入れた。

さらに、強力なエポキシ樹脂の接着剤と、注射器にそっくりの注入器を選ぶ。

レジで精算をすませると、数万円の出費になった。今度は日用品館に行って、カグスベールプロという名前の商品を購入する。ナフロンというフッ素樹脂でできた細長い板で、重い家具の下に敷くと滑りが良くなるため、楽に動かすことができる。フッ素樹脂は高価な素材なので、二枚組で七千円を超える値段が付いていた。

それから、彫刻刀のセットと、くさび形のドアストッパー六個、スポンジの付いた隙間ふさぎテープ二巻きを買う。

買い込んだ荷物は、バックパックなどに分けて詰め込んだ。全部合わせると相当な重量になるが、配達を頼んで、住所を記録に残すわけにはいかないので、駅まで持って行って、ロッカーに入れた。

次に、付近の量販店で、麻のショッピングバッグを売っているのを見つけた。買い物かごの中にすっぽり入るサイズで、有料のポリ袋の代わりに使うらしい。サイズがちょうどいい上に、持ち手もしっかり縫いつけてあって、充分な強度がありそうだった。

購入したショッピングバッグを持って、今度は、スポーツ用品店に行く。輸入物のボウリングのボールが何種類か展示してあった。

一番重い、16ポンド（7・257kg）のものを選ぶ。なるべく柔らかいものが望ましいが、最近のボールは、昔の素材であるエボナイトよりは柔らかい、リアクティブ・ウレタンが主流のようだった。

ついでに、スノーボード用の固形ワックスとスキーマスク、水泳用のゴーグルを購入する。

それから、キッチン用品の専門店に行き、0.1g単位まで量れる上皿天秤《うわざらてんびん》を買った。これ一つで一万四千円もしたのには、驚いた。

その隣の文房具屋では、B0判のコート紙とマジックインキ、シール剝《は》がし剤を買う。

次いで、百円ショップでは、バイクのメンテナンスなどに使う、超ロングのプラスドライバーと、金属用ヤスリを、最後にスーパーマーケットで、PET容器に入った水飴《みずあめ》を二つ買った。

これで、ますます荷物が重くなったので、アパートに持ち帰ったときには、全身、汗びっしょりになっていた。もちろん、部屋にシャワーなどはないので、流しでタオルを濡《ぬ》らして固く絞り、身体を拭《ふ》く。

もう一度出かける前に、やっておくことがあった。

買ってきたばかりのシーリング剤のカートリッジに、マジックインキで番号を付ける。次に、部屋いっぱいにB0判のコート紙を広げ、カートリッジの番号を書いた横に、シーリング剤を小さな短冊の形に塗り付けた。

問題は、同じグレイ系統のシーリング剤であっても、微妙に色目が違うものが存在することだった。万が一にも工作を見破られないためには、社長室の窓に使われているのと、寸分違《たが》わないものを使わなければならず、そのためには、実際に乾かしてから、色を見るしかない。

シーリング剤が乾くのを待つ間に、もうひとつの作業を済ませる。

亜美のメールボックスから持ってきた二通の封筒に、シール剝がし剤を塗って、ゴム糊《のり》の粘着力がなくなってから封を開ける。

出版社からの手紙は、投稿した作品に対する断りの返事だった。詳しく読むのは気が咎《とが》めたので、すぐに封筒に戻し、元通りに封をした。粘着力はしばらくすれば復活するので、きれいにくっついて、開封したことはわからなくなる。

もう一つの封書については、勘が当たっていた。大手のサラ金からの督促状だ。金額は少ないが、どちらかというと、彼女が借りられたことの方が不思議だった。

翠川亜美は、金に困っている。この事実は、追い風になるはずだった。

彼女から薬を入手する方法については、すでに、いろいろと考えていた。

まず、ストレートに薬の譲渡を頼むという方法が考えられる。面識というより、一応の人間関係はあるのだし、彼女がひどく金に困っているのなら、応じる可能性は大だった。

だが、これには二つのデメリットがある。まず、なぜ、バルビツレートのような危険な薬を求めているのか、彼女が納得するような答えができない。何とかごまかせたとしても、自分が薬を買ったという事実を彼女に記憶されるのはまずかった。何といっても、現在の名前である『佐藤学』を知られてしまっているのだから。

将来、彼女が恐喝者に変貌《へんぼう》するかどうかは、わからない。だが、薬物がらみで警察に捕まったとしたら、心証を良くしたい一心で、自分のことも洗いざらい供述するかもしれない。

ふと、だったら、彼女も消してしまえばいいのでは、という考えが浮かんだ。

馬鹿な。あわてて打ち消す。

俺は殺人鬼じゃない。こちらの都合だけで、無関係な人間を殺すことなど、できるはずがない。

だったら、穎原社長はいいのかという考えが湧き上がってきたが、無理やり、当面の問題へ意識を引き戻す。

……やはり、こちらの正体を明かすことはできない。

匿名で接触するとして、一番簡単なのは、脅迫だった。どこに隠しているかはわからないが、彼女が向精神薬を所持しているのは確かなのだから、その事実を通報すると脅して、沈黙の代償として、ごく少量の薬を要求すれば、普通の相手なら屈するだろう。

厄介なのは、彼女が、境界型の人格障害を患っている点である。

短い期間だったが、彼女と接してみて印象に残っているのは、感情がひどく不安定なことだった。

あらためてネットで調べてみたが、この人格障害の特徴は、ふだんは落ち着いていて冷静な判断ができるように見えても、些《さ》細《さい》なきっかけから感情が激変し、ひどく攻撃的になったり、自己破壊的な行動を取ったりすることにあるという。

つまり、性急に、脅迫だけで言うことを聞かせようとすると、コントロール不能に陥る危険性がある。ここは、うまく、飴と鞭《むち》を使い分けなければならない。

章はノートパソコンに向かうと、慎重に、彼女に対する手紙の文案を練った。

相手を刺激しないような丁寧な言葉で、自分は、亜美と同じ境界型人格障害の二十代の女性だと、自己紹介する。同じ病気の人が書いているサイトを参考にしながら、これまで、どんなに辛《つら》い人生を送ってきたかを、書き連ねた。

……直接お会いしたことはありません。偶然、ある人から翠川さんのことを伺い、ずっと以前に、『歌ウタ焼け』という漫画を読んで、とても感動したことがあったので、ああ、あの作者の方なのか、わたしと同じ病気と闘ってこられたのかと、たいへん親しみを覚えました。

実は、どうしても、翠川さんにお願いしたいことがあります。あの作品を描かれた方なら、きっとわかっていただけると思い、失礼ですが、こうしてお手紙しました。

ここには書けない、ある複雑な事情があり、末尾に記す薬のどれかが、どうしても必要になりました。入手できなければ、わたしは、自殺するしかありません。

わずかな量でかまわないのです。分けていただけないでしょうか。

もちろん、お礼はします。わたしも、けっして裕福ではありませんが、突然で、勝手なお願いですから、相場の数倍程度のお金は、お支払いさせていただきます。

あなたが、いろいろな薬をお持ちなことは、あなたのことをわたしに教えてくれた人から、伺いました。

薬を譲っていただけた場合は、翠川さんのことは、絶対に、誰にも他言しません。

本来なら、直接お目にかかって、お願いすべきだとは思います。どうしても、それができない事情があるのです。匿名で、このようなことをお願いする失礼を、お許しください。

この手紙が悪戯《いたずら》でない証拠に、前金の一部として、二万円を同封させていただきます。譲ってやってもいいと思われましたら、たいへんお手数ですが、『2ちゃんねる』、『ポエム、詩』板の、『ノスタルジックな詩を書こう』というスレッドに、以下のような要領で、書き込みをお願いします……。

冷静に考えれば、話がおかしいことはすぐにわかる。長々と文章を書き連ねながら、肝心なことは何も説明していないし、辻褄《つじつま》の合わない部分もある。

彼女のプライドや同情に訴えかけるようにはしてあるが、どこまで効果があるか不明だし、あえてオブラートに包んだ脅迫も、奏功する保証はない。

だが、おそらく、彼女は喰《く》いつくのではないか。

同封した餌には、それだけ威力がある。金に困っている人間が、目の前に現金をぶら下げられれば、使わずにいるには超人的な克己心が必要となる。返却しようにも相手がわからないし、非合法な薬の話が絡んでいるために、警察に届けるのも躊躇《ちゅうちょ》せざるを得ないだろう。そして、いったん前金を使い込んでしまえば、こちらの依頼を断ることは心理的に難しくなる。

それは、あれほど嫌悪してきた、闇金の手口そのものだった。

もちろん、たった一通の手紙で釣り上げられるとは、期待していなかった。だめだったたとしても、繰り返し手紙を送って、圧力をかけていけばいい。

仕上げに、まとまった額の報酬を提示してやれば、最後は押し切れるだろうと思った。


四度目の侵入。

最初はあれほど強かった緊張とプレッシャーも、徐々に薄れて、今では、この場の状況を完全に支配しているという自信が生まれていた。防備を固めている側の裏をかいて、自由に出入りすることが、しだいに快感になりつつある。

今回の使命は、一つだけだった。だが、これこそが、計画の成否を左右する最大の難所なのだ。

ガラス工事の技術は充分習得したし、錆《さ》び付いていない自信もある。とはいえ、頭の中で構想しただけで、いまだかつて誰もやったことのない工作となると、やってみなければわからない要素が大きかった。

いや、何としても、制限時間内にやり遂げなければならない。

未来は、そこにかかっているのだから。

章は社長室に入ると、ナイロン製の大型スポーツバッグからプロポを取り出し、ルピナスⅤを起動した。

腕時計で時刻を確認する。午前零時ちょうど。いつもより一時間早いが、時間内に作業を終えるには、ぎりぎりかもしれない。

章は、大きく深呼吸すると、大型のNTカッターを出して、西側の窓ガラスを固定しているシーリングに刃を入れていった。

四辺から、ゴムのようなシーリングをきれいに引き剝《は》がすと、ドライバーでネジを回して、上下の押縁《おしぶち》を取り外した。ガラスが手前に倒れてこないように、ルピナスVに押さえさせる。

露《あら》わになった窓枠の上には、セッティング・ブロックが二個置かれていた。ガラスは、その上に載っている。さらに、その手前には、発泡ポリエチレンでできた、ロープ状のバッカーがくっついていた。バッカーの役割は、ガラスをしっかりと保持しつつ、緩衝材となることである。

したがって、多少でもガラスの固定を緩めて、動くようにするためには、固いバッカーを取り去り、より柔らかい材質のものと入れ替えなければならない。

当初の構想では、それだけで充分と考えていたのだが、思考実験をするうちに、さらに別の問題があることに気がついた。

ガラスが載っているセッティング・ブロックは、電線の被覆や防振パッドに使われる、クロロプレンゴムでできており、ガラス底面との間には相当な摩擦力が生じる。したがって、こちらは、もっと滑りのいい物質に替えておく必要があるのだ。

そのために選んだのが、固体としては最小の摩擦係数を持つ、フッ素樹脂だった。

ロープ状のバッカーをすべて取り外すと、片手でガラスを持ち上げる。分厚い防犯合わせガラスは重く、腕の筋肉が悲鳴を上げる。しかし、何とか、ガラスと窓枠の間にゴム製のくさび形ドアストッパー六個を嚙《か》まして、セッティング・ブロックを引き抜くことができた。

セッティング・ブロックの代わりになるのは、フッ素樹脂製のカグスベールプロを切って作製した、四個のブロックだった。ガラスに接触する上面には、スノーボード用のワックスをたっぷり塗布してある。これで、滑りの良さは大幅に向上したはずだ。

ドアストッパーを取り去ってから、厚みを元の半分まで削《そ》いだ新しいバッカーと、スポンジ付きの隙間ふさぎテープを、四辺に装着する。

その上から、押縁を元通りにネジ止めすると、あらかじめシーリング剤を乾かしてテープ状にしたものを、プライマーで接着して、ガラスと押縁の隙間を密閉した。テープには、ガラスが動いても皺《しわ》が寄ったり剝がれたりしないよう、かなりの余裕を持たせてある。

これで、ようやく完成だった。細部を食い入るようにチェックしてから、後ろに下がって、全体の印象を見る。

外見上は、まず満足できる出来映えだったが、問題は、性能だった。確認のため、ルピナスVのアームを外してから、ガラス吸盤器で合わせガラスを吸着し、前後に揺り動かしてみる。

素晴らしい。期待通りの手応《てごた》えだった。ガラスの可動距離は、最大でも数ミリだが、感触は滑らかで、抵抗はわずかだった。

ぞくぞくするような興奮が込み上げてきた。満足して、腕時計を見る。午前二時三十五分だった。制限時間も、余裕でクリアーできた。自分を褒めてやりたい気分だった。

撤収の準備が終わってから、吹き出し口を見上げた。

携帯電話と集音機、バッテリーは、ダイヤを盗み出す際に回収するつもりだったが、考えてみると、この先も盗聴を続ける必要はない。

余計なものを長く置いておけば、発見される危険性が増すだけだろう。

章は吹き出し口を開け、盗聴に使った道具一式を取り出し、痕跡《こんせき》をきれいに拭《ぬぐ》い去ってから、社長室を後にした。

七時間後、朝の人の出入りにまぎれて、ロクセンビルを脱出した。狭いゴンドラの中で眠っていたため、身体の節々が痛んだが、気分は、かつてないほど昂揚《こうよう》している。

アパートに帰る途中、コンビニで一番安いサンドイッチと缶コーヒーを買って、公園で朝食を取ることにした。

サンドイッチは単調なマヨネーズの味しかしなかったが、奇妙なくらい美味に感じられた。パンの端っこを、足下をうろつく愚鈍な鳩に投げてやる。ジャングルより厳しい都会の環境で、なぜ、こんな馬鹿な生き物が生き抜いていけるのだろうと、ぼんやりと思った。

ベンチに座ってコーヒーを飲みながら、予定通り、盗聴に使った道具一式を処分すべきかと考える。だが、もはや社長室を盗聴していた証拠は何も残っていない。その必要もないかと思い直した。

着信専用だったプリペイド式携帯電話は、まだ、しばらく使えるはずだ。

ふと、鈴木英夫の携帯電話にかけてみようかと思い立つ。

だが、ボタンを押そうとした指は、ぴたりと止まってしまった。

この電話から、持ち主をたぐることはできないが、携帯電話は最寄りの基地局を経由して接続するので、それなりのノウハウを持った人間が調べれば、こちらのおおよその位置はわかってしまうのだ。この公園は、アパートからあまりにも近かった。

まさか、奴らが英夫の携帯電話にまで網を張っているとは考えにくいが……。

章は立ち上がると、重いバッグを持って公園を後にした。

アパートに戻ると、まず最初に、ドアと下枠の間に糊《のり》で貼り付けておいた、髪の毛をチェックする。『フリーダム・ハウス』に入居してから、ずっと続いている習慣だった。ドアの裏側には、大家には無断でリモコン式の補助錠を取り付けてあるため、侵入はほとんど不可能なはずだが。

部屋に入ると、今度は、奥の窓を確認する。

サッシ窓は、ガラスを破られれば終わりである。

最近は、鍵《かぎ》付きのクレセント錠も売られているが、ペンチで受け金の方を曲げられてしまえば、何の意味もない。これは安西工務店で学んだことだが、クレセント錠は、本来、サッシを密着させて気密性を高めるための金具にすぎず、防犯性能で比較した場合、昔の窓に付いていた捻子《ねじ》締まり錠の方が上なのである。章は、サッシの溝に鉄パイプを嵌《は》め込んでつっかい棒にしていた。溝に嵌《はま》った鉄パイプを外から抜き取るのは困難なので、侵入者は、ガラスの全面を打ち破って入るしかない。

窓には、何の異状も見当たらなかった。

自分自身が、何度もロクセンビルに侵入しているため、意識過剰になっているのかもしれないが、大事を目前に控えて、どれだけ用心しても、しすぎるということはない。

社長室の窓の工作に使用した工具類を片づけてから、ノートパソコンを起動した。昨日、最も料金の安いプロバイダに加入したばかりだった。

インターネットの巨大掲示板を開く。

あった。

章が指定した、創作詩を投稿するスレッドに、待っていた書き込みが見つかったのだ。

思い出がいっぱいに詰まった
古い机の引き出し
インクの出ないペン
壊れたアンモナイトの化石
小さな笛と
ヒビの入ったソーダの瓶

欠けた軽石
ソーダの瓶をそっと手に取り
唇に当てて吹いてみる
二十人の天使が空を舞っているような
懐かしい音がした

思わず、笑みがこぼれる。脅迫の手段もいくつか考えていたのだが、必要なかった。結局、二通の手紙と四万円の現金を送っただけで、商談成立である。

ペンは、ペントバルビタール。アンモナイトは、アモバルビタール。笛は、フェノバルビタールの符丁だ。ソーダの瓶はナトリウム、軽石はカルシウムを、それぞれに加えた誘導体を意味している。

「インクの出ない」ペンと「壊れた」アンモナイトは、どちらも在庫がないことを示し、「ヒビの入った」ソーダの瓶と、「欠けた」軽石は、ナトリウムやカルシウムを添加した、アモバルビタールナトリウムやアモバルビタールカルシウムなども、切らしているということになる。

ただし、笛、つまりフェノバルビタールは、少量なら持っているらしい。

さらに、一行空けて、ソーダの瓶を笛にして吹くという部分は、フェノバルビタールナトリウムも入手可能だという返事である。天使の頭数で表される値段は、総計二十万円になる。

必要とする量は、前の手紙に明記してあった。ぼるにも程があるとは思ったが、下手に値切って、臍《へそ》を曲げられても困る。

いいだろう。ぎりぎり支払える金額でもあるし、貧乏でジャンキーな漫画家を救済してやることにしよう。最終的に、こちらが手にする利益は、彼女に支払う額の数千倍になるのだから。

章は、ワードを起動し、薬の受け渡し方法を指示する手紙を書き始めた。

4　殺　害

決行を目前に控え、木曜日、金曜日と、はっきりしない、ぐずついた天候が続いている。章は、窓を拭《ふ》く作業の手を止めて、陰鬱《いんうつ》な色の空を見上げた。

もし、日曜日に雨が降ったら、ロクセンビルの窓の清掃は順延になる。必然的に、穎原社長の殺害計画も、中止のやむなきに至る。したがって、その前夜に、ダイヤを頂くこともできない。

しかも、もし、窓の清掃が月曜か火曜にずれ込めば、あのプランは実行不能である。ウィークデイのオフィス街は、あまりにも人目が多すぎるからだ。

そうなると、次の清掃日である一ヶ月先まで待たなくてはならない。

だが、変に時間を空けると、ダイヤがどこかへ移されてしまう可能性もある。それ以上に、現在の緊張状態がずっと続くことを考えると、とても耐えきれる自信はなかった。

本当に、自分は人を殺すのだろうか。それも、一度も会話したことすらない、赤の他人を。

それは、良心の呵責《かしゃく》などというものではなく、単純な恐怖だった。

ここへ来て、気持ちが揺れているのを感じる。これでは、冷静な判断と行動が求められる実行時に、致命傷になりかねない。

その日が近づいてくるのが、恐ろしかった。だが、宙ぶらりんの状態のまま越年するのは、もっと嫌だった。何としても、今週末に決めてしまいたい。

とはいっても、天候だけはどうしようもなかった。

もし、日曜日が雨で、殺害が不可能となれば、ダイヤを盗んで逃げるという選択肢の方が、現実的かもしれない。ここまで準備を進めてはきたものの、もし、やらなくてもすむのであれば、すべてが無駄になってもかまわないと、思い始めていた。

一人になりたかったので、仕事が終わると、同僚の誘いを断り、まっすぐアパートに帰った。ここのところ、急に付き合いが悪くなったことを、訝《いぶか》しまれているかもしれない。

携帯電話で天気予報を聞く。週末は晴れるということだったが、どこまで信用していいのか、はなはだ心許《こころもと》ない。

今日は、部屋に籠《こ》もって気持ちを落ち着けようと思ったが、思いは千々に乱れ、いつしか、檻《おり》の中の獣のように、ぐるぐると歩き回っていた。

さすがに、これではいかんと気がついた。長い間、極度の緊張が続いていたので、休息が必要なのかもしれない。

明後日、計画を実行するとなれば、ベストコンディションで臨まなくてはならない。そのために、今日はどこかへ行って、気晴らしをしてこようと思った。

苦労の末に入手した薬だけは心配だったが、隠し場所には自信があった。万が一、泥棒が入ったとしても、まさか、盗まれることはないだろう。

章は、財布と携帯電話だけを持って、アパートを出た。

外の冷たい空気に触れると、それなりの気分転換にはなったが、さてとなると、どこへ行けばいいのか迷う。長い間、禁欲生活を送ってきたので、かなり欲求は高まってはいるが、計画に金を使いすぎたので、風俗店へ行くほどの金は残っていない。

一人で飲みに行っても、寂しさが募るだけだ。こんなことなら、同僚の誘いを断らずに一緒に行っていればよかったと思う。結局、インスタントラーメンで食事をすませてから、映画のレイトショーを見に行くことにした。

新宿駅の東口を出ると、霧雨が降っていた。駅構内には、同世代の若者が思い思いの場所にたまっていて、携帯電話の液晶画面を覗《のぞ》き込んでいた。

そうだ、と思う。ここからなら、かりに逆探知されたとしても、さほど気にすることはない。

章は、携帯電話を出した。一瞬だけ躊躇《ためら》ったが、記憶している英夫の携帯の番号をプッシュする。

「もしもし……?」

出たのは、予想に反して、中年女性の声だった。何となく、聞き覚えがある。すぐに、英夫の母親であることを思い出した。

「あの、俺、椎名章です」

「まあ、椎名くん……？」

息を呑《の》む気配がした。

「ご無沙汰《ぶさた》してます」

「ほんまやねえ。本当に、いろいろ、たいへんやったわね。英夫から聞いたんやけど」

「ええ、まあ……。あの、英夫くんは？」

しばらく、沈黙があった。

「そう。まだ知らなかったんやね。英夫はね、亡くなったのよ」

「え？」

今度は、章が絶句する番だった。

「もう、四ヶ月になるわ。バイクの事故で」

「そんな。俺、全然……」

章の声は、彼女の耳には入っていないようだった。

「今年ねえ、英夫は、やっと大学に引っかかったの。平気な顔してたけど、内心では、だいぶ焦りもあったはずやから、ほっとしてたんやと思うわ。それで、夏はずっと、あっちこっちにツーリングに行ってたの」

「でも、あいつ、運転うまかったですよ。半端やなしに。……事故るなんて」

「原因は、今でも、よくわからへんのよ。ただ、小雨が降ってたのに、山道を100㎞以上で飛ばしてたらしくて。警察では、自殺なんやないですかって。でも、あの子に限って、そんなこと、信じられへんのよ。もちろん、遺書もなかったし」

「そんな。英夫が、自殺するはずなんかないですよ！」

章は、叫ぶように言った。近くでメールを打っていた女子高生が、好奇の目でこちらを見る。

あの英夫が、自ら、命を絶つはずがない。まして、長い浪人生活の後で、ようやく大学に合格して、これからというときに。

「私らもねえ、信じられへんかったのよ。それでね、英夫の友達が教えてくれたんやけど、英夫は、誰かに車で追いかけられてたって」

「誰かって……？」

「わからへんけど、白塗りのベンツやったらしいの。目撃した子は、警察へも行ったらしいんやけど、元暴走族の言うことなんか、全然、取り合ってもらえへんかったって」

受話器を握りしめた章の手が、じっとりと汗ばんでいた。まさかと思う。常に、自分からトラブルに向かって突進しているような奴だったから、ヤクザと揉《も》め事を起こしても、不思議ではない。

だが、白いメルセデスというところが、妙に引っかかった。もちろん、同じような車は、日本中、数え切れないほど走っている。だいたい、英夫が駆るバイクのスピードに、普通のセダンが追いつけるはずがない。

だが、もし、待ち伏せされていたとしたら……。

「ごめんね。変なこと言って。でも、親いうのは、どうしても、あきらめ切れへんもんなんよ」

「……はい」

「電話してくれて、ありがとうね。英夫はねえ、椎名くんのこと、すごい心配してたのよ。詳しいことは、私らにも教えてくれへんかったけど」

「そうですか」

素っ気なさすぎる返事だと思うが、ショックで頭が真っ白になっていた。

「ああ。そうやわ。椎名くんのお母さんから、いっぺん電話あったのよ。ちょっと、待ってね」

しばらく、メモを探しているような音が聞こえていた。

章は茫然《ぼうぜん》としたまま、携帯電話を握りしめていた。

ふいに、英夫が電話口に現れるのではないかと思う。さっきのは、みんなジョークや。決まってるやんけ。考えてみ。俺が死ぬわけないやろ。ほんま、うちのおかんも、ようやるわ……。

「……ああ。これやわね。もし椎名君に連絡付いたら、ここに電話させてほしい、いうことやったんやけど」

英夫の母親が読み上げたのは、070から始まるPHSの番号だった。

さっきの話を訂正しようとする気配はない。してみると、やはり、英夫は死んだのだ。

何とかお悔やみの言葉を絞り出して、章は電話を切った。

英夫の死は、とうとう既成事実になった。

さっきから、じっとこちらを注視している女子高生と視線が合った。とたんに、脅えたように目をそらすと、逃げるように立ち去った。

章は、携帯電話を握りしめたまま、その場に立ちつくしていた。

かすかな雨の音が、響いている。

混乱して、どうしたらいいのか、わからなかった。

気がつくと、指が、もう一つの番号をプッシュしていた。三島沙織の携帯の番号だった。

英夫から聞いたのは一度きりなのに、なぜか、記憶の中に焼きついている。

呼び出し音を聞きながら、自分が沙織に電話をかけている理由を考えた。

もしかすると、英夫のことについて、何か知っているかもしれない。今のままでは、まったく訳がわからない。誰でもいいから、情報を持っていそうな人間にコンタクトしているだけだ。現時点では、沙織以外に誰もいないから……。

「はい……?」

沙織の声だった。見慣れない番号からなので、警戒しているようだ。背後が騒がしい。

居酒屋のような雰囲気だった。

「もしもし」

「誰？」

「俺、椎名やけど」

一瞬、沈黙があった。誰かが沙織に呼びかけている声が聞こえる。

「……ちょっと、待って」

店の玄関に来たらしい。騒音のレベルがかなり低くなった。

「先輩。今、どうしてるんですか？　みなさん、心配してますよ」

彼女の声は、少し尖《とが》っていた。

「事情があるんや」

「鈴木先輩から、聞きました。お父さんの借金で、逃げてるんでしょう？　そんなの、椎名先輩には、支払う義務はないじゃないですか」

「そのくらいは、俺も知ってる」

「じゃあ、どうして？」

「世の中、法律通りには動かへんからな」

「そんなの、おかしいですよ。どうして、弁護士さんに相談しないんですか？　闇金なんて連中は、相手が弱腰だからつけあがるんです。うちのゼミの先輩で弁護士になってる人が、大勢いますから、よかったら紹介しますけど」

「遠慮しとく」

たしかに、費用のことなど心配せずに、最初から弁護士事務所に駆け込んでいれば、もうちょっとましな展開があったかもしれない。

少なくとも、小池の顔をナイフで切り裂く前であれば。

「なぜ、闘わないんですか？」

章は、薄く笑った。なぜ闘わないかとは、おもしろい質問だ。俺は闘っている。誰よりも忍耐強く、誰よりも巧妙に。

そして、俺の究極の目標は、単に自分を守ることだけではない。

「先輩……？」

章が黙っているので、沙織は怪訝《けげん》そうな声になった。

「英夫のこと、聞いた？」

「……ええ。バイクの事故で亡くなったって。夏頃だったかな」

「詳しい事情、知らへん？」

「わたしも、電話で聞いただけだから。お葬式も行けなかったし。でも、どうして？」

「いや、知らんのやったら、ええわ」

「あの、さっきの話なんですけど……」

「すっかり、東京弁になったな」

「え？」

「俺も、東京に出てきて二年になるけど、あかんわ。どうしても、関西弁が抜けへん」

「今、東京にいるんですか？」

「邪魔したな」

「あの」

章は、通話を切った。

レイトショーの映画館は、金曜日の晩だというのに、まばらな入りだった。

章はずっと、身じろぎもせずに、スクリーンを見つめていた。

赤や青の光が網膜に反射しては、消えていく。

爆音に近い重低音が、鼓膜を震わせた。

映画が終わって外に出ると、小雨はすっかり上がっていた。歩きながら、携帯電話の着信記録を見ると、沙織から三回かかっていた。

この電話も、すでに、充分役目を果たしてくれた。あとは処分するしかないだろう。

新宿東口の駅前広場で、英夫の母親から聞いた番号にかけてみた。

三回コールが鳴って、誰かが電話に出た。

「もしもし……？」

平板な作り声で、呼びかけてみる。相手は無言だった。

危険を感じて、すぐに通話を切った。すると、間髪を入れずに、向こうから電話がかかってきた。一瞬迷ったが、出ることにした。無言で、耳を澄ます。

「もしもし」

聞き慣れない、低い男の声だった。短く、「はい」とだけ答える。

「おたく、どちらさん？」

挑発して、探りを入れてみることにした。

「どちらさんじゃねえ。そっちから名乗れ。馬鹿野郎」

懸命に怒りを嚙《か》み殺しているような気配が、伝わってきた。

「今、おたくさんから電話があったんで、かけ直したんだけどね……」

章は通話を切った。

直感で、罠《わな》だと確信していた。

母親が連絡してくれとわざわざ伝言した電話に、本人が出ないのはおかしい。むろん、誰かの元に身を寄せている可能性はあるが、今の男の話し方は、言葉遣いこそ丁寧なものの、筋者《すじもの》の臭いがぷんぷんする。

やはり、不用意に電話をかけたのは間違いだった。間違い電話だと思ってくれればいいが、まず、望み薄だろう。新宿から発信したことがバレてしまった以上、当分、このあたりには近寄らないようにしなくてはならない。

章は、駅ビルのトイレに入ると、携帯電話を水に浸《つ》けて、ゴミ箱に放り込んだ。

ほんの二、三時間前までの、弱気に揺れていた自分が、信じられなかった。

殺さなければ、殺される。

座して死を待つつもりは、毛頭なかった。

最後の侵入は、短時間のうちに終了した。

さすがに五度目ともなると、侵入の手順に、いささかの停滞もなかった。むしろ、慣れによる気の弛《ゆる》みの方を警戒しなければならない。

まず向かったのは、給湯室だった。カップボードの扉を開け、陶製の容器の中に入っていた四個の角砂糖を取り去り、持参した二個の角砂糖を入れる。

普通のスティックシュガーなら、睡眠薬を混入するのも簡単だったが、穎原社長の通ったこだわりのおかげで、角砂糖に細工をするために、丸二日の時間を要していた。

前々回の侵入で、角砂糖のサンプルを入手していたが、どこを探しても、同じ銘柄は見つからなかったため、練習材料にしたのは、色が似ているサトウキビの角砂糖だった。

ホームセンターで買った彫刻刀のセットの中から、径3㎜の丸刀を選び、よく研いでから、角砂糖の面の中央に丸い穴を開けた。穴が角砂糖の中心まで達すると、水を含ませた綿棒で擦《こす》って、内部のスペースを広げる。

しばらく乾燥させてから、フェノバルビタールナトリウムの代わりに0.6gの重曹を入れ、シュガーペーストで穴を塞《ふさ》いだ。

シュガーペーストというのは、砂糖を使ってアクセサリーを作るシュガークラフトの材料で、グラニュー糖の粉末と乾燥水飴《みずあめ》、デンプン、増粘剤のキサンタンガムなどからなる粉末である。水を加えて練ると粘土状になり、乾燥後は、固まって充分な強度になる。

ただし、白いシュガーペーストをそのまま使うと、薄茶色の角砂糖の面に、サイコロの一の目のような白い跡がくっきりと残ってしまう。そこで、細かく砕いた三温糖を練り込んで色を薄茶色にし、穴を塞いでから、表面を濡《ぬ》らして荒い粒を貼り付けた。完全に乾燥させると、自分で見ても、どの面に細工をしたのか容易にわからないほどになった。

転がしたり、叩《たた》いたりして、強度に問題がないことを確認してから、味をテストしてみる。

二杯のコーヒーの中に、オリジナルと細工後の角砂糖を入れて、溶かしてみた。若干、甘味が不足するはずだと思ったが、ほとんど違いはわからなかった。

さらに、練習として三個の角砂糖を作る。うち一個には、貴重な睡眠薬を使用した。コーヒーに入れて、今度はフェノバルビタールナトリウムによる味の変化をチェックするためだった。たしかに、若干、苦味が増したような気はするが、これも、気のせいで片づけられる範囲内だろう。

それから、薬の効果をたしかめるために、睡眠薬入りのコーヒーを三分の一だけ飲んだ。期待通り、十分もしないうちに効き目は現れ、その後、約十二時間は、前後不覚に眠り続けることになった。

最後に、本番に使う二個の細工にかかる。今回は、サンプルとして貰《もら》ってきた本物を使う。何度も練習を積んだだけのことはあり、まずまずの仕上がりだった。包み紙できれいに包装し、糊付《のりづ》けして、やっと完成である。

最大の問題は、睡眠薬入りの角砂糖を確実に穎原社長に使わせるためには、二個とも睡眠薬入りにしておくしかないことだった。社長と同時に専務も眠ってしまうというのは、いかにも不自然だが、これぱかりは、いくら考えても回避する方法は考えつかなかった。

章は、棚の奥にある、三温糖の角砂糖が入った紙箱を睨《にら》んだ。

コーヒーを用意するとき、普通なら、秘書は目の前にある二個を使うだろうが、もし、先に角砂糖を補充しておこうなどと考えられたら、たいへん困ったことになる。

箱ごと持ち去ろうかとも思ったが、なくなっていれば、秘書の誰かが不審を抱くかもしれない。角砂糖が二個しかなかったという事実には、注目してもらいたくなかった。

章は、角砂糖の箱を、カップボードの一番下の棚に押し込んだ。ここなら、少し探さなければ見つからないし、何かの拍子に紛れ込んだと思われるかもしれない。

赤外線センサーの前を横切り、社長室に入る。

これで最後かと思うと、感慨があった。この場所で過ごした奇妙な時間もまた、人生の一部である。今から何十年後かに思い出すときは、懐かしさを感じるのだろうか。

たとえ、それが、殺人という忌まわしい記憶と深く結びついていても。

机の一番下の引き出しを開けると、ビニール袋に入ったフェノバルビタールの錠剤シート二枚を、書類の下に滑り込ませる。うち一枚は、錠剤二個を残して、残りは空にしてあった。

それから、前回工事を行った、窓の具合を調べる。どこにも、異状は見当たらない。プライマーで貼り付けたシーリングも、シワが寄ったり、剝《は》がれたりした部分はなかった。

章は、大きく吐息をついた。計画の実行に青信号が点《とも》った。すでに、迷ったり、悩んだりしている時間は過ぎたのだ。

今は、ひたすら前だけを見つめ、ルビコン河を渡り切ってしまうしかない。

ルピナスVを起動し、キャビネットを持ち上げ、隠し扉を開ける。もしかすると、ダイヤモンドはなくなっているのではないかと危惧《きぐ》したが、杞憂《きゆう》にすぎなかった。

掌《てのひら》の上に転がしたダイヤモンドが、ペンライトの光で燦々《さんさん》と煌《きら》めくのを見たとき、何かが吹っ切れたような気がした。

人の命など、一瞬の炎の閃《ひらめ》きに過ぎない。

誰も、この石ころより長くは生きられないのだ。

短い人生の中で、精いっぱい光り輝くためには、時として、最も暗い場所を通過しなければならないこともある。

ロクセンビルからの深夜の脱出は、最後のボトルネックだった。

午前二時三十分。今晩に限っては、これまでのように、人の出入りが多い時間帯まで悠長に待っているわけにはいかない。

普通のマスクをした上から、スキーマスクで顔を隠し、さらに水泳用のゴーグルをかけた。

足音を立てないよう、靴下はだしで内階段を下りた。十二月とあって、まるで氷の上を歩いているような感じがする。一階の踊り場まで来たときには、足裏の感覚は、完全になくなっていた。

スポーツバッグを置くと、スニーカーを履き、息を殺して一階の様子を窺《うかが》う。

万が一、警備員に直面したら、速やかに倒す必要があった。今晩のシフトは、石井という若い男のはずだ。もう一人の沢田というオヤジなら楽勝だったのだが、石井は身長《タッパ》もあり、容易な相手ではないだろう。とはいえ、たかだかアルバイトで、命がけで侵入者に向き合う覚悟はないはずだ。

章は、左手には射程5mの催涙スプレーを持ち、右手には、百円ショップで購入した全長50cmのプラスドライバーを構えていた。ドライバーの先端は金属用ヤスリで丹念に磨いて、錐《きり》のように鋭く尖《とが》らせてある。

生死をかけた戦闘になれば、山刀並みのリーチがあり、軽量ですばやく振るえるドライバーは、ナイフや特殊警棒以上に危険な武器になる。とはいっても、もちろん、刺殺するわけにはいかない。催涙スプレーで目潰《めつぶ》しをかけてから、幹動脈が通っていない肩や太腿《ふともも》の前面を刺して、激痛で戦意を挫《くじ》くつもりだった。ガムテープでぐるぐる巻きにしておけば、おそらく、逃げ延びる時間くらいは、稼げるだろう。

鉄扉の向こうは音無しのままで、無限とも思える時間が経過した。

もし、ここで争いになれば、明日の計画は流れるが、とりあえず殺人だけは回避できることになる。そんなことを、ぼんやりと考えていた。

やがて、警備員室のドアが開く音がした。溜《た》め息《いき》をつきながら、大儀そうにエレベーターへと向かう足音。見回りの時間だ。

エレベーターが上昇する音が聞こえると、そっと、ドアを開けた。暗い廊下は、静まりかえっている。

通用口は、直接監視ができるという理由で、監視カメラは設置されていない。内側からは施錠されていない鉄の扉を開けて、外に滑り出る。

ほっとしている暇はない。

夜が明けるまでに、まだ、やることが残っていた。

空を見上げると、雲一つない快晴だった。

漂白されたような冴《さ》えない青空ではあったが、これもたぶん、神からのゴーサインと受け止めていいのだろう。

昨晩は、ほとんど一睡もできなかった。だが、極度に神経が張りつめているためか、疲労や眠気はまったくといっていいほど感じない。

今日、一日だ。

今日一日を、無事に乗り切りさえすれば、新しい人生が始まる。だいじょうぶ。計画は完璧《かんぺき》だ。きっと、すべてうまくいく。

深く、ゆっくりと呼吸して、リラックスするように努める。

渋谷ビルメンテナンスに着いたときは、かなり時間に余裕があった。コーヒーを一杯飲んでから、ロッカーから荷物を出して着替えているときに、新品の携帯電話が鳴った。腕時計を見ると、十二時半前である。ほぼ、計算通りだった。

「佐藤さん。すみません。ちょっと、アクシデント発生で……」

藪達也の泣き声が、受話口から聞こえてきた。

「アクシデントって、何？」

「バイクが、途中で、エンストしちゃって。どうやっても、エンジンがかからないんです」

「それは困ったな」

章は、とぼけた。

「すみません。とりあえず、バイクを何とかしないと……それで、ちょっと遅れそうなんですが」

「うん。わかった。そしたら、俺だけ先、ロクセンビルへ行っとくわ」

「すみません」

「遅刻するとまずいけどな。作業が遅れるのは、何とでも言い訳できるし。作業前点検で、不具合が見つかったとか何とか、言っとくから」

「すみません。できるだけ早く行きます」

「おう。まあ、一時半ぐらいまでに来たらええよ」

「すみません」

「とりあえず、どんな状況なんか、三十分おきぐらいに連絡入れて」

「わかりました」

章は、電話を切った。

藪が、二時半までに来るのは、まず不可能だろう。

夜中のうちに、彼のアパートへ行って、バイクのガソリンタンクの中に、水飴《みずあめ》と砂を混ぜたものを、たっぷりと投入してあった。

タンクキャップにキーが付いていないことは、あらかじめ確認済みだったので、処置には一分もかからなかった。

エンジンの内部に水飴が入り込んだら、ひどい焼き付きを起こすだろうし、ストレーナーに阻まれたとしても、砂と水飴でフィルターが目詰まりして、エンジンは始動しないはずだ。

オーバーホールして、ガソリンタンクを洗浄しなければ、藪のバイクは使えない。

バイクを近くのショップに預け、すぐに地下鉄に飛び乗ったとしても、ロクセンビルに着くのは、早くて二時前になる。それまでに、こちらの仕事は終わっているはずだった。

原付免許で乗れる、会社のヴェスパで出発する。途中の道は空いていたが、警察庁から表彰を受けそうなくらい安全運転を心がけた。ロクセンビルに到着すると、ヴェスパのエンジンを切って、車の進入路に押して入った。空いている駐車スペースの隅に、静かにヴェスパを止める。

そっと、通用口を開けると、警備員室の小窓のカウンターにある『落とし物』と書かれたボール紙の箱に、茶封筒を滑り込ませた。中には、今朝、渋谷のウインズで買ったばかりの馬券が入っている。それから、大声で挨拶《あいさつ》をした。

「まいどー。渋谷ビルメンテナンスです」

新聞をたたむ音。椅子を引く音。キーボックスから鍵束《かぎたば》を取り出す音。警備員室小窓から、屋上の扉と給電ボックス、清掃用ゴンドラ用の三本の鍵を受け取る。重量のある機材を詰め込んだスポーツバッグを肩にかけていたため、持ち手が食い込んで痛かったが、できるだけ軽々と見せるのに苦労した。

「ごくろうさん。あれ？　今日は、一人？」

沢田という警備員が訊《き》く。ところどころに剃《そ》り残した、半白の無精髭《ぶしようひげ》が見苦しかった。なぜか、向こうでは親しみを感じているようだが、アルコールが饐《す》えたような口臭には、閉口させられる。

「ちょっと、今、道具を取りに行ってます。……だいたい、一時間くらいで終わると思いますから」

「そう。年末なのに、たいへんだね」

「はあ。いつも通り、一時間くらいで終わりますんで」

「じゃ、終わったら鍵返しに来て」

章は会釈して、軽快な足取りでエレベーターホールに向かった。

事前の調べで、日曜日の午後、沢田はほとんど警備員室から出ないことがわかっている。UHF局でやっている競馬中継を見るためで、画質の粗さも気にせず、夢中で見入っているようだ。その間、ビルの外に出ることは、まず、ありえないだろう。

あと、少しだ。あと少しで、すべてが終わる。

エレベーターに乗って上昇しながら、章は、計画の細かい手順を頭の中で反芻《はんすう》した。

十一階で降りて、屋上まで階段を上る。

正規のマスターキーで解錠して、鉄扉を開けると、強いビル風が髪を乱した。

時計を見ると、十二時五十七分だった。

まず最初にすべきことは、いつもと同じ、作業前点検だった。ただし、時間の節約のため、大幅にはしょる。

給電設備とキャブタイヤケーブルの被覆の損傷、プラグやコンセントのひび割れや欠損、接続状態、漏電遮断器のチェックは省略し、単に、走行路、台車、ワイヤロープについて、視認するにとどめる。台車と作業床のスイッチ、インターフォンの点検も、パスした。

すべて、異状なし。三分もかからなかった。ここまでは、完全に予定通りである。これからが、いよいよ本番だ。リハーサルもなく、絶対にNGも出せない、ただ一回きりの。

屋上から見渡してみても、周囲のビルに人気はなかった。だいじょうぶ。誰からも見られていない。見えるとしたら、首都高を走る車からだが、誰一人注意を払わないだろう。

台車を北西の角に移動して、目指す窓の真上にゴンドラを持ってくると、必要な機材一式の入ったスポーツバッグを持って乗り込む。

ゴンドラがゆっくりと降下する間、心臓が爆発しそうに高鳴った。

自分が、引き返せない道へと踏み出しつつあることを感じる。

社長室の窓が、せり上がるように目の前に現れた。

レースのカーテンが引かれている。もくろみ通り、昼寝しているのだろうか。透かして覗《のぞ》こうとしてみたが、中が薄暗いために、よく見えなかった。

大きく息を吸って、気持ちを落ち着けてから、学習リモコンを取り出す。

カーテンを開ければ、穎原社長は、机に座っているかもしれない。今日に限って、何らかの理由で、コーヒーを飲まなかったということだって、ありえなくはない。

馬鹿な。だとしたら、どうして、真っ暗な部屋にいるんだ。

もし、眠っていなければ、そのときのことだ。

学習リモコンのスイッチを押す。赤外線は、窓ガラスとレースのカーテンを透過して壁に反射し、再びレースのカーテンを通過して、受光部に達した。

カーテンが、ゆっくりと左右に分かれる。

穎原社長は、カウチに横たわっていた。

胸の上には毛布が掛けてある。

窓からの光が顔まで達したが、起きる気配はない。熟睡しているようだ。

学習リモコンを置き、ガラス吸盤器で窓ガラスを吸着する。すばやくシーリングに目を走らせたが、異状はなかった。ガラス吸盤器を握り、そっと前後に動かしてみる。可動距離がわずか数ミリなので、ほとんど、揺れているような感触だったが、ベルベットのように柔らかかった。

ガラス吸盤器を手前に引っ張って、ガラスの位置を、できるだけ外寄りに直しておく。

次に、スポーツバッグからプロポを出すと、ルピナスVを起動して、カウチの前まで移動させる。

すでに、操作には習熟しているはずだった。だが、緊張のためか、スティックを操る指が強張《こわば》って、なかなか、うまくいかない。

一度、プロポから指を放して、二、三度、深呼吸をする。この土壇場まで来て、何をやってるんだ。失敗すれば、すべてを失うことになるんだぞ。わかってるのか。

自分に気合いを入れ直して、もう一度、チャレンジする。

今度は、成功だった。

ルピナスVのアームは、無事、カウチから頴原社長の身体を抱え上げた。

そのまま、手前に向けて移動させる。

頴原社長の横顔が見えた。口を半開きにし、正体なく眠り込んでいる。というより、意識を失っているといった方が正確かもしれない。予定通り、フェノバルビタールナトリウムの入った角砂糖を、使ってくれたらしい。

呼吸につれて、胸がゆっくりと上下しているのがわかった。

恐怖を感じた。ようやく、自分が何をしようとしているのかを、実感したのだ。臆《おく》する気持ちを、必死になって抑えつける。

今さら、中止はできない。

ほかに、選択の余地はないのだ。

机を迂回《うかい》させて、ルピナスVを窓の前に持ってきた。頴原社長の後頭部をこちらに向けるように、ルピナスVの上部を半回転させる。

そのまま、頴原社長の頭部を、ゆっくりと窓に近づけていった。巨大な耳がアップになる。

センサーがガラスの存在を認知したらしい。動きはしだいにスローになり、ついに、白髪の頭部がガラスにぴったりと押し当てられた。

プロポを置き、スポーツバッグの重さの大部分を占めていた物体を取り出す。

重さ16ポンドのボウリングの球を麻のショッピングバッグに入れ、動かないように根本を針金で縛ってあるため、グロテスクなテルテル坊主のように見える。裾《すそ》の方にある二つの持ち手に左手を通して、しっかりと保持する。右手は、ボウリング
の球のすぐ下を握りしめた。

もう一度、周囲を見回す。

どこからも、見られていない。

やるなら、今だ。

ボウリングの球を、ハンマー投げのような姿勢で構え、身体を捻《ひね》った。

何度も、リハーサルを繰り返した動きを、思い浮かべる。不安定な足下を揺らさないよ
うにして、短く正確な軌道で、最大の運動エネルギーを伝達してやる。

だが、どうしても、身体が動かなかった。

やれ。

章は喘《あえ》いだ。

やるよりないんだ。

早く、終わらせてしまえ。

歯を食いしばる。

こいつを、小池か青木だと思うんだ。

こいつが……。

弩《いしゆみ》が解き放たれたような勢いで、身体が回転した。

麻布に包まれた、重さ16ポンドの硬質ウレタンのボールが、厚さ2㎝強の合わせガラス越しに、穎原社長の後頭部を直撃する。

がん、という衝撃音とともに、窓ガラス全体がへこんだ。

向こう側で、穎原社長の頭部が、弾《はじ》け飛ぶように離れるのが見える。

反動で、ゴンドラが大きく煽《あお》られた。

必死でバランスを取って、体勢を立て直す。

揺れが収まってからも、章は、しばらくの間、動かなかった。

樹脂膜を挟んだ強化ガラスの音は、普通の板ガラスよりは低いものの、予想以上の激しい音だった。下を歩いている人間がいれば、まちがいなく周囲を見回して、音源を探しただろう。

問題は、廊下を隔てた部屋にいる、三人の秘書の耳である。昼食に出てくれていればいいが、もし部屋にいたら、今の音は、分厚いドア二枚を通しても、耳に入った可能性があった。

異音を聞きつけた人間は、本能的に、作業をやめて耳を澄ますだろう。そのとき、さらに別の音が聞こえてくれれば、二つを併せて何らかの異状が生じたと判断し、たしかめようとするはずだ。

すぐに動きたくなるのをこらえて、章は、そのままの姿勢でフリーズした。

三十秒が経過した。ようやく、だいじょうぶだろうと見切りをつける。ボウリングの球を下ろして、穎原社長の姿に目をやった。

あいかわらず、ルピナスVに抱えられたままだったが、ぐったりとしている。呼吸も止まっているようだ。衝撃で、窓から10㎝ほど離れていた。皮膚が裂けたらしく、白髪には血の色が滲《にじ》んでいる。

出血は少量だったが、頭部に手術創がある人間が、あれだけの打撃を受けたのだから、間違いなく絶命したはずだと思った。

動揺を抑え、ガラスの状態を確認した。

ガラス全体が数ミリ内側に引っ込んでいるため、シーリングの一部に剝離《はくり》が生じているが、表面には小さな傷一つ入っていなかった。だが、よく見ると、ガラスに付着した汚れの上に、はっきりとした跡が残っている。

すぐさま、シャンプーとスクィージを使い、汚れを拭《ふ》き取った。すると今度は、ガラスの内側にも、かすかな曇りがあることに気づいた。穎原社長の髪の油分が付着したらしい。肉眼ではよくわからないが、微量の血痕《けっこん》もあるかもしれない。

もう一度プロポを取り上げて、ルピナスVを操縦する。動かない穎原社長の右肩を、ガラスの曇りに押しつけて、擦《こす》るようにして拭き取った。極度の緊張と、自分のやっていることのおぞましさから、吐き気を催しかけたが、同様の動作を数回繰り返すうちに、曇りはほとんど目立たなくなった。

まだ、これで、終わりではない。

今度は、穎原社長の身体を部屋の中央に運んで、ゆっくりと降ろした。頭の下には、応接セットのガラスのテーブルがある。

穎原社長の頭部を下にして、テーブルに接触させる。四、五秒待ってから、持ち上げた。遠目には、ほとんどわからない程度だが、かすかな血痕が残ったようだ。

遺体を、すぐ横の絨毯《じゅうたん》に仰向けに横たえると、ルピナスVは定位置に戻して充電器に接続し、電源を落とした。

時計を見ると、ゴンドラに乗って降下してから、約十分が経過していた。

予定をかなり超過してしまった。計画では、シーリングの内側にエポキシ樹脂を注入して、ガラスを完全に固定してしまう予定だったが、その作業には、さらに五、六分はかかる。

このまま放置しておいたところで、よもや真相が発覚するとは思えなかった。それでも、あえて、画竜点睛《がりょうてんせい》を図るべきだろうか。

そのとき、スポーツバッグの中で携帯電話が鳴った。番号を見ると、藪からだ。

「……もしもし」

「あ。佐藤さん。すみません。あと十分ほどで着きます」

「着くって？　会社？」

「いいえ。ロクセンビルです」

これほど早く来るとは、予想外だった。

「バイク、直ったん？」

「いやあ。ダメです。いたずらで、タンクに何か入れられたみたいで。バイクショップで、たまたま、知り合いに会ったんで、そのまま、乗っけて来てもらったんすよ」

「そうか。そんなら、待ってるから」

「今、どこですか？」

「屋上」

「わかりました」

章は通話を切った。

まずい。あと十分で到着となると、すでに、かなり近くまで来ているはずだ。ロクセンビルが視界に入れば、ゴンドラを出していることに気づかれてしまう。

とりあえず、ガラス吸盤器を使って、内側に押しやられた窓を、再度、外寄りに引き戻しておく。そうしないと、内側から押したとき、ガラスが動くことがわかってしまうからだ。

それから、シーリングの剝《は》がれた部分をプライマーで再接着する。学習リモコンで、元通りレースのカーテンを引き、ゴンドラを上昇させて、屋上に下り立つ。台車をレールに沿って動かして、元の位置に戻した。

最後に、凶器に使ったボウリングの球の始末を終えたとき、屋上の鉄扉を叩《たた》く音がした。

まさに、ぎりぎりのタイミングだった。

額の汗を拭《ぬぐ》うと、行って、鍵《かぎ》を開けてやる。

「すみません。遅くなって」

「ええよ。それより、災難やったな」

「ほんとですよ。犯人は、たぶん、下の部屋のヤツです。ちょっと前に、バイクの音がうるさいって文句言ってきたことがあって。……いや、やっぱ、まちがいないっすよ。くそ！　あの野郎、絶対、シメてやる」

藪は、台車を動かしながら、さかんに愚痴った。ロープに絡まないようポニーテイルにした長髪が、憤懣《ふんまん》やるかたないように左右に揺れている。

急に、不思議そうな顔で章を振り返った。

「でも、佐藤さん。なんで、屋上のドアに鍵かけてたんですか？」

16

右手首が鈍い痛みを発していた。どうやら、打撃の瞬間、捻挫《ねんざ》してしまったらしい。ボンドのボウリングの球が跳ね返るときの手首への負担を、甘く見ていたようだ。

だが、それ以上に、屋上で無為に時間を過ごしているのは、精神的な拷問に近かった。遅れてきた負い目から、藪は窓拭きの作業は全部やらしてくれと言って聞かなかった。本来なら、歓迎すべき申し出だし、今の手首の状態からすれば、スクィージを使うのは困難だ。

だが、時間がたつにつれて、言いしれぬ不安が高まってきた。

もしかして、どこかで、致命的な失策を犯していないだろうか。

万全の上にも、万全を期したつもりだったが、何かを見落としているような気がして、しかたがなかった。

東側の最後の列を拭き終わって、藪のゴンドラが上がってきた。

「じゃ、北側行きます」

藪が言い、ゴンドラの操作盤で、台車を北側に移動させる。

それを見ながら、はっと気がついた。

北側の窓だ。

社長室の中は薄暗かったが、光は手前からだけではなく、左からも、うっすら射し込んでいたような気がする。もしかすると、北側のカーテンは、完全には閉まっていなかったのではないか。

もし、そうだとすると、藪は、そこから穎原社長の死体を発見することになるだろう。

もちろん、誰かが第一発見者になるのだから、それが藪だったとしても、特に不都合はないはずだ。

しかし、もし、藪が、別のものも見つけたとしたら。

違う角度から見たら、自分には見えなかったものも見えるかもしれない。

考えれば考えるほど、不安が募り、気がついたら、章は一歩前に進み出ていた。

「ご苦労さん。そしたら、こっちは、俺やるわ」

「いや、自分にやらせてください。遅刻して、迷惑かけましたし」

「ええって。ここでじっとしてるんも、退屈なんや」

半ば強引に、ゴンドラから藪を下ろし、自分が乗り込んだ。

ロクセンビルの北側の面の、一番東側の列から、窓拭きを始める。

たちまち、ひどく後悔する羽目になった。これまで意識したことはないが、窓拭きの作業は手首を使う動作の連続であり、ふだんなら何でもない動きが、ひどい苦痛をもたらすのだ。たまりかねて、左手でやろうともしてみたが、さすがに、うまくいかない。

藪に、捻挫《ねんざ》していることを知られるわけにはいかないので、痛みを我慢して、単調な作業を続けた。

社長室の隣、副社長室の列を拭き終わったときには、痛みは耐え難いまでになっていた。

「だいじょうぶっすか？　だいぶ、汗かいてますよ」

ゴンドラが上がってきたとき、藪が尋ねた。

「代わりましょうか？」

「いや、あと二列やからな」

章は、ゴンドラの操作盤の走行スイッチを押した。

「ひょっとして、体調悪いんじゃないすか？」

屋上から藪が訊《き》く。

「いや……いける。昨日、ちょっと飲み過ぎただけや」

「やっぱ、酒はほどほどにしといた方がいいと思いますよ」

「ほどほどやて。まず、死なん程度やから」

「命かけて、どうすんですか？……でも、顔色、悪いっすよ」

「さっきからな、ちょっとだけやけどな、頭痛が痛いんや」

「そりゃ、イタいすね。まあ、でも、かなり遅れてるんで、巻きでお願いします」

藪は、まったく容赦がなかった。

「おまえなあ。遅刻してきたんは、誰や思とんねん？」

章は、ぼやいた。

台車がゆっくりと右に移動すると、北面の西から二列目の窓が、目の前にやって来た。

レースのカーテンが閉まっていたが、中央が少し開いている。部屋の中は薄暗かった。

首都高に面した北側は、ガラスに付着した粉塵《ふんじん》がひどい。シャンプーを洗剤入りのバケッに浸して、ガラスに泡を塗った。

痛みをこらえつつ、のろのろと泡を掻《か》き集めたが、突然、右手からスクィージが滑り落ちた。

カーテンの隙間から、信じがたい光景が視界に飛び込んでくる。

愕然《がくぜん》として窓に顔を近づけると、部屋の奥の、ドアからすぐそばの位置に、俯《うつぶ》せに倒れている人の姿が見えた。

顔は見えない。ぴくりとも動かず、呼吸している様子もなかった。

生きているのだろうか。

窓の外からでは判断がつかない。少しためらったが、拳《こぶし》でガラスを叩いてみる。鈍い音がしたが、何の反応もなかった。

しばらく迷ってから、インターフォンに手を伸ばした。

「おーい、いるか？」

緊迫した場面だというのに、何だか、落語に出てくる大家みたいに暢気《のんき》な呼びかけだと思う。

「はい？」

しばらくしてから、藪が応答した。

「緊急事態や。すぐ、警備員室に連絡してくれ」

「どうしたんすか？」

「人が倒れてる。最上階の、北西の部屋」

「倒れてる？」

「いちいちオウム返ししてんと、早《は》よ走れ！」

章が一喝すると、藪は、「わかりました」と叫んだ。足音が響く。インターフォンをそのままに、駆け出したようだ。

章は、もう一度、動かぬ姿に目をやり、鳥肌が立つような感覚に襲われた。

それは、どこから見ても、死体以外の何物にも見えなかった。

5 デッド・コンボ

自ら、第一発見者になるというのは、賢明な選択だっただろうか。

事情聴取のため、警察署の小部屋で待たされている間、章は自問自答していた。

あの場合は、どう考えても、しかたがなかったと思う。穎原社長の身体が入り口近くまで移動していたのは、予想外だった。ちょうどカーテンの隙間から見える位置にあったのに、通報しなければ、疑いを招いていたかもしれない。

遺体が動いていたのを見たときは、心底、愕然とした。打撃の威力が不充分だったために、即死に至らず、あそこまで這《は》いずって行ってから、死んだのだろうか。

いや、ちょっと待て。

不吉な可能性が浮かんで、章は、前のめりの姿勢で椅子にかけたまま、祈るように両手を組み合わせた。

まだ、死んだかどうかも、はっきりしていない。

少なくとも、あの後、しばらくの間は生きていたのだ。ひょっとすると、発見が早かったために、手当を受けて助かってしまうかもしれない。

かりに、そんなことが起きたとしても、どうやって頭部に打撃を受けたかは、本人にもわからないはずだから、すぐに、命の恩人である自分を疑うことはないだろう。

しかし、穎原社長が、ダイヤが消えていることを知ったら。

真っ先に疑うのは、社長室に入れた、社内の人間であるはずだ。

だが、もし、何らかの理由で、全員がシロだと判明したら。

やはり、通報などせず、死ぬのを待つべきだったのか。

だが、どっちみち、誰かが見つけていたはずだ。時間差は、たかだか、十分ほどだったのではないか。それなら、やはり、通報したことは、間違いではなかったはず……。

悶々《もんもん》としているうちに、刑事が現れた。

「待たせて、ごめんね。じゃあ、ちょっと調書を取らせてもらえるかな？」

「あの、刑事さん」

章は、立ち上がりながら言った。

「何？」

「倒れてた人は、助かったんですか？」

刑事は、気の毒そうな顔をした。

「いや、残念だけどね、すでに、手遅れだった」

「そうですか」

章は目を伏せたが、心の中を静かに安堵《あんど》が満たしていった。誰も見ていなければ、ガッツポーズを取りたいくらいだった。

緊張して臨んだ事情聴取は、ごく簡単に終わった。

それも当然かもしれない。分厚いガラス越しに遺体を発見し、最上階のフロアには一歩も足を踏み入れていないのだ。普通に考えれば、犯行機会はゼロだろうし、殺された社長とは何の関わりもない。詳しく聞かれたのは、遺体を発見した経緯と、周囲で不審な人物を見なかったか、くらいだった。

いつも、決まりきった手口の犯罪にしか対処していない警官に、あの方法が思い浮かぶわけがない。絶対の自信があったため、章は、刑事の質問にも余裕を持って答えることができた。

むしろ、一番ひやりとしたのは、最初に身元について聞かれたときだった。名前と現住所、本籍地を聞かれただけなのだが、間違えるはずのない答えに、二度も噛《か》んでしまう有様だった。とはいえ、それも死体を発見したショックのせいだろうと、好意的に捉《とら》えられたらしい。今どき、田舎から上京してきた若者など珍しくもなく、個人的な背景にまで質問が及ぶことはなかった。

警察署から解放されると、会社に戻って、事件の報告をした。仕事中に死体を発見したというのは、社内でも初めての出来事だったため、居合わせた全員から質問攻めに遭い、やがて、章はちょっとした人気者になった。帰ってきた作業員が次々に話に加わり、やがて、窓拭《まどふ》きの最中にどれほど衝撃的な光景を目撃したかという、自慢合戦になる。

慣れない事情聴取で疲れたという口実で、章は早々に話の輪から抜けた。

体の芯《しん》に凝っている異常な緊張を解くために、無性に一杯飲みたいと思ったが、財布の中を見ると千円札が数枚しか残っていない。殺人計画の準備で、こつこつと蓄えた貯金も、金チェーンも消えてしまった。もちろん、時価数億円のダイヤモンドは、当分、換金することはできない。

くわえて、今は、アパートに泥棒が入るのが何より怖かった。章は、まっすぐ帰宅すると、途中のコンビニで買った紙パック入りの麦焼酎《むぎじようちゆう》と角氷でオンザロックを作った。

長い一日だった。

だが、俺は、完璧《かんぺき》にやり抜いた……。

アルコールの酔いに身をまかせながら、章は達成感に浸った。捻挫《ねんざ》した右手首は、依然ずきずきと痛みを発している。

心身ともに疲労の極みにあるせいか、いつもより回りが早かった。三杯目を空けるころになると、部屋がぐるぐる回るような感覚が襲ってきた。

冷え切った畳の上に仰向けになると、ほどなく意識が溶暗していった。

はっと目が醒《さ》めた。

視界いっぱいに、真っ暗な天井が飛び込んでくる。

金縛りにあったように、身体が動かなかった。

もう、だめだ。恐怖に、全身の毛がそそけ立つ。警察の捜査は、すぐそばまで迫っている。

自分は、取り返しのつかないことをしてしまった……。

部屋の中は凍りつくように寒いのに、全身、シャワーを浴びたように濡《ぬ》れそぼっている。右手首は腫《は》れ上がって、ずきずきと鈍痛を発していた。それは、まるで、人生の残り時間をカウントダウンしているかのようだった。

早く過ぎ去ればいい。

人生など、さっさと終わってしまえばいい。

そうすれば、この苦しみも、終焉《しゅうえん》を迎えるのだから。

夜が明けるまで、章は、毛布にくるまったまま、まんじりともしなかった。


だが、意外なことに、翌日からは、あまり悪夢に悩まされることもなかった。平穏のうちに、上京してから三度目の正月を迎える。

章は、一日の大部分を、部屋の中に閉じこもって過ごした。正月休みに備えて、米などの食料品は備蓄してある。部屋から外に出るのは、二、三日ごとに、コインランドリーに行くときだけだった。

そのため、章は暇をもてあました。無為な時間を埋めるのは、ゴミ捨て場で拾ってきた雑誌を読むことくらいだった。

遊びに使える金はなかったが、少し遠出するくらいのことができないわけではない。だが、ダイヤモンドのことを考えると不安がつのり、ものの五分と部屋を空けられなかった。隠し場所には工夫を凝らしたつもりだったが、あれほど巧妙に隠されていたダイヤですら、自分が見つけ出したことを思うと、安心はできない。

部屋の中で、じっと膝《ひざ》を抱えていると、妄想的な恐怖と敵意が増殖してくる。まさか、こんなボロアパートを狙う泥棒はいないはずだとは思うが、かすかな物音が聞こえただけで、すばやく身構えるようになってしまった。

手が届くところには、鉄パイプや大型ドライバーなどを準備していたが、それだけでは不安になってきた。とはいえ、高価な日本刀が買えるはずもない。ついに思い立って、二日から営業しているホームセンターで、スチール製の物差しを買ってきた。グラインダーがないので、最初はコンクリートブロック、ついで濡らした煉瓦《れんが》の上で鋭く研ぎ上げる。単調で気の遠くなるような作業だったが、かっこうの時間潰《つぶ》しにはなった。

研ぎ終えた物差しは、ところどころが刃こぼれしているものの、包丁並みの鋭利さに仕上がった。木の柄に差し込んで接着剤で固定すると、不恰好《ぶかっこう》だが殺傷能力充分な凶器が完成した。切っ先がないため、刺すことはできないが、首を狙えば、頸動脈《けいどうみゃく》くらいは簡単に切断できる。服の上から斬りつけても、かなりの深手を負わすことができるだろう。

章は、卵を守るタガメのように、ずっとダイヤに寄り添っていた。

ときおり、こんなはずではなかったと思う。ダイヤを手に入れ、穎原社長の口を塞《ふさ》げば、世界は、ただちに自分のものになるはずだった。

現実は、どうだろう。まるで、ダイヤに取り憑《つ》いていた悪霊を、引き継いでしまったかのようではないか。

見えない場所に隠してあるのにもかかわらず、ダイヤの存在は部屋をいっぱいに占領し、ひたすら自分を守るよう要求する。

気をつけろ。泥棒は、あらゆる場所に潜んでいる。奴らは、鋭い嗅覚《きゅうかく》で金の在処《ありか》を嗅《か》ぎつける。どんなに厳重な警備をもすり抜け、傷つけ、殺し、すべてを奪っていく。

悪霊は、絶えず、章の耳に囁《ささや》き続けた。

目を見開け。耳を澄ませろ。五感を働かせて、襲撃に備えよ。いつでも戦う準備を怠るな。

章は、一日中、汗ばんだ手で手製の剣を握りしめ、息を殺して、見えない敵を待ち続けていた。

携帯電話に会社から連絡が入ったのは、世間でもようやく正月気分が薄れた頃だった。

章は、年明けからの仕事をずっと休んでいた。捻挫はかなりよくなっていたが、もう、ゴンドラに乗って窓拭きをする気にはなれなかった。

右手には、穎原社長を撲殺したときの感触が染みついてしまっていた。窓拭きの作業をするたびに、あのときのことを思い出しそうで、怖かった。

会社を辞めようかとも思ったが、新しい仕事を見つけるのが難しいことと、このタイミングで辞めれば、誰かに疑惑を抱かれるかもしれないので、踏ん切りがつかなかった。いずれにせよ、ハイグラウンド・スタッフとしての仕事は、諦《あきら》めざるをえない。折を見て、ビル内の清掃に配置転換してもらうよう、頼むしかないだろうと思った。

会社からの電話は、早く仕事に復帰するよう促すものではなかった。ロクセンビルの事件で、あの会社の専務が逮捕されたことは、テレビで知っていたが、その弁護士が、話を聞きたいと言っているのだという。

ほんのわずかでも、疑われたくなかったため、章は承諾した。

待ち合わせ場所の喫茶店に現れたのは、驚いたことに、若い女性だった。若いといっても、二十代後半か三十代の初めだろうが、まっすぐな視線と美貌《びぼう》が、章には眩《まぶ》しく感じられた。

「ごめんなさい。遅くなって。あなたが、佐藤学さんね」

「そうです。ええと、弁護士さんの……」

「青砥純子です。よろしく」

純子は、ごく自然に手をさしのべた。章は、遠慮がちに指先を握る。

「お聞きになってるかもしれませんが、わたしは、久永篤二さんの弁護人をしています。久永さんは、年末のロクセンビルの事件で、被疑者として警察に勾留《こうりゅう》されています」

章は、うなずいた。

「それで、あの日、遺体を見つけたときの状況について、教えてほしいの」

「……お役に立つかどうか、わかりませんけど」

章は、ゴンドラに乗ってから、社長室の窓から死体を発見するまでの経緯を話した。この部分では嘘をつく必要がないので、ありのままを述べる。一度警察に供述しているだけあって、要領よく話をまとめることができた。

「ありがとう。とても、参考になったわ」

純子は、コーヒーカップを片手に考え込んでいた。

あなたが、いくら綺麗《きれい》な脳みそを絞ったところで、あのトリックはわからないよ。彼女の理知的な額の形を眺めながら、章は奇妙な喜びを感じていた。

「あなたが、遺体を、発見したときのことなんだけど」

純子は、考えをまとめようとするかのように、一言ずつ区切りながら言った。

「遺体には、何か、おかしなところはなかった？」

「さあ……」

章は、弛《ゆる》みそうになった口元をコーヒーカップで隠した。

そういえば、撲殺した後、たしかに部屋の中央に横たえておいたのに、戸口近くまで移動してたんですよ。おかしな点といえば、それくらいかな。

「遺体を見つけたときは、窓にカーテンがかかってて、部屋の中は薄暗かったんでしょう？」

「そうですね」

「それに、窓はかなり汚れてたのよね？」

「はい」

「じゃあ、細かいところまでは、よく見えなかったんじゃない？」

「まあ、窓は拭《ふ》きましたけど。……でも、たしかに、ちょっと見にくかったですね」

「変な質問かもしれないけど、あなたが見たのは、たしかに社長の遺体だった？」

「は？」

章がぽかんと口を開けたのは、けっして演技ではなかった。

「遺体の顔は、見えなかったんでしょう？」

「それは、まあ。俯《うつぶ》せだったし、向こうを向いてましたから」

「じゃあ、絶対に社長の遺体だったとは、言えないわけね？」

「ええと……社長かどうかは。もともと、顔もよく知りませんし」

「たとえ別人であったとしても、気づかなかった？」

話は、とんでもない方向へ行こうとしている。

「でも、最初に死体を見つけてからは、だいたい、ずっと見てましたよ。五分くらいたって、部屋に人が入ってくるまで」

「副社長と、三人の女性秘書？」

「そうだと思います」

純子は、いかにも内密の話をするように、前に身を乗り出した。ほのかな香水の香りが、章の鼻孔を刺激する。

「でもね、実際に遺体を確認したのは、副社長だけなの。秘書たちは、動転してたんで、ろくに見ていないのよ」

「え？　それは、どういう……」

「もう一つ、聞きたいことがあるの。あなたが遺体を発見したときなんだけど、部屋の右手奥にあるカウチは見えた？」

「カウチ？」

「ソファみたいなもの。応接セットとは別に壁際にあって、社長が仮眠に使ってたんだけど」

章は、記憶をたしかめた。

「……よく覚えてません。たぶん、見えなかったと思います。カーテンの隙間から見えたのは、ごく狭い範囲だけでしたから」

「そう」

純子は、なぜか満足そうだった。薄い色のルージュを引いた唇の間から、真っ白な歯が覗《のぞ》く。

「あの……もしかして、死体が二つあったということですか？」

章は、当惑して訊《たず》ねた。死体が動いていたことに、何か関係があるのだろうか。

「いいえ。一つだけよ。二つもあったら、当然、警察が見つけてるでしょう？」

章が、頭からいくつも疑問符を飛び出させていると、純子は微笑した。

「秘密は守れる？」

「はい」

章は、考える前にうなずいていた。

「今、問題になってるのは、あの部屋が完全な密室だったということなの。久永さんが無実だと仮定したら、ほかに犯行機会のあった人物はいないのよ」

「……そうなんですか」

だとすると、少しまずいことになる。不可能犯罪を演出するつもりなど、さらさらなかったのだが、結果的に、そうなりつつあるのかもしれない。

計画では、事故として処理されればベストだったが、どうやら、何らかの理由で、殺人であることはバレているようだ。まあ、こうなったら、久永専務に罪を着てもらうしかないが。

「でも、あなたが見た社長の遺体がダミーだったとしたら、話は変わってくるの。副社長と秘書たちが部屋のドアを開けたとき、本物の社長はまだカウチで寝ていたとしたら、実際の犯行はその後でも可能ということになるわ」

章は、唖然《あぜん》とした。

「でも、ダミーって……？」

「あの会社には、本物のダミー人形があるの。自動車の衝突実験に使うクラッシュ・ダミーっていうやつだけど、たぶん、テレビで見たことあるんじゃないかな」

純子は、ハンドバッグから、ダミー人形の写真を出した。

「これだけ見ると、あからさまに人形だけど、服やカツラを着せると、ちょっと見にはわからなくなるわ。俯せだったから、顔は見えないし」

だとすれば、いったい、いつダミー人形を置いたというのだろう。章は理解に苦しんだ。

「それで、教えてほしいんだけど、あなたが見たのが、このダミー人形だったという可能性はない？」

章は、笑い出したくなるのをこらえて、コーヒーを飲む。

「ないと思います」

「事件から時間もたってるし、細かい部分まで思い出すのは、難しいと思うんだけど」

「ええ。でも、違います」

「本当に？」

「はい」

「どうして、そんなにはっきりと言い切れるの？」

章は、唇を舐《な》めた。慎重に、頭の中から殺害時の映像を追い払う。

「そうですね……首筋と、それから、手が見えました」

「ふーん。間違いなく、人間のものだった？」

「まあ、映画の特殊効果だったら、見分けがつかないでしょうけど、こんな人形とは、全然違ってて。何ていうか、皮膚の質感みたいなものが」

「そう」

純子は、落胆したようだった。

ずいぶん、悩ましい表情をするんだね。弁護士の先生。

章は、冷めたコーヒーを口元に運びながら、彼女の表情に見入っていた。

正解を教えてあげたいのは、やまやまやけど、こっちも、人生かかってるからな。

ごめんね、純子ちゃん……。


それから一週間は、何事もなく過ぎ去った。章の生活も、徐々に落ち着きを取り戻しつつあるようだった。

会社に、ビル内清掃への配転を申し出ると、すんなりと受け入れてくれた。死体を発見したことが、よほどショックだったと思われたのだろう。

章は、まったくの新人たちと一緒に、ビルの床の洗浄とワックスがけの研修を受けた。

乾式モップで床を拭いたり、吸水バキュームで汚水を吸い取ったりするのは、特に難しくなかった。ワックスがけには、塗りむらを作らないための原則があったが、これもすぐに習得できた。

一番難しかったのは、何といっても床磨き機の操作だった。

電動モーターで回転するブラシにハンドルを付けただけの単純な機械だが、最初は、直進することさえ容易ではなかった。ブラシが操作者から見て左回りに回転しているので、ほんの少し手前に重心がかかっただけで、左に曲がってしまう。研修の参加者は、ほとんどがポリッシャーに引っ張られて右往左往する有様だったが、しばらくすると、章はコツを摑《つか》んだ。回転方向とトルクをイメージしながら、非常に馬鹿な犬を扱うように誘導してやればいい。三十分後には、ほぼ自由自在に動かすことができるようになり、章の試技には拍手が起きるほどだった。

昼間身体を動かしていると、気が紛れ、ダイヤのことも、殺人のことも、闇金のことも、念頭から閉め出すことができた。

一番心が沈むのは、仕事を終えて、アパートの部屋に帰るときだった。闇金の連中が張っているのではないかという恐怖は、かなり薄まってはいたものの、あらたに生まれた、刑事が待ち受けているのではないか、泥棒にダイヤを盗まれているのではないかという妄想が、鼓動を速くする。

不吉な幻影は、玄関のドアを開けて、照明をつけるまで消えなかった。

その日、章が、仕事を終えて事務所に帰ると、にやにやしている佐竹に肩を叩《たた》かれた。

「学。女性から電話があったぞ。すっげえ、可愛い声の。どうなってんだ?」

「そろそろ、新しい手考えてくださいよ」

章は、にべもなく応《こた》えた。

「いや、今日は、マジなんだって」

「なわけ、ないでしょう」

佐竹は、メモ用紙を破って章に渡した。

「ほら、これよ。アオトさん。電話して欲しいって、携帯の番号まで。普通、伝言じゃ言わねえぞ。よっぽど、おまえに気があるんじゃねえか?」

青砥純子。その名前は、はっきりと覚えていた。

「ああ……それ、弁護士さんっすわ」

章は、平静を装って応えた。

「弁護士?」

「例の事件の。俺、一回、話聞かせてくれって呼び出されてるから。また、その件と違《ちゃ》うかな。証人なってほしいとか」

「そうか。……悪かったな」

根が善良な佐竹は、しゅんとなった。

「その番号、俺も控えてたんだけどな。消しとくわ」

佐竹がいなくなってから、章は、事務所の電話でメモの番号にかけた。すぐに、相手が出る。

「もしもし。青砥です」

「あ。俺、佐藤学です。電話をもらったみたいなんですけど」

「ええ」

純子は、なぜか、しばらく逡巡《しゆんじゆん》していた。

「……ちょっと、お話ししたいことがあるの。今日、お時間を取れるかしら？」

何だろう。章の脳裏に、さまざまな可能性が飛び交う。だが、どれであったとしても、断るという選択肢は考えられなかった。

「いいですよ。ちょうど今、仕事、上がったとこだから」

「じゃあ、今からだと……七時半に、新宿まで来てもらえるかな？」

純子は、待ち合わせをする店の住所を言った。名前からは、どんな店なのか見当もつかなかったが、バーのような場所だろうか。章は、胸が高鳴るのを感じた。

「わかりました。それじゃ」

電話を切ると、更衣室へ行って、丁寧に顔を洗った。濡《ぬ》らしたタオルで身体を拭《ふ》いたが、汗臭さが消えているかどうか気になった。着替えのTシャツとジーンズ、セーターは、清潔なだけが取り柄の普段着だった。こんなことなら、もっとましな服を着てくればよかったと思う。だが、どっちみち、デートに着ていけるような服は、一着も持っていない。

のに。

どんなブランド・ショップでも、丸ごと買い占められるだけの財産を持っているという

もう少しの辛抱だと、自分に言い聞かせる。

すでに、成功へと通じるドアの鍵《かぎ》は、手にしている。もう少し我慢しさえすれば、未来は、自然に開けてくるのだから。

新宿駅の東口を出るときに、少しだけ、嫌な感じに襲われた。母親に擬態していた相手のPHSに電話してしまったのは、ここからだった。基地局は、すでに、割り出されているかもしれない。

だが、まさか、ずっと張り込みを続けているはずはないと思う。向こうだって、たいした金にならない案件に、無制限に人手を出せるはずはない。

章は、キャップを目深に被《かぶ》ると、早足で人混みを通り過ぎた。

目指す店は、裏通りの雑居ビルの半地下だった。本当に、ここなのか。『クリップジョイント』という名前を、再度確認してから、階段を下りる。

スイング・ドアを開けると、中は案外、こざっぱりした感じの店だった。カウンターに座っている、青砥純子の姿が見える。その奥には、ビリヤード台がひとつあり、男が玉を撞《つ》いていた。客は、その二人しか見当たらない。

章が入っていくと、純子がこちらを見た。なぜか、悲しそうな表情に見える。

「ごめんなさい。こんなところに、呼び出して」

「こんばんは。遅くなって、すみません」

章は、腕時計を見た。約束の時間から、五分ほど経過している。

純子は、黙って首を振った。

「何か、飲む？」

章は、財布の中身を思い出して躊躇《ためら》った。純子は、「おごりだから」と言う。章は、奥のスツールに腰掛けると、バーテンダーにビールを注文した。銘柄を聞かれるかと思ったが、黙ってバドワイザーが出された。

「……こんな店、プールバーっていうんですか？まだ、あるんですね」

「ええ。昔、バブルの頃に、よく行ったわ。わたしはまだ、高校生だったけど」

「へえ」

章は、ビール瓶に直接口を付けた。空きっ腹に、沁《し》み通る。

「その後、少し復活したけど、やっぱり、プールバーって流行《はや》らないのよ。あ、ごめんなさい」

純子は、グラスを磨いているバーテンダーに謝った。

「いや、本当のことですから。ビリヤード台一つのスペースで、お客さんが何人入れるか考えると、都心では厳しいですね」

口髭《くちひげ》を生やしたバーテンダーは、笑顔で応じると、そのまま店の奥に入ってしまった。

「ええと。それで、今日は？」

ようやく邪魔者が消えたと思い、章は、純子の方に向き直った。

「ええ……」

純子は、カクテルグラスを唇に運んで、煮え切らない返事をする。

背後で、派手《はで》な音が聞こえた。男がブレイク・ショットをしたのだ。ビリヤード台の中央に固めてあった色とりどりの玉が、四方八方に弾《はじ》き飛ばされる。

「紹介するわ。こちら、榎本さん」

純子は、男の方に視線を向ける。章は、狐につままれたような思いだった。

「榎本さんには、ロクセンビルの事件について、調べてもらってたの」

「探偵さんですか？」

男は、身体を起こして、こちらを見た。

「まあ、そんなもんかな。君に聞きたいことがあったんで、来てもらったんだ」

小柄で痩《や》せぎす。年齢はよくわからない男だった。どちらかというと、色白で繊細な感じだったが、眼光は強い。

章の中で、強い警戒感が生まれた。たぶん、この男は、侮らないほうがいい。

「聞きたいことって、何ですか？」

「ダイヤはどこにある？」

言うなり、男は、キューで白い手球を撞いた。手球は、黄色い球にぶつかり、黄色い球はポケットに吸い込まれる。

「ダイヤ？ それ、何のことですか？」

章は、虚を衝《つ》かれたが、ビールのグラスを持ち上げ、一口飲んだ。落ち着け。カマをかけたんだ。何もわかっているはずはない。

男は、低い姿勢でキューを構え、次のショットを放った。青い的球がポケットに落ちる。

「今さら、とぼけるなよ」

続いて、三番目の球を狙う。今度は、赤い球がビリヤード・テーブルから消えた。

「君には、つくづく感心したよ。第一に、あの部屋に隠されていたダイヤを発見したことだ。私も、すっかり騙《だま》されててね。てっきり、空調用ダクトに隠してあったんじゃないかと思ってたくらいだ」

男は、ビリヤード台の反対側に回った。

「まさか、書棚の下が隠し扉になっているとは思わなかった。私が部屋を調べたときには、すでに、介護ロボットはなかったんでね。情けないことに、書棚の下にファイバースコープを差し込んでみるまで、全然、気がつかなかった」

四つ目のショット。クッションを使い、白い手球は逆方向から襲いかかる。紫色の球が、ポケットした。

「第二に、まんまと、ダイヤを盗み出した手口だ。実を言うと、君がどうやって、赤外線センサーを回避したのかは、いまだによくわからないんだ。君には、センサーに蓋《ふた》をする機会はなかったはずだからね」

五つ目のショットは、羽毛のような軽いタッチだった。オレンジ色の球が、ゆっくりと落ちる。

「この人、いったい、何を言ってるんですか？」

章は、純子の方へ向き直った。不覚にも、声が少し震える。

「こんな茶番に付き合わせるために、わざわざ、呼び出したんですか？」

純子は、口をつぐんだままだった。

「俺、帰らせてもらいますよ」

章がスツールから滑り落ちると、男の厳しい声が飛んだ。

「今から急いで帰れば、ダイヤを処分する暇があると思うか？」

章は、振り返る。

「さっきから、いったい、何なんですか？　俺には、さっぱり……」

「君がここを出て行けば、我々は、警察に通報しなければならない。君は逮捕されて、アパートには家宅捜索が入ることになる」

章は、凍りついた。

「な、何の証拠があって、そんな」

男は、キューの先端にチョークを塗ると、六個目になる、緑の球を落とした。

「穎原社長が隠匿していたのは、換金性の高い1カラット未満のダイヤが中心だろう。だとすれば、一個や二個じゃきかない。おそらくは、数百個単位だ。そうなると、隠し場所も限られてくる」

「……いったい、何言ってんだよ？」

「本当は、どこか遠くに埋めてしまうのが、一番安全だ。ガサ喰《く》らっても、平気だしな。最悪、懲役に行っても、口さえ割らなきゃ、晴れて自由の身になってから掘り出せる」

男は、平然と続け、七個目のボールに狙いを付けた。

「とはいっても、そうはできないのが、人間の性《さが》だ。どんなに辺鄙《へんぴ》な場所を選び、どれだけ深く穴を掘っても、誰かに見つけられるんじゃないかと思うと、夜も眠れなくなる。どうしても、目の届くところに置きたくなるんだ。君の場合も、そうだろう。完全犯罪をやったと信じているから、ガサ入れのことは考えない。むしろ、そういう可能性は、あえて意識から閉め出している。心配だったのは、泥棒と火事だろう。違うか？」

赤紫色の球が落ちた。

「あんた、頭おかしいんじゃないのか？」

自分の言葉が、ひどく空しい響きに聞こえた。すでに、全身に、じっとりと脂汗をかき始めている。

「私は、ついさっき、君の部屋の中を見せてもらった」

男は、ぬけぬけと言った。

「……嘘だ」

「君は、リモコン式の補助錠さえ付けておけば、ドアの備えは万全だと思ってたんだろう？　実際、あれはなかなか優れものだ。しかし、残念ながら、時価数億円のダイヤを守るには、役者が不足だ。普通の泥棒は、手間が引き合わないと思えば、他を探す。だが、何としてもその部屋に侵入したいと思ったら、手はいくらでもあるんだよ」

まさか、本当に、部屋に侵入されたのだろうか。章は、脚が小刻みに震えるのを感じた。

「部屋に入ってすぐ、不思議に思ったことがある。流しの脇にある古い全自動洗濯機のことだ。君は、頻繁にコインランドリーに通ってるからね」

身体が震えた。男は、喋《しゃべ》りながら、八番の黒球を角ポケットに入れる。

「よく考えたものだと思うよ。洗濯機もあれだけ古いと、ほとんど粗大ゴミ並みの商品価値しかないから、盗まれる心配はない。洗濯槽は取り外しができない構造になっているから、包みを内槽と外槽の隙間に押し込んでおけば、見つかりにくいだけではなく、取り出すのも難しい。しかも、洗濯物を入れて、濁った水を溜《た》めておけば、カモフラージュと火災避けの一石二鳥だ。もっとも、脱水のため洗濯槽を回転させれば、引っかかるはずだが、わざわざ、モーターの配線をカットして、作動不能にしてあったようだね」

ビリヤード台の上には、的球は一個だけしか残っていなかった。男は、無造作にストロークする。撞かれた手球は、三回クッションしてテーブルを一周すると、黄色と白に塗り分けられた九番の球にぶつかった。押された球は、ポケットの中に消える。

「そんなの、ありですか？」

章は、ようやく声を絞り出した。

「あんたがやったのは、立派な家宅侵入でしょう？」

「その通りだ。訴えるか？」

男は、台の下から落としたボールを回収した。

「……取引ですか？」

男は、黙って、台にボールを載せる。

「取引するつもりなんでしょう？　そうやなかったら、わざわざ、こんなところに呼び出す必要はないはずだし」

男は、こちらを一瞥《いちべつ》した。

「半分で、どうですか？」

それから、純子に目をやった。

「いや、三分の一ずつ。一人頭、二億円以上になるはずです」

男は、無表情に首を振った。

「じゃあ、いくらなら……？」

絶望に打ちひしがれそうになりながら、一縷《いちる》の望みを込めて訊《たず》ねる。

「私は、そこまで強欲じゃない。本来なら、文句なく、折半で手を打ってた。そこにいる、青砥先生には報告しないでね。お望みなら、ダイヤを捌《さば》くルートくらいは、紹介できただろう」

男は、嘆息するように言う。

「だが、君は、最悪の選択……殺人に手を染めた」

男の声は、突然、別人のように厳しくなった。

「君と取引するのは、殺人の共犯になるのと同じことになる」

「待ってください。僕がダイヤを盗み出したのは、前の晩です。当日は、あの部屋に入れなかった。社長を殺せるわけないでしょう？」

章は、叫んだ。盗みに関しては、言い逃れは不可能だ。ぎりぎり、そこまでは認めて、頽勢《たいせい》を挽回《ばんかい》するしかない。

「たしかに、当日は、君は、社長室に侵入することはできなかった。あの部屋は、完璧《かんぺき》な密室だった。だが、社長を殺害することは可能だったんだよ」

まさか。すべて発覚したというのだろうか。そんなはずはない。あの方法が、そんなに易々とバレるわけがない。

「このビリヤード・テーブルが、社長室だとしようか。これが、穎原社長だ」

男は、テーブルの中央に、黄色と白に塗られた九番の球を置いた。

「あの日、穎原社長は、睡眠薬によって人事不省の状態だった。煮るなり焼くなり、好きにできる。……いや、ネタはもう、割れている。睡眠薬は、コーヒー用の角砂糖の中に仕込んであったんだろう。ここまでは、簡単な話だ」

男は、章を見た。

「だが、犯行当日、社長室に侵入することは、どうやっても不可能だった。だとすれば、遠隔操作で殺害するしかない。そのためには、部屋を俯瞰《ふかん》できる位置にいる必要がある。ちょうど、ゴンドラに乗っていた君のように」

「たった、それだけの理由で……」

「だが、肝心の、遠隔殺人の方法が、なかなかわからなかった。もちろん、何が君の手になったかは、あきらかだ。介護ロボットだ。だが、介護ロボットを使って、直接、社長を殺害することはできない。あのロボットは、プログラムの縛りで、絶対に被介護者を傷つけられないからだ」

男は、キューの先端で九番ボールをつついた。

「これは、このゲームの基本的なルールだ。ビリヤードで、直接、キューで的球を撞《つ》いてはいけないように。君も、最初から、ここまで予想していたわけじゃないだろう。しかし、結果として、密室はますます堅牢《けんろう》なものになってしまった」

冷や汗が滲《にじ》む。章は、無意識に、助けを求めて純子を見た。だが、彼女は、目を伏せたままだった。

「直接、ターゲットを狙うことはできないとすれば、もうワンステップが必要になる」

男は、テーブルの上に三つの球を置いた。ポケットの左手に緑色の六番ボール。手前に、白い手球。そして、その前に、ツートンカラーの九番ボール。

「たとえば、この、キス・ショットのように。手球で弾《はじ》いた的球が、いったん別の球にキスしてから、ポケットする」

男が繊細なタッチでストロークすると、白い手球は、ターゲットである九番ボールにぶつかった。九番ボールは、ポケットの左手にある緑の球にぶつかり、宣言通り、姿を消す。

男は、台の下から取り出した三つの球を、再び台の上に配置する。今度は、ポケットの前に、九番ボール。ずっと手前に、白い手球。その間の少し右よりの位置に、緑色の六番ボール。

「次は、キャノン・ショットだ。手球では直接ターゲットを狙えないとき、手球をいったん別の球に当てて、軌道修正してから、的球にぶつけて落とす」

男は、強めにキューを撞いた。勢いをつけた白い手球は、緑色の六番ボールに当たり、左に進路を変えて、九番ボールをヒットした。的球は、見事にポケットに吸い込まれる。

「最後は、コンビネーション・ショット」

男は、ポケットの近くに九番ボール、手前に手球、その中間あたりに緑の六番ボールを置いた。

「手球で的球を弾くと、その的球が、狙った別の的球を落とす。ビリヤードでは、最もリスクの高いショットとされている」

玉突き事故のような連鎖反応。白い球が緑の球にぶつかり、緑の球がツートンの球を押しやって、ポケットに落とした。

「……あなたが、たいへんビリヤードが上手なのは、よくわかりました。だから、どうなんです？　社長を殺害することは、可能だったんですか？」

章は、皮肉たっぷりに訊《き》いた。相手が見当違いな方向へ行っているのではという、かすかな期待が生まれかけていた。

「残念ながら、不可能だった。介護ロボットを使い、いったん他の物体を動かして穎原社長の頭部に打撃を与えるか、穎原社長の身体自体を道具に使い、死に至らしめる方法まで検討したが、どれも、無理なことがわかったよ」

「……だったら」

章は、頬を歪《ゆが》めた。

男は、また、三つの球を取り出した。

「結局、そこにいる青砥先生が言った通りだった。介護ロボットには、介護ロボットができることをやらせたんじゃないかとね。つまり、君は、穎原社長の身体を、部屋の中の任意の場所へ移動できた。殺害には、それで充分だったんだ」

男は、ビリヤード台に九番ボールを置くと、キューの先で転がした。純子が、スツールの上で身じろぎする。

「榎本さん。もう、いいでしょう……」

「いや。あと少しだけ、待ってください」

男は、キューを持った手で、純子を制した。

「猿芝居だ。いいかげん、妙なハッタリは、やめたらどうですか？」

章は、精一杯の勇気を振り絞って言う。

「ハッタリ？」

「ああ。あんたは、本当は、何もわかってないんやろう？　思わせぶりな話で揺さぶって、自白させようとしてるだけや」

男は、薄く笑った。

「なるほど。よほど、あのトリックに自信があったわけだ。まあ、それも無理はない。偶然の悪戯《いたずら》がなければ、私も気づかなかった」

「偶然……？」

「私が、あの部屋に入ったのは、たまたま、ひどい強風の晩だった」

衝撃を感じた。動揺を押し殺すため、スツールの背を握りしめる。

「社長室の窓は、分厚い防犯合わせガラスが、嵌《は》め殺しになっていた。よほどひどい施工をしてない限り、風くらいで音がするはずがない。にもかかわらず、その窓ガラスが、がたついた」

背中を、脂汗が流れ落ちるのを感じる。

「それから、窓ガラスを、詳細にチェックしてみた。すると、実に巧妙に、遊びを作ってあることがわかったよ。外したわけじゃないんで、はっきりしたことは言えないが、おそらく、セッティング・ブロックにも細工をしてあるんだろう。そうでなければ、あれほどスムーズには動かない」

章は、何かを言おうとして口を開けたが、言葉にならなかった。

「……さて、コンビネーション・ショットは失敗する確率が高いため、あまり使われることはない。だが、それにも例外がある」

男は、キューを使って九番ボールを転がすと、ポケットの10㎝手前に持ってきた。そして、その手前に、六番ボールをぴったりとくっつける。さらに、そこから50㎝ほど離れた延長線上に、白い手球を置いた。

獲物を狙う肉食獣のように上体を前に倒し、上目遣いに照準を合わせる。

「この配置が、デッド・コンボ。日本では、即死コンビネーションと呼ばれている。キューで撞いた手球は、ポケットに落とすターゲットの球に、直接触れることはない。その手前に接している的球に当たるだけだ。しかし、手球の持っている運動量は、的球を通り抜けて、ターゲットへ伝達される。これは、初歩の物理だ」

男は、ゆっくりとストロークした。白い手球は、緑色の六番ボールに衝突するが、六番ボールは、かすかに震えただけだった。代わりに、六番ボールに接していた九番ボールが弾かれたように動き、ポケットに落下した。

「その緑のボールが、社長室の窓ガラスに相当する。君は、あらかじめ窓ガラスに細工して、窓枠の中で浮いている状態にしておいた。ガラスが完全に固定されていると、力が通り抜けられないからだ。それから、介護ロボットを使って社長の身体を運び、頭部を窓ガラスの内側に押しつけて、外側から致命的な一撃を加えた。充分な重量があり、ガラスほどは硬くない鈍器によって」

男は、白い手球を取り上げ、緑色の六番ボールを叩《たた》いた。硬質の音が響く。

「超強化ガラスで樹脂膜を挟んだ防犯用合わせガラスは、作用面積が広く柔らかい打撃に対しては、きわめて強い。当然、ヒビ一つ入らなかった。だが、ガラス越しに伝播《でんぱ》した衝撃は、手術後の脆弱《ぜいじゃく》な頭蓋骨《ずがいこつ》には、致命的だった。まさしく即死コンビネーションだったが、本当に即死しなかったのは、皮肉なものだな」

「でも、そんな鈍器なんて、どこにあるんですか？」

章は、喘《あえ》ぐように言った。

「僕は、死体を見つけて、すぐ通報したんですよ」

「たしかに、君には、鈍器を処分する時間はなかった」

男は、白い手球を宙に投げ上げた。

「だが、隠すことならできたはずだ。そして、あのビルの屋上で、大型の鈍器を隠せるような場所は、一箇所しかなかった」

お手玉していたボールを、こちらに向けて放る。章は、反射的にキャッチした。

「今日、見つけたよ。給水タンクの中で、君が使ったボウリングの球を」

もう、だめだ。

ビリヤードの球を握りしめ、章は、ゆっくりと目を閉じた。

何もかも、バレてしまっている。もはや、言い逃れる余地はない。

だが、いったい、なぜ、失敗したのだろう。どうしても、納得がいかなかった。強い風が吹いた。ただ、それだけのことで、あの計画が破綻《はたん》するなんて。

両脚から、力が抜けていった。スツールに手を突き、崩れ落ちそうになる身体を支える。

あっという間に、すべてが急転したことが、まだ、信じられない。

俺は、本当に、何もかも、失ってしまったのか。

ダイヤモンドも。復讐《ふくしゅう》のチャンスも。……そして、未来も。

「君に自首するつもりがあるなら、今から、青砥先生と同道することを勧めるよ。一人だと、せっかく出頭しても、警察署内で緊急逮捕という扱いになりかねない」

章は、顔を上げたが、ふいに息苦しさに襲われて、セーターの胸元をつかんだ。指の間から、球がこぼれ落ち、ごろごろと音を立ててフロアの上を転がる。

「残念だったな」

男は、独り言のようにつぶやいた。

「……だけどな、人を殺してしまったら、終わりなんだ」

章の視界に、プールバーのスイング・ドアが映った。

明日へと続いていることを信じ、あらゆるものを犠牲にして、開いた扉だったのに。

その向こうにあったのは、ただ、虚無だけだった。

終章

純子は、机の上に載せた封筒を、榎本の方へ押しやった。

「どうぞ。お確かめください」

「それでは」

榎本は、封筒の中から札束を取り出すと、銀行員のような手つきで扇形に広げ、縦勘定をする。

まさか、本当に目の前で改めるとは思っていなかったので、純子は呆《あき》れた。

榎本は、瞬《また》く間に五十万円を数え終わる。

「たしかに。現金などという面倒な指定で、お手数をおかけしました」

「いいえ、とんでもない。振り込みで記録が残るのを好まれない方も、世の中には大勢いらっしゃいますから」

純子は、皮肉に言う。

「では、一応、こちらにサインと印鑑をいただけますか？」

榎本は、集金人のようなカバンの中を探る。

「何でしたら、拇印《ぼいん》でもかまいませんよ」

「いや。……あいにく、私には指紋がないんです」

純子は、二の句が継げなくなってしまった。榎本は、何事もなかったように三文判を取り出して、領収証に押し、札束をカバンにしまう。

「青砥先生に、一つ、お訊《き》きしたかったことがあります」

「……何ですか？」

純子は、ようやく硬直から解けた。

「私が、犯人は窓拭《まどふ》きの青年だと言ったとき、それほど驚かれてませんでしたね。というより、何か納得されていたような印象を受けました。前から、彼を疑う理由があったんですか？」

そんなことかと思う。

「耳です」

「耳？」

「写真で見ると、亡くなった穎原社長の風貌《ふうぼう》で最も特徴的だったのは、耳だったんです。単なる福耳じゃなくて、政治家なんかに多い、非常に大きくて肉厚の耳です」

「それが？」

「わたしが最初に椎名章に事情聴取したとき、もしかして、彼が見た遺体はダミー人形だったという可能性はないかと聞いたんです。……何がおかしいんですか？」

純子は、榎本を睨《にら》んだ。

「いいえ。別に」

「彼は言下に否定しましたけど、重ねてその根拠を訊《たず》ねたら、首筋と、それから手だと答えたんです。皮膚の感じが、あきらかに人間のものだったと」

「なるほど」

「でも、俯《うつぶ》せで向こうを向いた遺体の首や手が、それほどはっきりと見えるものでしょうか？　遺体の姿勢にもよりますけど、ぱっと見で、一番大きな違いは、耳だろうと思います。ダミー人形の耳というのは、測定の邪魔にならないようにか、かなり小さめに作ってありますから。でも、彼は、なぜか耳について言及するのを避けました」

榎本は、うなずいた。

「たぶん、彼の記憶には、殺害時に見た穎原社長の大きな耳が、焼きついていたんでしょう。だから、逆に、耳のことを話すのを避けたんだと思います。実際には窓の外から見えなかったはずのものに、うっかり言及してしまうことを恐れて」

「なるほど。失言を恐れるあまり、証言が不自然になったわけですか」

「ただ、おかしいなとは思ったんですが、それっきりになってしまったんです。犯行現場のフロアに入れない彼には、犯行は絶対に不可能だと思ってましたから」

「無理もありませんよ。私も、最初から、彼のことは除外して考えていました」

榎本は、お茶を啜《すす》った。

「……でも、あそこまで、やる必要があったんでしょうか？」

純子は、ぽつりと言う。

「椎名章をプールバーに呼び出して、追及したことですか？」

「ええ」

「少々、演出過剰なように見えましたか」

榎本は、苦笑した。

「しかし、彼に自首させるためには、いったんは追いつめて、敗北を認めさせる必要がありました。そのことは、ご諒解《りょうかい》いただいたものと思っていましたが」

「でも、何だか、やりすぎだったような気がしてならないんです」

「彼を傷つけたんじゃないかと、心配なさってるわけですか？」

榎本の揶揄《やゆ》するような調子に、純子はむっとした。

「わたしには、少し、サディスティックに感じられました」

「おやおや。これは、誤解されたものですね」

榎本は、唐突に立ち上がった。

「いろいろ、お世話になりました」

純子は、呆気《あっけ》にとられた。

「いえ、こちらこそ」

「何かありましたら、また、お声をかけてください」

榎本は、一礼すると、事務所を出て行った。

純子は、机の上に残されていた銀行の封筒を丸めて、ゴミ箱に放り込んだ。

二週間ぶりに訪れたベイリーフの本社は、どことなく、雰囲気が変わっているように感じられた。

一階でエレベーターに乗り、十二階のボタンを押した。暗証番号がなくなったおかげで、よけいな手間が省けたのは、ありがたい。

ドアが閉まる直前になって、作業服を着た男が乗り込んできた。顔を見ると、岩切だった。

「あら」

「ああ……これは、どうも」

「その節は、お世話になりました」

「いや、私は、何もしとりませんが」

岩切の顔色は、冴《さ》えなかった。少し見ない間に、めっきりと白髪《しらが》が増えたような気がする。

「お元気ですか」

思わず、そう訊ねてしまう。

「いろいろ、後始末がたいへんだったんじゃないですか？　マスコミも殺到しているようですし」

「はあ、まあ」

「先生には、久永さんの無実の罪を晴らしていただき、たいへん感謝しとります」

岩切は、天を仰いだ。

「ただ、これまで、私が心血を注いでやってきたことは何だったのかと思うと、やりきれません」

「そんなことは。とても素晴らしいお仕事を、なさったと思います」

岩切は、首を振った。

「ルピナスⅤは、介護する側とされる側の心を繋《つな》ぐことを祈って、設計しました。しかし、まさか、それが殺人の道具に使われるとは……夢にも思わんかったです」

「それは、岩切さんの責任じゃありませんよ」

エレベーターが、十階に止まった。

「私は、どうしても、思わずにはいられんのです」

岩切は、下りかけてドアを押さえた。

「社長を殺すため、ルピナスⅤが、リフトを命じられたときのことを」

何と応《こた》えたらいいか、わからない。

「……もし、介護ロボットに心があれば、きっと、泣いていたろうと思います」

純子は、黙って、悄然《しょうぜん》と去る岩切の後ろ姿を見送った。

十二階でエレベーターを下りると、河村忍が出迎えた。応接室に通される。以前は、会長室だった部屋だ。

「社長はすぐに参りますので、しばらくお待ちください」

「お忙しそうですね」

純子が言うと、忍は微笑んだ。

「おかげさまで」

「あなたが、社長秘書になったのよね？」

「ええ。というより、伊藤は秘書課長に昇進しましたし、松本さやかは退社したので、秘書はわたし一人になりましたから」

もう、それだけの数の秘書は、要らないのだろう。純子は、楠木会長を始め役員の大半が退任することになった経緯も聞いていた。

「松本さんは、ご結婚とか？」

「いいえ。舞台女優の夢にかけるそうです。この前の芝居が成功したことで、決心がついたと言ってました」

「そう。それは、何と言ったらいいか……素晴らしいですね」

純子には、正直言って、なぜあの訳のわからない芝居に大勢のファンが詰めかけ、あまつさえ、感動して泣く人がいるのか、とうてい理解不能だった。

「でも、河村さんも、すごく表情がいきいきしてるわ」

「そうですか？」

忍は、白い歯を見せた。

「今だから言いますけど、一時は、辞めようかと思ってたんです。仕事に、やり甲斐《がい》っていうものが感じられなくて。でも、今は、頑張ってみようかなって考えてます」

「どうして、気が変わったの？」

「……そうですね。なぜなんだろう。入社して初めて、自分の仕事が誰かの役に立ってるって、実感できたからでしょうか。新社長は、仕事には厳しいですけど、誰にでも、公平にチャンスをくれますし」

「わたしには、ちょっと冷たい人のような印象があったけど」

「たしかに、誤解されやすい人なんですけど、非情であっても、けっして冷酷ではないんです」

純子には、その二つがどう違うのか、見当もつかなかった。

十分ほど待つと、当の穎原雅樹が姿を現した。

「お待たせしました」

「いいえ。無理やりのアポでしたから。今日は、藤掛先生は、いらっしゃらないんですか？」

「私だけの方が、話が早いかと思いましてね」

穎原雅樹は、向かい側のソファに腰を下ろした。

「単刀直入にいきましょう。そちらの要求は、何ですか？」

穎原雅樹の発している強烈なオーラに、圧倒されそうになるが、純子は、負けるもんかと気を引き締めた。

「久永さんに対する懲戒解雇と、損害賠償請求の撤回です」

「それは、できません。彼が横領に荷担し、会社に損害を与えたのは事実ですし、横領された金額と金利を考えると、回収されたダイヤモンドでは、六割程度の価値にしかなりませんからね」

「しかし、主導的立場にあったのは前社長で、久永さんは、いわば従犯にすぎません」

「それを、どうやって証明しますか？」

「二人の関係からすれば、誰が考えたって、そうじゃないですか？」

穎原雅樹は、微笑した。

「死人に口なしとは、よく言ったものですね。死んでしまえば、一方的に悪者にされるものらしい」

「しかし、そもそも、久永さんにだけ損害賠償請求を行って、前社長の犯罪は不問に付すというのは、あまりにも不公平でしょう？　横領された資金は、一円も、久永さんの懐には入っていないんですから」

「残念ですが、故人に請求することはできませんからね」

「でも、巨額の遺産が残されていますよ」

穎原雅樹は、眉《まゆ》を上げた。

「つまり、相続人である、私と妻に求償すべきだとおっしゃるんですか？」

「当然のことじゃありませんか？」

「なるほど。しかし、かりに、特定の加害者に損害賠償を求めなかったとしても、それは、こちらの裁量の範囲内でしょう」

「それが最終回答だとすれば、こちらの方から、損害賠償訴訟を起こすしかありませんね」

穎原雅樹は、鼻で笑った。

「そちらから？　そちらは、加害者だとばかり思ってましたが？」

「同時に、被害者でもあります。久永さんはベイリーフの株式を保有していますから、当然なすべき損害賠償請求を怠って会社に損害を与えたとして、株主代表訴訟を起こすことは可能です」

「……なるほど」

二人は、しばらく睨《にら》み合った。

穎原雅樹は、金のロレックスに目を落とす。

「さて。そろそろ、次の予定がありますので、失礼させていただきます」

「その前に、お答えをお聞かせ願えますか？」

穎原雅樹は、立ち上がり、冷ややかな目で純子を見下ろした。

「横領犯である久永氏の復職には、応じられません」

「では、拒否されたということで、よろしいですか？」

「ただし、依願退職扱いとして、規定の退職金をお支払いしましょう。それから、損害賠償の請求は撤回します。久永氏は今後一切、我が社に対して、株主代表訴訟を含む何らの請求も行わないという条件で」

言葉は丁寧だが、吐き捨てるような口調だった。

「わかりました。それで、けっこうです。ご配慮に感謝いたします」

純子は、皮肉に応じる。

「それから、もう一つだけ。これはお願いなんですが、来週、穎原前社長の社葬が行われるそうですね。久永さんの出席を、許可していただけないでしょうか？」

「ご随意に。誰であろうと、葬儀から閉め出すようなことはしません」

穎原雅樹は、素っ気なく答えた。

「それでは、これで」

応接室を出かけてから、振り返る。

「そういえば、あなたは、椎名章の弁護人を引き受けられたそうですね？」

「ええ。久永さんの容疑が晴れた以上、利益の相反はありませんから」

「どんな極悪人でも、弁護を受ける権利は保証されるべきでしょう。しかし、被害者の遺族としては、最近の裁判に見られる度を越した法廷戦術には、大きな疑問を感じています」

「裁判は、公正に行われるでしょう。わたしは、ただ、弁護人としてベストを尽くすだけです」

「その、ベストというのが、少々問題ですね。あなたの交渉のやり方を見ると、失礼ながら、不安を拭《ぬぐ》えません。殺人犯の罪を軽くせんがために、故人の名誉を汚すような策略は、厳に慎んでいただきたい」

「そちらが気になさっているのは、故人の名誉ではなく、会社の体面じゃないんですか？」

「同じことです」

穎原雅樹の目が、光った。

「万一、我が社に対して目に余る誹謗《ひぼう》中傷があれば、あらゆる方途を探って闘うことになるでしょう。そのことは、意識の片隅にでも置いておいてください」

「肝に銘じましょう」

純子は、挑戦的に答えた。

「……犯人には、あるいは、同情すべき事情もあるのかもしれません」

穎原雅樹は、静かに言う。

「しかし、義父は、死ぬ前に、人生をかけて育て上げた会社の上場を見たいと願っていたはずです。その機会を、自分の勝手な都合だけで奪い去った犯人は、絶対に許すことができません。私は極刑を望んでいます」

大股《おおまた》に歩き去る長身の後ろ姿を見ながら、純子は、複雑な気分にとらわれていた。


「じゃあ、お先」

トレンチコートを手にした今村が、声をかけた。

「お疲れさま」

純子は、キーボードを打ちながら生返事をする。椎名章の勾留《こうりゅう》延長に対する、準抗告の書面を作成しているのだ。

「まだ、帰らない？」

「これ、今日中にやっちゃわないとね」

「そうか。……あまり、根を詰めすぎない方がいいよ」

「ありがとう」

今村が帰る様子がないので、純子は振り返った。

「何？」

「いや、考えてみたら、まだ、祝杯を挙げてなかっただろう？　見事、久永さんの釈放を勝ち取ったというのに」

「ああ……それは、もう過去の話よ」

純子は、気のない声で言う。

「君には、謝らなきゃならないと思ってる。僕は、久永さんが無実だという可能性を、最初から無視してかかってた。依頼人を信じるのが基本だということを、忘れてたよ」

「でも、およそ信用に値しない爺《じい》さんだったわね。無実というのは、たまたま本当だったけど」

「そのうち、仕事が一段落したら、一杯おごるよ」

「楽しみにしてるわ。当分は、無理だと思うけどね」

純子は、パソコンに向き直る。

背後で、事務所のドアが開き、閉まる音がした。

純子は伸びをすると、コーヒーメーカーのところに行って、マグカップに新しいコーヒーを注いだ。

ちょうど席に戻ってきたときに、電話が鳴る。

純子は、マグカップを置き、モニターに見入ったまま受話器に手を伸ばした。

「はい。レスキュー法律事務所です」

「夜分、恐れ入ります。青砥先生ですか？」

榎本の声だった。誰だかわからないふりをしようかと思ったが、面倒なのでやめる。

「今晩も、出先からですか？」

「いや、店にいます。このところ、防犯相談が引きも切らぬ状態で、この時間まで残務整理に追われてるんですよ」

「ご繁昌で、何よりです。それで、何かご用ですか？」

「ええ。椎名章の弁護人を引き受けられたそうですね」

「まあ。成り行きというか、乗りかかった船で」

椎名章の自首に付き添って、警察に出頭した時点では、そこまで予定していたわけではなかった。だが、椎名章を司直の手に引き渡し、あとは知らん顔というわけにもいかなかった。現行の制度では、被疑者が起訴されるまで、国選弁護人は付かない。つまり、椎名章は、孤立無援で取り調べを受けなくてはならないのだ。

当番弁護士の代わりに、椎名章にアドバイスをするうちに、純子は、彼の弁護を引き受けることを決心していた。どんなに恐ろしい犯罪を犯したとしても、彼にも、充分な弁護を受ける権利がある。すでに、細かい部分まで調べている事件だけに、自分以上の適任者はいないという自負もあった。

「実は、そのことで、ちょっと小耳に挟んだんですが……」

榎本の口調は、いつになく歯切れが悪い。

「何をですか？」

「椎名章は、背後に共犯者がいたと供述しているようですね。闇金業者から脅されたため、やむなく殺人を行ったというように」

純子は、受話器を握ったまま茫然《ぼうぜん》とした。サイホン式のコーヒーメーカーのように、ゆっくりと、沸騰した血液が頭に上ってくる。

「なぜ、あなたが、そんなことをご存じなんでしょうか？」

榎本は、怒りを察知したようだった。

「別段、リークがあったというわけじゃなく、たまたま、耳に入ってきまして」

この男は、いったい、警察と、どんな腐れ縁があるのだろう。

「そのことを、誰かに話しましたか？　メディア関係とか」

「いいえ。いっさい他言するつもりはありません。ただ、青砥先生には、お話ししておきたいことがあります」

「どういうことですか？」

「椎名章の供述は、嘘です」

純子は、手にしたシャープペンシルを、親指のまわりで、くるくると回した。

「なぜ、わかります？」

「闇金業者が黒幕なら、穎原前社長を殺害する必要はないはずです。ダイヤを盗み出したところで、表沙汰《おもてざた》にできない性質の資産である以上、訴えられる心配もありませんし、逆に、恐喝のネタになるくらいです」

「たしかに、その点は、少し気になってましたけど……」

「彼は、罪を軽くすることを狙っているのではなく、闇金業者に対し、復讐《ふくしゅう》を果たそうとしているんでしょう。どうせ破滅ならば、地獄へ道連れにしてやろうと」

純子は、接見のときの、妙に吹っ切れたような椎名章の表情を思い出していた。

「ですが、それは無用な画策です。警察は、以前から、彼が名指しした闇金業者の摘発準備を進めていました。罪状には、複数の殺人が含まれているようです」

「……殺人？」

「被害者は、椎名光晃、照子、鈴木英夫の三人となっています」

純子は、愕然《がくぜん》とした。

「椎名章に、供述を撤回させてください。件《くだん》の闇金業者は、日本最大の広域暴力団の準構成員です。真実の告発ならともかく、嘘の証言で嵌《は》められたとなれば、メンツは丸潰《まるつぶ》れになり、本家の代紋にも泥を塗ることになります。必ず、恐ろしい報復を実行することでしょう」

「……わかりました。その件については、わたしに任せてください」

純子は、マグカップを口元に運んだ。

「でも、榎本さんが、そこまで彼を心配してくれてたなんて、ちょっと意外でした」

金のことしか頭にない男だと、思っていたのに。

「椎名章を、心配ですか？」

榎本は、鼻で笑った。

「正直に言いますが、彼がどうなろうが、私には関心はありません。むしろ、ヤクザの手にかかった方が、後腐れがないんじゃないかと思います」

「……それは、ちょっと、ひどすぎるんじゃないですか？」

純子は、思わず叫んだ。

「そうですか？」

「彼は、たしかに、殺人を犯したけど。だからといって、私刑を、ましてヤクザの制裁を正当化するなんて……。わたしには、絶対に容認できません」

「被害者の遺族からすれば、あれだけ冷酷な殺人を犯しておきながら、たかだか数年で仮釈放になり、娑婆《しゃば》に出てくることの方が、よっぽど容認できないと思いますよ」

「遺族に応報感情があるのは、当然のことだと思います。でも……」

どう言えばいいのかと迷う。

「わたしは、今まで、少年事件の被疑者を何人も見てきました。ほとんどの場合、家庭環境に著しい問題があったわ。彼らは、加害者になる前は、大人からの暴力の被害者だったんです」

「それを理由にすれば、ほとんどすべての犯罪者を、免責しなければなりませんね」

純子は、溜《た》め息《いき》をついた。いろいろな考えが頭の中に渦巻いて、うまく言葉にならない。

「若者というのは、いつの時代でも、どうしようもない矛盾の塊よ。社会を変革できるほど爆発的なエネルギーを持っているのに、ひどく傷つきやすくて、大人なら耐えられるくらいの、ちょっとしたことで壊れてしまう。……まるで、ガラス細工の凶器みたいに」

「そうかもしれません。しかし、問題は、ガラスのハンマーであっても、人は撲殺できることです」

　榎本の声には、変化はなかった。

「殺される側からすれば、何の違いもありません」

「その通りよ。だからこそ、復讐ではなく、再教育が必要なんです。いずれ、彼らを再び社会に受け入れなければならない以上は」

　純子は、言葉に力を込めた。

「……ガラス製のハンマーが、本当に危険な凶器になるのは、砕けてしまった後なんです」

「なるほど」

　榎本は、静かに言った。

「それでは、その再教育なるものは、いったい、どこで行われているんですか？」

「え？　それは、もちろん、刑務所で」

「本当ですか？　日本の刑務所で、どこか、犯罪傾向を矯正する、しっかりした再教育プログラムを実施しているところがありますか？」

「それは……」

「私の知る限りでは、そんな刑務所は存在しません。懲役や禁錮《きんこ》というのは、受刑者を、一定期間、世間から隔離する処置にすぎませんし、刑務所側が腐心しているのは、その間、問題を起こさせないようにすることだけです。極端に言えば、出所後、何をしようと知ったことではない。当然ながら、誰一人、責任を取りません。だからこそ、これだけ、再犯率が高いんじゃないですか？」

「おっしゃることは、もっともだと思います。でも、だから殺してしまえは、ないでしょう？」

純子は、気持ちを落ち着けようと深呼吸した。

「官僚主義のツケを、全部、受刑者に押しつけるのは、フェアじゃないわ」

しばらく、間があった。

「……結局、我々には、祈ることしかできないようですね。数年後、彼が出所するときに、自ら立ち直っていることを」

その通りだと、純子はひそかに思った。我々にできるのは、ただ、祈ることだけだ。

「でも、榎本さんが、彼のことにはまったく関心がないと言ったのは、嘘だわ」

「なぜですか？」

「だって、こうして、彼を救うために、電話をしてくれたじゃない？」

「私が電話をしたのは、椎名章のためではありませんよ」

「え？」

「報復の手は、青砥先生にも及ぶかもしれないんです」

純子は、絶句した。そういう可能性は、まるで考えていなかったのだ。

それで、榎本は心配して、わざわざ電話をかけてきてくれたのか。

しばらくの間、黙ってコーヒーを啜《すす》る。榎本も無言だった。タバコに火を点《つ》ける気配がする。

「……そうだ。一つ、聞きたいと思ってたことがあるんだけど」

ややあって、純子は口を開いた。

「何ですか？」

「椎名章のアパートから見つかったダイヤモンド六百十九個のうち、二十四個は、本物のダイヤじゃなく、ホワイトジルコンだったわ。これは、いったい、どういうこと？」

純子は、口調を一変させる。

「さあ？　穎原前社長が騙《だま》されたんじゃないですか？　どうせ、ダイヤを買ったのは、裏の業者からでしょうし」

「でも、二十四個が全部、一つの包みに集中していたのは、どうしてかしら？」

「同時期に買ったものでしょう。そのときに、騙された」

「あなたには、彼のアパートに侵入した際に、すり替える時間がたっぷりあったはずよね？」

「そうですか。それは、思いつきませんでしたね。まったく、惜しいことをしました」

やっぱり、こいつだったのか。

「……とにかく、いろいろ、ご忠告ありがとう。たいへん、参考になりました」

素っ気なく言って、受話器を置こうとしたとき、声が聞こえたので、もう一度耳に当て直す。

「何か言った？」

「いつがいいですか？」

「いつって？」

「食事ですよ。ごちそうするって、言ったじゃないですか？　今、かなり懐が暖かいんです」

話の流れを考えると、開いた口がふさがらない。

「そのあと、全部忘れろとも、言ったじゃない」

純子は、決然として受話器を置く。

きっかり一分後、また、電話が鳴った。

貴志祐介インタビュー

by 法月綸太郎

——発想の手順

法月　貴志さんの作品の中で、まず不可能犯罪という謎があってそれを理詰めで解くという形を通して書かれているのは、『硝子のハンマー』が初めてでしょう。完全な本格ミステリですね。これは挑戦的な意味合いもあったのですか。

貴志　それはありましたね。やっぱり一回はど真ん中の本格を書いてみたいなと思っていまして。それはありました。ミステリ的な要素そのものは、今、エンターテインメント全般に浸透してると思うんですよ。逆にそれがぜんぜんないものを探すのが難しいぐらいで。ただ、ホラーミステリとか別のジャンルにミステリ要素を取り入れたものを書いていると、純粋にミステリを書きたいなという思いがかなり募ってきたのです。

法月　構想のきっかけは何だったのですか？

貴志　メイントリックを思いついたのが最初です。凶器は違いましたけどね。この原理を使って殺人を可能にするにはどうすればいいかと考えたのです。そのときは具体的なストーリーというか、トリックが成立する状況が作れませんでした。それでまあ、十年、二十年ずっと温めていたんですね。放置していたといった方が正しいかもしれませんけど。

法月　その温めていたトリックが形になりそうだと思われたのは、防犯セキュリティと結びつけられたからでしょうか。本書を読むと、防犯セキュリティにまつわる話のディテールがすごいですよね。ずいぶん取材もされたと思うんですけど。

貴志　セキュリティと結びついたのは、ちょっとあとなんですよね。プロットを練っているうちに、構成として別解をたくさん入れたいなというのがまずあったのです。次にいろんな仮説を立てて、それをつぶしていけるのはどんな人かなと考えました。それで生まれたのが防犯探偵の榎本のキャラクターです。たまたまその前にセキュリティについて調べたことがあったので。

法月　セキュリティにはどうして関心を持たれたのでしょう。

貴志　それは実際に自分が引っ越したときに、あまりにも今のマンションのセキュリティがお粗末なのに気がついたという経験があったからなのです。そのときに専門家に話を聞いたりしまして。その時点では小説に使うという意識もなかったんですよ。自分のために調べたことが全部役に立って。非常に幸運でした。

法月　鍵屋《かぎや》さんから聞いたエピソードで、面白かったものを教えていただけますか。

貴志　面白いというか、けっこうどれも怖かったんですよ。中でもほんとに怖いと思ったのは、話を聞くと相当な重大事件なのにぜんぜん新聞報道はなされてないということを知ったときですね。鍵屋さんが嘘をついてるわけじゃないっていうことは、地元民なのでわかるわけです。なぜ報道されないか。そこには物騒な問題が絡んでいて……。

そのときに、ほんとうに事件が起きてからでは遅いという実感があったんですね。起きてから正義を求めても、何の意味もない。自分で自分の身は守らなきゃいけないという。

鍵屋さんから恐ろしい話をたくさん聞いて、極端なことを言えば収入の一割ぐらいを費やしても、防犯対策はすべきだなと。それぐらいの覚悟を持つべきなんじゃないかなって思いましたね。

法月　具体的な話で一番インパクトがあったのは。

貴志　開かない鍵は絶対ないという話は衝撃的でした。鍵を開けられるかどうかは、ようするに時間と、手間暇と、リスクの問題に過ぎないと。あわせて、「誰かに恨まれるような覚えはありませんか？」と聞かれたのです。作中にも書きましたけど。それがあるかないかで、ぜんぜん違うんだそうです。泥棒は引き合わないと思ったら余所《よそ》へ行くと。マンションなんか、隣より少しいいカギを付けておくとほぼ安全なんですよ。

法月　僕が最初に読んだとき一番すごいなあと感じたのは、やっぱりセキュリティ情報の圧倒的なディテールでした。最近は同じような話をテレビのニュースとかでも聞くようになりましたけど、貴志さんは当時すでにこれだけ詳しいことを押さえていたんだなと。

貴志　やっぱりね、ネットで調べた情報はどこまで信用できるかわからないですし、本に書いてあることもけっこう遅れてるんですよ。だから、この鍵屋さんに出会えてよかったですね。ほんとうに、探偵役の榎本みたいな人なんですよ。彼の話を聞いて、自分が安全だと思い込んでいるところが実は危険だったということがわかって。目から鱗《うろこ》の事実がたくさんありました。そこで得た情報はすごく大きかったですね。

法月　防犯セキュリティ情報のディテールの中には耳慣れない言葉もあるんですけど、普通に出てくる。でも、読んでる人にとっては負担にならない。そこもずいぶん計算して書かれているなと。

貴志　その辺りは悩ましいところで、あんまり調べたデータを生のまま書くと、読者によっては読み続けられなくなってしまうんじゃないかというところもあるんです。わたし自身は読者として、けっこう好きなんですよ、そういう生のニュースとか出てくるっていうのは。そういうところを楽しく読んじゃう方なので、自分も入れてしまいたいと。例えば、豆のスープの中に、全部きれいに裏ごしするんじゃなくてツブツブが入ってるみたいに、小説の上でもツブツブしたものがほしいんですよ。

法月　セキュリティの技術はたぶんどんどん進歩してると思うんですけど、今でも最新情報は追っかけてらっしゃいますか。

貴志　はい。続編を書くつもりがあって追いかけているというわけじゃないですが、関心そのものは薄れていません。つまり、これを書くちょっと前に自分の家に付けた錠前はその時点で最もセキュリティの高いものだったんですが、今やもうそうでもないんですよ。今後どうするかっていうのは、ちょっと頭の痛い問題でして（笑）。

やっぱりもう、怖さを知ったからにはウォッチし続けざるを得ないですよね。せっかくウォッチするんだったら、またそれを活かして新しい作品が書けたらいいなとは思いますけど。

——取材と時代感覚

法月　本書の密室は、二重三重のセキュリティシステムで固められているという設定です。しかも現場は介護サービス会社の社長室ですね。介護サービスという業種に目をつけたのは何かいわくがあるんですか。

貴志　友人がたまたま、一時期介護ビジネスに参入しまして。介護の情報会社みたいなものを作ったのです。そのときに介護業界の表と裏の話を聞いてからですね。介護が儲《もう》かるんだっていう発想はわたしにはものすごく違和感がありましたし、未公開株の上場によって莫大《ばくだい》な富を得るという話も同じような時期に聞いて。

法月　単行本が発売された当時は、あんまり介護ビジネスや、上場で利益を得るという話は、別世界の出来事に感じて、なんかピンと来なかったんです。でもあらためて今読み返すと、ものすごく時代を先取りしていますね。セキュリティの話に限らず、居場所のない若者が外人ハウスに住むとか、「これ、こないだテレビで見たよ」っていうようなところがずいぶんあって。アンテナが敏感というか。

貴志　情報はどんどん古くなるので、もっと普遍的なものを書いた方がいいんでしょうけれども。「こんなのありえない」という話にはしたくなかったので。

法月　ほんとうにすごく取材されてますよね。事件が起こって、死体を最初に発見するのはビルの窓拭《ふ》きの青年ですけど、窓掃除のときに使うゴンドラにも実際に乗られたそうじゃないですか。印象に残っているエピソードはありますか？

貴志　こんなに怖いものかという印象が強いですね。ハーネスを付けてても、箱の高さが腰ぐらいまでしかないんですよ。しかも風で揺れるのです。

法月　大変だったんですね。介護ロボットも実際に見に行かれたのですか？

貴志　介護ロボットは、取材を申し込んだんですが拒否されました。ただ、いろいろ、いろんな資料から今だったらこのぐらいのことはできるだろうと想像して書きました。

法月　ロボットといえば、ぜんぜん違う話なんですけど、去年瀬名秀明さんとお話ししたときに、貴志さんのことを非常に意識されてたんですよ。あの瀬名さんが「貴志さんはすごく取材魔ですね」と（笑）。『デカルトの密室』についてお話を伺ってみると、同じロボットという素材を扱って

いても、貴志さんとはずいぶん関心の方向が違う印象を受けました。ロボットといえば理系みたいな言い方で一括《ひとくく》りにされるけれど、人によって興味の持ち方が違うんだなと思って。

貴志さんは脇を固めるエピソードとして、わりとサラッと書いてらっしゃるんですけれども、瀬名さんは逆に、どんどん深くのめり込んでいくところがあって。同じ現代のロボット工学が出てきても、重なるところがあるのに違うなあと思って面白かったですね。同じホラー大賞の受賞者で、取材魔であるという共通点も含めて（笑）。

貴志　瀬名さんのロボットものは、もちろん全部読ませていただいています。やっぱり興味の持ち方は違うと思いますね。わたしはもともと文科系の人間で、瀬名さんはバリバリの理科系、というよりは科学者ですから、対象を見るとき、ベクトルが逆なんだろうなと思いますね。瀬名さんがロボットを描く視点は、やっぱりSFだなとも思います。

わたしは文科系の人間なので、ロボットというものをもっと即物的に見ちゃうんですね。携帯電話でも、ほんとに詳しい仕組みなんかわからなくても、そういうものがあることによって社会がどういうふうに変わるかということの方に興味が行ってしまうので。ですから、ロボットがどこまで人間に近づくのかということは、ものすごく重要な問題なのに、わたしはわりとスルーしてしまっています。

法月　貴志さんはSFをどういうものだと捉《とら》えていらっしゃるのでしょうか。

貴志　やっぱり不思議なものでしょうか。

ＳＦとミステリとホラーって、ぜんぜん違うと思うんですね。前もどこかで言ったんですけど、ＳＦっていうのは「テーマ」であって、ミステリはむしろ「手法」だろうと。じゃあホラーは何かといえば「効果」ですよね。恐怖がテーマになってるっていうよりも、恐怖演出がなされてるかどうかが問われます。この三つのジャンルは、どの組み合わせで合体させても面白いのです。

今、たまたまＳＦを書いてるんですが、かなりホラーテイストのＳＦなので、それもぜんぜんオッケー。だけど、ＳＦとミステリを合わせるのは、かなり難しいなと……思考が逆なんですよね。ミステリの思考って、法月さんはよくご存じだと思いますけど、結末に向かって収束していくでしょう。ＳＦは発散しちゃうじゃないですか。その意味でＳＦが好きであってもＳＦで書くときと、ミステリで出すときのロボットの捉え方はほんとに正反対だと思いますね。

法月　介護ロボットを使ったトリックが成立するかどうかとか、たくさんの仮説を立てるところがありますよね。あれは書きながら思いついたんですか？　それともある程度最初から用意されていたアイデアだったのでしょうか。

貴志　ほとんどその場で思いついたアイデアですね。ようするに別解なんで、実際は不可能だろうというアイデアでもいいとは思ったんです。突拍子もない方が読んでいて楽しいかなというのがありました。かつ、別解をつぶしていって、一つしか正解が残らないという形にしていきたかった。だから、実際には使わなかった開口部も、仮説を立てて検証し、執拗《しつよう》につぶしていったのです。

法月　書かれなかった別解も、まだたくさんありそうですね。

貴志　あと三つ四つぐらいあったんですけど、さすがにもう入りきらなくなっちゃって（笑）。

──犯人と探偵のキャラクター設定

法月　別解をつぶしていくのは、防犯探偵とワトソン役の女性弁護士です。どんな鍵でも開けてしまう怪しげな名探偵と天然ボケのワトソンというコンビのかけ合いが、とても面白かったんですけれども。ああいう名探偵にはこういうワトソンを配置するのが必要だと思われたのでしょうか。

貴志　ワトソン役が欲しいなというのはかなり前から思ってましたね。それと天然ボケの発想から出てくる別解はけっこう面白いんじゃないかなと。

法月　僕はカツラを使ったトリックがツボにはまって（笑）。

貴志　突っ込みどころがあった方が、ミステリって面白いかなと思いまして。常識で考えたらありえない話ですよね。だけども、頭の中だけで、ほんとにパズルみたいにして考えていくと、あんな考えが生まれてしまうのかなという。

法月　冒頭の方で登場人物の一人がある物を隠しているという伏線が張ってあったので、

これが正解なんじゃないかと最初は思いました。

貴志　別解をたくさん作ると、どんどん伏線を張らなきゃいけなくなっちゃって。あんまりやるとほんとに不自然な話になってしまうんですね。

法月　前半は名探偵とワトソンの仮説と検証の繰り返しで盛り上げて、後半はガラッと変わって倒叙形式になりますが、これはどういう狙いで。

貴志　メイントリックはヴィジュアルではかちっと頭の中にできあがっていたんですけれども、説明をどうするかというのがすごく頭が痛いところだったんですよ。つまり、図を入れたら一目瞭然《りょうぜん》なんですが、書店でパラパラと、ページをめくられてしまうとトリックが丸見えになってしまう（笑）。だから図は入れられませんでした。でも捜査側の視点で文章だけで説明すると、わかりにくいと思うんですよね。犯人がトリックを発想したところから書いていけば、わかりやすくなるんじゃないかと思ったのです。

ですから、ほんとは犯人の登場部分というのは、一章か二章ぐらいで終わる予定だったんですよ。ところが、いざ書き始めてしまうと、物語を途中で端折《はしょ》ることがで

きなくなっちゃったんですね、だから、探偵サイドとほとんど同じ長さになってしまって。

法月　僕が面白かったのは、一つは犯人のキャラクターと、犯行までの経歴ですね。まるでその犯行に至るのが必然であるかのように描かれている。俗っぽい部分と人工的に作り込まれた部分が両立しているのが、とても貴志さんらしいと思いました。

あと、探偵と犯人には全然接点がないのに、コインの裏表みたいな同じ質《たち》の人間という感じがしますね。逆にいうと、この犯人ぐらい手の込んだことをしてくれる人じゃないと、防犯コンサルタントの探偵が生きない。犯人像が探偵のキャラ設定に影響を与えたということもあるのでしょうか。

貴志　ええ、それも書いてる途中で自分で気がついたみたいな感じですよね。

その前に書いた『青の炎』もそうなんですけど、わたしはいつも方法から思いつくんですよ。その方法を思いつくのはどういう人間かと想像していくと、ほとんどキャラが決まっちゃう。だから、犯人はああいう経歴にせざるを得なかったという部分もあります。先ほど法月さんがおっしゃったように、犯人と探偵は、ぜんぜん違う人間でありながら、同じ匂いを持っています。しかも第二部の最初を読むと、名前しか出て来ないじゃないですか。そうすると、探偵の話だと思う人がかなりいるんですね。そのへんはちょっと面白いんじゃないかと思って、意図的にミスリードしてみたんですけどね。

法月　最初の構想では、違う人を犯人にしようとしていたみたいなことを、どこかでチラッとおっしゃっていたと思うんですが……。

貴志　書き始めたときも、まだ違う犯人だったんですよ。途中で変更したのです。こういう立場の人がこういう動機ですべてを失うようなリスクを冒すかなと考えて、冒さないという結論に達したんですね。自分で突っ込みを入れちゃったので、もうその人を犯人にすることはできなくなってしまったという。

でも、そのときに原点に戻って、じゃあこういうことを発想して、実際にやるのはどういう人間なのかと考えたのが、結果的にはよかったような気がします。

法月　『硝子のハンマー』をお書きになられて、そのあと本格ミステリというジャンルに対するイメージは、どのように変わりましたか？

貴志　ミステリを専業でお書きになってる方を、ほんとに尊敬するようになりました。これからも書き続けていきたいとは思うんですが、毎回ミステリを書けって言われたら……ちょっと無理ですね（笑）。

法月　それは、これまでの作品と比べて大変だったということですか。

貴志　いつも大変なんですけど、大変さの次元が違うというか。すごい長いプログラムを書いてですね、バグを全部つぶしていかなきゃいけないような感じ。自分で気がつくんですよね、途中で。「ああ、これはダメじゃないか」って。自分でこう刃を突き刺したような、あの感覚はもういやですよね（笑）。

法月　では貴志さんご自身が、ここはいいなというところは、どこらへんになりますか。

貴志　実はわたしが一番気に入っているのは、メイントリックじゃなくて。その前の防犯カメラを騙《だま》すトリックなんです。あのトリックはわりとスムーズに入れられたんじゃないかなって。

法月　女性弁護士と防犯探偵のコンビの今後がすごく楽しみです。日本推理作家協会賞の選考のときに選評でも「是非これはシリーズにしてほしい」と書きました。特に自分がミステリ畑の人間なので、こんなに魅力的なキャラクターは一回きりではもったいないと。

そうしたら中篇の「狐火の家」と「黒い牙《きば》」が「野性時代」に掲載されて。

貴志　ありがとうございます。まもなく一冊にまとまる予定です。

※このインタビューは、二〇〇七年八月七日、京都・祇園《ぎおん》で行われました。

撮影／小川一成

本書は平成十六年四月に小社より単行本として刊行されました。

本作品はフィクションであり、実在のいかなる組織・個人とも一切関わりのないことを付記いたします。（編集部）

硝子《ガラス》のハンマー

貴《き》志《し》祐介《ゆうすけ》

角川文庫 14855

平成十九年十月二十五日　初版発行
平成二十四年四月十五日　十五版発行

発行者—井上伸一郎
発行所—株式会社角川書店
東京都千代田区富士見二—十三—三
電話・編集（〇三）三二三八—八五五五
〒一〇二—八〇七八
発売元—株式会社角川グループパブリッシング
東京都千代田区富士見二—十三—三
電話・営業（〇三）三二三八—八五二一
〒一〇二—八一七七
http://www.kadokawa.co.jp
印刷所—旭印刷　製本所—本間製本
装幀者—杉浦康平

本書の無断複製（コピー、スキャン、デジタル化等）並びに無断複製物の譲渡及び配信は、著作権法上での例外を除き禁じられています。また、本書を代行業者等の第三者に依頼して複製する行為は、たとえ個人や家庭内での利用であっても一切認められておりません。
落丁・乱丁本は角川グループ受注センター読者係にお送りください。送料は小社負担でお取り替えいたします。

©Yusuke KISHI 2004　Printed in Japan

定価はカバーに明記してあります。

き 28-2　ISBN978-4-04-197907-5　C0193

角川文庫発刊に際して

角　川　源　義

第二次世界大戦の敗北は、軍事力の敗北であった以上に、私たちの若い文化力の敗退であった。私たちの文化が戦争に対して如何に無力であり、単なるあだ花に過ぎなかったかを、私たちは身を以て体験し痛感した。西洋近代文化の摂取にとって、明治以後八十年の歳月は決して短かすぎたとは言えない。にもかかわらず、近代文化の伝統を確立し、自由な批判と柔軟な良識に富む文化層として自らを形成することに私たちは失敗して来た。そしてこれは、各層への文化の普及滲透を任務とする出版人の責任でもあった。

一九四五年以来、私たちは再び振出しに戻り、第一歩から踏み出すことを余儀なくされた。これは大きな不幸ではあるが、反面、これまでの混沌・未熟・歪曲の中にあった我が国の文化に秩序と確たる基礎を齎らすためには絶好の機会でもある。角川書店は、このような祖国の文化的危機にあたり、微力をも顧みず再建の礎石たるべき抱負と決意とをもって出発したが、ここに創立以来の念願を果すべく角川文庫を発刊する。これまで刊行されたあらゆる全集叢書文庫類の長所と短所とを検討し、古今東西の不朽の典籍を、良心的編集のもとに、廉価に、そして書架にふさわしい美本として、多くのひとびとに提供しようとする。しかし私たちは徒らに百科全書的な知識のジレッタントを作ることを目的とせず、あくまで祖国の文化に秩序と再建への道を示し、この文庫を角川書店の栄ある事業として、今後永久に継続発展せしめ、学芸と教養との殿堂として大成せんことを期したい。多くの読書子の愛情ある忠言と支持とによって、この希望と抱負とを完遂せしめられんことを願う。

一九四九年五月三日